Sapori e odori
nel tempo, tra i ricordi
e sentirsi sempre a casa —

Prendersi cura di sé stessi,
degli altri e regalarsi
il gusto della vita —

Tanti Auguri
e
un abbraccio

Varia/Feltrinelli

Allan Bay
CUOCHI SI DIVENTA

Le ricette e i trucchi
della buona cucina italiana di oggi

Feltrinelli

© Giangiacomo Feltrinelli Editore Milano
Prima edizione in "Varia" settembre 2003
Sedicesima edizione giugno 2008

ISBN 978-88-07-49025-5

www.feltrinelli.it
Collegati al weblog
CUOCHI SI DIVENTA, il diario
online di Allan Bay.

Introduzione

Cuochi si diventa – ne sono più che certo. Occorre solo un pizzico di conoscenza culinaria, ma poco, in genere qui in Italia ereditato col Dna di nonne e mamme. Più tante virtù che mi pare corretto definire civili, quelle descritte nel decalogo del capitolo che segue; e qualche furbizia.

Virtù basate sul metodo, che etimologicamente vuol dire la giusta via per la meta, arricchito con un sale insostituibile, la calma. Una virtù come il piacere di cercare buoni prodotti. O di dedicare qualche giornata uggiosa alle preparazioni di base, da archiviare in freezer per quando serviranno. O di pesare tutto, l'occhio è lo strumento di misura più fallace. O di eseguire qualunque piatto con la ricetta sotto il naso, la memoria tradisce più di quanto sembri. O di preparare e porzionare gli ingredienti di cui si ha bisogno, che siano tutti pronti, in trepida attesa, quando si comincia a cucinare. Molti chiamano queste virtù trucchi o segreti. Ma, come tutti i veri trucchi e i veri segreti, sono davanti ai nostri occhi, sta a noi il volerli vedere. Virtù che, permettetemi di dirlo, aiutano ad affrontare al meglio i casi della vita, al di là dell'amore per la buona cucina.

La furbizia sta nel volare come si sa volare, senza bruciarsi le ali come capitò a Icaro. È inutile impelagarsi in preparazioni complesse, che richiedono una grande manualità e competenza e decine di tentativi prima di essere accettabili. Sono moltissime le preparazioni così, ma non le troverete in questo libro. Per fortuna la cucina italiana e quelle dei nostri vicini sdoganate nel nostro paese sono talmente ricche di ricette che è facilissimo trovarne di buone, gustose e facili da fare. In grado di soddisfare le esigenze di chiunque. Sono quelle che troverete in questo libro.

Cuochi si diventa è un libro dedicato a chi vuole far felice se stesso e i suoi amici proponendo piatti buoni e facili. Parla di come si prepara la tavola e di come si abbina un vino. Parla moltissimo di tecniche di cottura, che bisogna conoscere, e di basi, che bisogna preparare – la buona base è sempre il trucco vincente. Parla di tanti piatti mitici, sempre un po' traditi – ma mai snaturati – per renderli alla portata di tutti. Più tante ricette con appunto la già citata caratteristica di essere facili, gustose, accattivanti e di far fare bella figura.

Chi scrive un saggio, di politica come di cucina, dovrebbe essere obiettivo, qualunque cosa voglia dire. Io non ci ho neanche provato. *Cuochi si diventa* è un libro di parte. È la sintesi del meglio che ho incontrato in questi anni – anzi, di quello che io ho reputato il meglio. Quindi è schierato in difesa di ciò che io definisco buona cucina. Che in sintesi è: piatti buoni e non importa se sono razzialmente puri o meno, cioè se rispettano una tradizione, o meglio un Canone, con la "c" maiuscola mi raccomando. Se l'origine del piatto è della mia regione va bene, se è rumeno va altrettanto bene – ce n'è uno di rumeno, cercatelo. Se tradiscono una tradizione, vanno pure bene. Basta che siano ghiotti. E facili da fare.

Ho cercato di scrivere nella maniera più semplice e di farmi capire al meglio. Spero di esserci riuscito. Ho adoperato termini e modi di dire non molto usuali nei libri di cucina, che a mio parere sono sempre un po' troppo freddi e tecnicistici. Aborro il freddo e il tecnicismo in cucina. Aborro i testi asettici. Ho cercato quindi di scrivere caldo e "umanistico", cioè mettendo sempre in primo piano l'umana passione per la buona tavola, mia e di chi leggendo questo libro ha scelto di condividere la sua passione con la mia.

Soprattutto ricordandomi sempre, e ricordandolo a tutti sempre, che la cucina è un grande gioco. Bellissimo, il più bello del mondo, che vale sempre la pena di giocare per vivere bene. Ma è un gioco. Giochiamolo insieme.

Un decalogo di virtù civili

Ho suddiviso in dieci comandamenti le virtù che bisogna coltivare per diventare bravi cuochi. Gli ultimi tre comandamenti diventano utilissimi il giorno fausto in cui deciderete di inventare un piatto – una grande emozione.

1) La prima virtù, l'amore per il cibo e per il condividere la tavola con gli amici, la do per scontata. Se non l'avete non potete mai godere fino in fondo un pasto – e questo libro. È una grazia divina, chi non ce l'ha non ce l'ha.
2) La seconda virtù è la pazienza di cercare le migliori materie prime. Un buon supermercato, e migliorano di giorno in giorno, offre ormai una scelta di materie prime soddisfacente. Ma soprattutto nelle occasioni speciali, quando siamo tristi e dobbiamo tirarci su, quando dobbiamo conquistare qualcuno o qualcosa, quando vogliamo condividere la nostra felicità con gli amici, quando ci teniamo a fare bella figura con i nostri ospiti – quindi tante volte... – la ricerca delle migliori materie prime disponibili è insostituibile. Bisogna dedicarle tempo, tanto, e fatica – si impiega più tempo a comprare che a cucinare! Le buone materie prime si trovano, non sempre, non dovunque, ma si trovano. E poi bisogna pagarle, che costano care. Una cosa è importante da dire: è una scelta culturale, non economica. Fino a pochi decenni fa si spendeva oltre il 50 per cento del reddito per nutrirsi: oggi appena il 10 per cento. Portare questo 10 a 11 o 13 è appunto una scelta culturale.
3) Studiate qualunque ricetta, se volete o se non trovate

un ingrediente cambiatela, fidandovi del vostro fiuto più ancora che della vostra esperienza. Ma alla fine, decisa una ricetta, fate quella. Cambiare in corso d'opera, e tante volte viene la tentazione, è rischiosissimo. Scrivete la ricetta che intendete fare e appendetela nel punto più visibile della cucina. Poi eseguitela passo dopo passo. La memoria tradisce, sempre, qualunque sia la vostra capacità culinaria.

4) Le basi sono fondamentali. Un brodo sbagliato può rovinare un piatto. Poter addensare, anche all'ultimo momento, una salsa o un fondo di cottura con un roux è fondamentale per il successo di un piatto. Ma anche aver sempre pronto in freezer del soffritto è importantissimo. Per questo, fatele al meglio e usatele, sempre. È più che mai in una giornata uggiosa, fatele e poi archiviatele in freezer in attesa di usarle. Senza buone basi, bravi cuochi non si diventa.

5) La bilancia è il più grande aiutacuoco che ci sia, l'occhio tradisce sempre. Per cuocere la pasta bisogna unire nella pentola dell'acqua bollente 10 g di sale a litro. Pesatelo, non c'è alcun motivo per non farlo. Di certo un piatto accetta variazioni, spesso (ma non sempre...) un po' più o un po' meno di un ingrediente non cambia molto. Ma meglio pesare sempre. Prima di dare inizio alla preparazione di un piatto, pesate e porzionate tutti gli ingredienti di cui avete bisogno. Se vi serve 1 litro di acqua, misuratela e mettetela in una bottiglia usata – ben risciacquata. Ma anche se non c'è una dose prestabilita, porzionate. Se il pepe deve essere pestato e non macinato, pestatelo nella dose che reputate giusta e mettetelo in una tazzina. Se dovete aggiungere aghi di rosmarino, toglietene quanti volete dal suo ramo e metteteli in una tazzina. Solo dopo aver preparato e ordinato tutto, e controllato più volte iniziate a cucinare.

6) Cucinate con calma, la fretta e l'ansia sono le peggiori consigliere. Se sapete di avere poco tempo, optate per una ricetta veloce, che potrete fare al meglio nel poco tempo che avete. Ma questa virtù serve ben al di là della cucina...

7) Siate umili. Volate come sapete volare, che non si inganna se stessi. Meglio preparare un piatto più semplice e ben

fatto che uno più complesso che, inevitabilmente, sarà insoddisfacente. Questo comandamento sembra una scontata banalità, ma purtroppo così non è. Va soprattutto evitata una tipologia di piatti: quelli dove si mettono, in momenti successivi, degli ingredienti che devono venire a cottura tutti insieme, allo stesso momento. Almeno uno tradisce sempre, è una legge infallibile. Quindi evitateli. E poi in *Cuochi si diventa* avete una scelta così ampia di piatti buoni e semplici...

8) Marciate separati e colpite uniti, come faceva Napoleone. Tradotto, molto meglio cuocere separatamente, al dente tutti gli ingredienti e assemblarli all'ultimo momento in un'ultima cottura di 1 o 2'. Così, se un ingrediente chiede più tempo, glielo si può concedere senza problema. In questo modo i sapori restano netti e ben distinti. Una piccolissima percentuale di piatti si esalta con lunghe cotture di tanti ingredienti insieme. Tutti gli altri guadagnano da cotture separate.

9) Tagliate sottile e cuocete poco. Questa è la grande lezione al mondo della cucina cinese. Loro fanno così perché da secoli il combustibile è più prezioso degli ingredienti. Ma è una tendenza del futuro, che rispetta i buoni ingredienti al meglio. Certo, un brasato al Barolo o una trippa devono cuocere molto a lungo. Ma la stragrande maggioranza degli ingredienti reggono benissimo a essere sminuzzati e cotti per pochissimo tempo. Studiate bene i *ragoût*, grandi piatti. Studiatevi la ricetta del maiale in salsa piccante a pagina 233 e appropriatevi di questa filosofia. È vincente.

10) Osate e siate orgogliosi di osare. Se volete cambiare qualche ingrediente o quasi tutti, fatelo – magari la prima volta da soli o con un amico fidato. Tradite qualunque ricetta, tradite qualsiasi libro, questo per primo, tradite qualunque tradizione: Dio non ha mai dettato la ricetta perfetta di qualsiasi piatto. Di più, la tradizione non esiste. Esiste l'invenzione della tradizione, fatta da chi si aggrappa non a un passato, ma al mito di un passato per sopperire alla propria mancanza di idee. Come diceva il Vate, *memento audere semper*.

Gli attrezzi indispensabili

Quali sono gli attrezzi veramente indispensabili per preparare buoni piatti? Istintivamente verrebbe da dire: nessuno. Se hai un po' di virtù civili e buone materie prime te la cavi sempre, anche in mancanza di attrezzature adatte.

Comunque, se si vuole diventare bravi cuochi, ecco una serie di attrezzi che, sempre, facilitano il lavoro e, spesso, lo migliorano.

Do per scontata la presenza di cucchiai di legno, tanti, di diversi formati, da cambiare spesso; un set base di pentole, teglie e pirofile; forchette e cucchiai da lavoro; un mestolo; una schiumarola; un set di taglieri; una centrifuga manuale per asciugare le verdure; uno scolapasta; un colino a maglia fine per filtrare; uno spargifarina; una grattugia quadrata a fori multipli; un apribarattoli; una forbice; ciotole da lavoro; stampi da torte; e contenitori da freezer.

I coltelli veramente indispensabili sono cinque. Un trinciante, il fondamentale coltellaccio grosso e pesante, a punta, con una lama da 30 cm almeno, per tagliare la carne, per tritare e per sminuzzare. Dura una vita, fate l'investimento: cercatelo di grande qualità. Più l'acciarino per tenere affilata la lama – usatelo ogni giorno, bastano poche passate e il coltello durerà a lungo perfettamente affilato. Un coltello a punta tonda da 24 cm, per tagliare salumi, carni cotte e quant'altro. Un coltello piccolo a punta da 12-14 cm per tutti gli usi di fino – esageriamo, prendetene due. Uno di ceramica da 12 cm per tagliare le verdure crude, che così non ossidano. E uno da pane seghettato. Bastano e avanzano.

Oltre alle pentole base, è utile una pentola pesante tonda di ghisa smaltata del diametro di 30 cm con il suo pesante coperchio e una padella di ghisa smaltata del diametro di 30 cm dove, fra l'altro, si salta – è pesantissima, si scrive saltare ma in realtà si mescola con un cucchiaio di legno. Sono un po' grosse ma per 6 persone, il numero magico per il pasto perfetto, servono tutte e fino a 8 persone se la cavano. Più una pentola di teflon con coperchio di 22 cm per salse e infinite cotture a fuoco dolce, la bastardella per le cotture a bagnomaria, un pentolino di teflon per mille usi e il cestello per la cottura a vapore a raggiera, adattabile a tutte le pentole, vorrei sapere chi è il genio che l'ha inventato.

Poi un ottimo minipimer, il frullatore a immersione, con la possibilità di inserire anche una frusta per montare. Un passaverdura in acciaio. Una mandolina, ahimè costosa, un attrezzo utilissimo, che taglia verdure e altro a fette regolari o julienne. E un mortaio di marmo.

Completano l'indispensabile un termometro da forno – non fidatevi delle manopole! – e una bilancia al grammo.

Cuochi si diventa, lo vedrete, consiglia sempre di preparare brodi e altre basi in una giornata uggiosa per poi conservarli per quando se ne avrà bisogno: un trucco vincente per preparare buoni piatti. Un piccolo freezer verticale, magari da mettere in cantina, è quindi molto utile.

Guida alla lettura

Qualche spiegazione prima di affrontare *Cuochi si diventa*. Ci sono due modi per scrivere una ricetta. Il primo prevede l'elenco degli ingredienti da utilizzare seguito dalla procedura. È di cattiva lettura ma di facile consultazione, a mio parere adatto a ricette complesse. Il secondo prevede la sola procedura con indicati, nel testo, pesi e dosi. È di più facile lettura ma di consultazione (un po') più faticosa, a mio parere adatto a ricette (un po') più semplici. Non sapendo come risolvere questo problema in maniera unitaria, ho optato per un classicissimo compromesso cerchiobottista. Le ricette (un po') più complesse hanno gli ingredienti a parte – ma sono pochissime. Quelle (un po') più facili, la maggior parte, non hanno gli ingredienti scorporati – ma sono più leggibili. Ho deciso quindi di privilegiare la leggibilità. Come tutti i compromessi qualcuno non sarà soddisfatto – ma un'altra soluzione non l'ho trovata.

Cuochi si diventa è strutturato in capitoli tematici, di tecniche e di ricette – tutti piatti amati e testati in questi anni. Ogni tanto compare una mania, proposte particolari per le quali stravedo. Mi auguro di condividere con voi queste manie che hanno reso più piacevole la mia vita.

Nel testo compaiono due simboli. Il primo, ☞, è il rimando a una ricetta presente nel testo. Nell'indice troverete la pagina in cui compare. Il secondo, ✓, è un'avvertenza o un piccolo consiglio che aiuta a fare meglio un piatto o segnala il rischio di un errore.

Come tutti quelli che scrivono ricette ho utilizzato unità

di misura tipo bicchiere, filo ecc. Solo per motivi estetici, scrivere: aggiungere 1 bicchiere è più bello che scrivere: aggiungere 15 cl. Ecco le tabelle di permuta:

1 pizzico = 2-4 g
1 manciatina o 1 manciata = dipende dal peso specifico, andate a buon senso
1 cucchiaino = 1 terzo di cucchiaio
1 cucchiaio (di liquidi) = 1 cl
1 cucchiaio (di prodotti in polvere) = 2-3 cc
1 cucchiaiata (in genere salse) = 6-8 cc
1 bicchierino = 5 cl
1 bicchiere = 15 cl
1 mestolo = 25 cl
1 noce di burro = 10-15 g
1 filo di olio = 1-1,5 cl

Olio vuol dire un (buon) olio extravergine d'oliva. Se cuoce, non deve essere particolarmente poderoso. Se non cuoce ma condisce alla fine, via col sapore, a piacere. Se è un extravergine di una regione particolare, per rispetto a una ricetta tradizionale, o di semi o altro, viene indicato.

Panna è la panna fresca da montare. Le altre panne non esistono. Se vi capitasse per errore in mano una confezione di panna cosiddetta da cucina, disfatevene al più presto.

Zucchero vuol dire zucchero semolato. Se è un altro, viene indicato.

Ho sempre scritto grana grattugiato, salvo pochissime ricette in cui ho specificato. Sta a voi optare per il Parmigiano Reggiano o per il Grana Padano – Lodigiano e Bagoss esistono, sono grana, ma introvabili.

Cuocere vuol dire cuocere senza coperchio. Se con coperchio è precisato.

Quando si dice in forno a 200°, vuol dire che il forno deve essere già caldo a 200°. Tutti noi tendiamo sempre a mettere qualcosa in forno ben prima che questo abbia raggiunto la temperatura prevista. Controllate col termometro da forno.

La bella tavola

È vero, nulla è più importante della bontà di quanto c'è nel piatto. Però, lo sanno tutti, si mangia con la bocca ma anche con gli occhi. Perciò non c'è alcun plausibile motivo per non dedicare tempo e cura a far bella la tavola. Anche quando ci sono ospiti, questo è ovvio, ma più che mai quando si è da soli – parafrasando Woody Allen, che parlava d'altro, quando siamo soli stiamo mangiando con una persona alla quale vogliamo molto, molto bene... In questo caso non accendere una candela è un peccato mortale. Quindi più che mai cerchiamo di rendere piacevole lo spazio dove stiamo mangiando. Aiuta lo spirito e la digestione.

La tovaglia o il servizio all'americana è un dilemma insolubile. La tovaglia è bella e nasconde il tavolo, ma chi ne ha una bella, salvo inattese eredità di vecchie zie? E poi bisogna lavarla, faticoso o costoso. Di contro, un servizio all'americana richiede un tavolo bello. Quindi mi astengo, ognuno decida secondo il suo piacere e secondo il destino.

Comunque sia, mettete a ogni commensale un sottopiatto o anche una grossa foglia o quant'altro. Preparate un tavolino di servizio, vicino a dove vi sedete su cui impilerete i piatti uno sopra l'altro.

Le posate si mettono invece fin dall'inizio tutte sulla tavola, nell'ordine d'uso dall'esterno verso l'interno, con quella più importante sulla destra – e il coltello è per principio più importante della forchetta, per cui va sulla destra e la forchetta sulla sinistra. Quindi si devono mettere tutte le forchette sulla sinistra? No di certo. Se il menu prevede un piatto di pasta, che si mangia senza coltello, questa va a destra. Probabilmente in mezzo al coltello dell'antipasto e quello del piatto forte, ma a destra, come a destra va il cucchiaio che non richiede mai l'accompagnamento del coltello. Le forchette devono avere i rebbi verso l'alto, i cucchiai la parte concava in alto e i coltelli la lama all'interno. Le posate da dessert vanno poste sopra il piatto, con il coltello e il cucchiaio con l'impugnatura a destra e la forchetta con l'impugnatura a sinistra.

Il tovagliolo, piegato a rettangolo, va a sinistra non sopra il segnaposto.

I bicchieri vanno a destra del piatto, prima quello per l'acqua, senza stelo e anche colorato, mai troppo grosso, e poi quelli da vino, sempre con lo stelo. Non vanno mai riempiti completamente, ma solo fino a metà.

Non è un problema se piatti, posate e bicchieri sono diversi, arricchiscono il tavolo.

Un bel centrotavola, magari con candele, ci vuole, ma deve essere basso e non troppo voluminoso: bisogna vedere in faccia il commensale seduto di fronte.

Acqua, vino, olio e aceto, sale e pepe, vanno messi sulla tavola all'inizio del pasto. Il pane si porta se e quando serve.

Il vino, se non scaraffato ☞, va aperto a tavola e la bottiglia messa su un piattino, possibilmente con un collarino di stoffa per evitare che sgoccioli. Se scaraffato, portate comunque la bottiglia vuota a tavola. L'acqua si travasa sempre in una caraffa, anche se alcune bottiglie di acqua minerale sono esteticamente belle.

Quanto al servizio, il piatto di portata mettetelo sul tavolino di servizio. Se la pentola è bella, è inutile il piatto di portata. Poi distribuite il cibo su piatti individuali che poserete davanti a ogni commensale passando dal lato sinistro, mentre lo prenderete, quando è vuoto, dal lato destro.

Sono poche, facili regole che aiutano il successo di un pasto.

A proposito di vino e birra

Fin da quando è nato il progetto di questo libro, una cosa è stata certa: che alla fine delle ricette non sarebbe comparsa una riga con una frase del tipo: con questo piatto consigliamo un Greco di Tufo, un Chianti classico o un Valpolicella. Moltissimi libri e riviste danno questa indicazione: io, no.

Il perché è semplice. Primo. Esiste il Valpolicella (ma lo stesso discorso vale per tutti i vini italiani) ma è talmente vasto il modo in cui è possibile produrlo che alla fine si trova del Valpolicella poderoso che ricorda l'ancor più poderoso Amarone e un altro più leggero che ricorda un profumato Bardolino. Sarebbe teoricamente più serio dire: il Valpolicella di quel tale produttore e di quel tale anno. Ma in pratica serio non è, e infatti nessuno lo fa, perché sarebbe sciocco legare un piatto a un singolo vino quando poi sono decine se non centinaia quelli altrettanto abbinabili.

Secondo. La scelta del vino si fa su un menu, non su singoli piatti, nessuno abbina a ogni proposta un vino, a meno di non essere in dieci a tavola...

Per questi motivi non troverete l'indicazione dei vini. Qui di seguito però vi do alcune semplici regole generali che aiutano a scegliere e a offrire e offrirvi il vino "giusto" – qualunque cosa voglia dire.

Premessa: dividiamo i vini in due categorie. La prima, lo 0,01 per cento dell'offerta, comprende quelli costosi, poderosi, in genere rossi, quali i Baroli, i Barbareschi, i Brunelli di Montalcino, i nuovi cabernet e merlot detti dagli intenditori Super Tuscan e altri. Per riconoscerli, basta un parametro: il prezzo, sempre stratosferico. Molti li chiamano vini da Meditazione, con la "m" maiuscola mi raccomando.

Bene, se volete Meditare con questi vini, dovete stare attenti agli abbinamenti con il cibo, perché in questo caso è il cibo a essere subalterno al vino. Dovete evitare sapori forti che non hanno un buon feeling col vino come tutte le spezie, pepe, peperoncino, pomodoro, carciofi, agrumi, senape, aceto, yogurt e affini, insomma evitare il buono. È giusto che sia così, le papille gustative devono essere vergini per gustare appieno i sapori del vino. Si finisce quindi inevitabilmente per optare per qualche scaglia di grana, tagliatelle al burro e un arrosto semplice di vitello magro. È dura la vita di chi vuol gustare un vino da Meditazione.

Poi c'è la seconda categoria di vini, il 99,99 per cento della proposta. Sono vini leggeri, giovani, che non reggono l'invecchiamento. Bene, scegliete i piatti che vi piacciono e abbinateli con il vino che al vostro gusto dice di più.

Rispettando solo pochissime regole:

1) Prima si gustano gli spumanti secchi, poi i bianchi, i rosati, i rossi e i vini dolci. Non dovete berli tutti, naturalmente, ma non invertite questa sequenza.

2) Uno spumante secco può accompagnare benissimo tutto il pasto, salvo i ricchi piatti di carni rosse e il dolce, con il quale non è proprio indicato. Lo spumante dolce, peraltro rarissimo, si abbina solo con i dolci.

3) Sul pesce un rosso leggero va benissimo, è una leggenda quella che impone solo il bianco.

4) Sulla carne di manzo, vino rosso. Sulle altre carni meglio il rosso, ma un bianco saporito può andare bene.

5) Sul dolce, sempre un vino dolce.

6) Dopo un vino dolce, in genere forte, che si sposa alla grande oltre che con i dolci anche con formaggi saporiti e fegato grasso (detto *foie gras* da chi non sa l'italiano), non si può "tornare indietro", non si può passare a un rosso secco. Dopo un vino dolce, ancora dolce o un buon distillato. Quindi, non iniziate mai un pasto né con formaggi saporiti né con fegato grasso.

E poi comunque osate: rompere le tradizioni e tradire quello che "tutti" pensano è sempre un ineffabile piacere. Basta avere un po' di faccia tosta.

La temperatura di servizio

Naturalmente conservate il vino nello spazio più fresco che avete. Se siete grandi consumatori, comprate un frigo da vino dove si conservano a +10°: un investimento redditizio. Servire un vino a temperatura di frigorifero, cioè a circa +2°, è una barbarie, non si sente il sapore. Fatelo solo se per disgrazia avete un vino pessimo, il freddo maschererà (in parte e per poco tempo, ma qualcosa pur si deve fare) il cattivo gusto.

I vini bianchi, rosati, dolci e spumanti vanno serviti fra gli +8° e +10°. Basta tenerli in frigo per 1 ora-1 ora e mezzo. Meglio però metterli in un secchiello pieno di acqua e ghiaccio a cui è stata aggiunta una robusta presa di sale grosso. Bastano da 20' a mezz'ora in questa acqua fredda e salata per avere la temperatura ottimale.

I vini rossi leggeri vanno serviti fra +14° e +16°: bastano 10' di secchiello o poco più.

Quelli rossi di corpo vanno serviti sui +18° e vanno quindi tenuti in un luogo a questa temperatura per almeno 3 ore.

✓ Sono molto utili le glacette a forma di copribottiglia che si tengono in freezer e che si infilano sulle bottiglie per raffreddarle. Si trovano ormai in tutti i negozi di casalinghi.

Il bicchiere

Investite nei bicchieri, se buoni esaltano un vino. E poi ne bastano due tipi per tutte le evenienze. Il primo, insostituibile, è un calice a tulipano, largo (nel punto più largo) 6 cm, poi leggermente rastremato verso l'alto, da 2 dl di capacità, alto (senza gambo) 9 cm, con un gambo di 6 cm. Lo hanno progettato in Francia su richiesta dei loro degustatori professionisti, poi tutti l'hanno copiato. È veramente universale e va appunto bene per tutti i vini, funge anche da *flûte*. Il secondo, meno insostituibile però piacevole, è uno a boccia grossa

e tendente allo sferico, da 4 dl di capienza, largo (nel punto più largo) 10 cm, alto (senza gambo) 10 cm, con un gambo da 10 cm. Serve per i rossi da Meditazione.
✓ I bicchieri devono essere trasparenti e sempre con un gambo. Quelli colorati vanno bene solo per l'acqua. Quelli senza gambo idem.

Scaraffare o meno il vino
È impossibile decidere se sia giusto scaraffare o meno un vino che non si conosce bene. Dipende da troppi parametri insondabili. Nel dubbio, fatelo: è difficile che si danneggi il vino, mentre non farlo è più rischioso. Fatelo sempre e soprattutto con i bianchi, così da far evaporare parte dell'anidride solforosa, (quasi) sempre presente in questi vini e che (quasi) a tutti dà fastidio.

Come conservare i vini aperti
Per gli spumanti si trovano sul mercato dei comodi tappi a pressione. Metterci un cucchiaino per impedire l'uscita del gas è una leggenda metropolitana. Per gli altri vini, comprate (si trovano nei migliori negozi di casalinghi) dei tappi di gomma e delle piccole pompe che servono a togliere l'aria dalla bottiglia e che quindi riducono l'ossidazione e l'invecchiamento. Anche se aperto più volte, un vino così trattato resta come era al momento della stappatura anche per 10 giorni.

La birra
Sarebbe bello fare un discorso di abbinamento birra/cibo parallelo a quello vino/cibo. Ma non si può, ancora. Perché le birre molto buone, quelle non pastorizzate e rifermentate in bottiglia, per le quali vale la pena di studiare un abbinamento, sono qualche centimillesimo della produzione totale e si trovano in pratica solo in una manciata di negozi a Milano e Roma. E basta. Quindi il discorso è prematuro, e temo che lo resterà a lungo: a noi italiani le birre di alta qualità, come alcune inarrivabili belghe che sono altrettanto interessanti di un Barolo da Meditazione, proprio non interessano.

21

I cocktail per aprire il pasto

Proporre un cocktail per iniziare un pasto è ormai politicamente scorretto. E questo è un peccato. Posso capire se lo si rifiuta per un motivo dietetico (il fegato è uno solo). Non accetto che si dica che non sono buoni. Sono meravigliosi. Vi do quindi la ricetta di alcuni cocktail curiosi, interessanti, leggeri (più o meno...), meno politicamente scorretti di altri. Sono mie proposte, variatele a piacere.

✓ Il ghiaccio fatelo con acqua oligominerale naturale. Non ha senso farlo con acqua di rubinetto, piena di calcare e di profumi che l'hanno di certo resa potabile, ma...

✓ In tutte le ricette che prevedono una guarnizione di pompelmo, arancia, lime o limone, potete fare così: spremete l'agrume, filtrate il succo, unite altrettanta acqua e un 10 per cento di sciroppo di zucchero da cocktail (lo si trova in tanti negozi). Mescolate e mettete in freezer nelle vaschette per il ghiaccio. Usatelo al posto del ghiaccio normale. È buono ed esteticamente vincente.

Kir

Classico, sempre appagante. Mettete in un bicchiere 4 parti di vino bianco ben freddo e unite 1 parte di cassis, crema di ribes nero. Se il vino è spumante o Champagne si chiama *Kir royal*.

Bellini

Mettete in un bicchiere 4 parti di spumante o prosecco ben freddo e unite 1 parte di pesca ben frullata. Potete sostituire alla pesca tutta la frutta fresca che volete. Se lo fate col succo d'arancia filtrato si chiama Mimosa.

Vino al kumquat e lemon grass

Unite a 1 bottiglia di spumante 3 kumquat pestati, menta piperita, 2 steli di lemon grass e 50 g di sciroppo di zucchero. Lasciate macerare per almeno 3 ore al fresco, filtrate e servite freddo.

Boule o vino all'arancia

Unite a 1 bottiglia di vino bianco secco o leggermente aromatico 2 arance a fette, 1 bicchiere di gin, 50 g di sciroppo di zucchero, un po' di cannella e chiodi di garofano. Lasciate macerare per almeno 3 ore al fresco, filtrate e servite freddo.

Sangria

Unite a 1 bottiglia di vino rosso 1 arancia a fette, 1 limone a fette, 1 bicchiere di brandy, 50 g di sciroppo di zucchero e, se siete in stagione, 2 albicocche o 1 pesca a fette. Lasciate macerare per almeno 3 ore al fresco, unite 3 bicchieri di acqua minerale gassata, tanto ghiaccio e servite.

Pestata di frutta al vino

Tagliate in un bicchiere dal vetro spesso qualche fettina di frutta fresca, secondo stagione e a piacere, come: arance, albicocche, kiwi, fragole, pesche, ciliegie, uva e quant'altro. Unite 1 schizzo di sciroppo di zucchero e pestate con un piccolo pestello di legno. Riempite con cubetti di ghiaccio e unite 1 parte di vino bianco e 1 di soda. Mescolate. È un po' torbido, per via delle bucce spezzettate della frutta, ma buono.

Pestata di frutta al gin

Procedete come per la pestata di frutta ☞, unendo alla fine 1 parte di gin e 2 di acqua tonica.

Zenzero e vermut

Prendete 70 g di zenzero fresco, pelatelo e tagliatelo a ron-

23

delle. Mettetelo in 1 litro di acqua fredda, portate a bollore e cuocete per 5' a fuoco vivo. Lasciate raffreddare e unite 1 lime spremuto e 2 cucchiai abbondanti di sciroppo di zucchero. In un bicchiere colmo di ghiaccio, mettete 2 parti di infuso di zenzero e 1 parte di vermut bianco, dry o rosso. Guarnite con 1 fettina di limone.

Borragine tonic

Prendete una grossa manciata di borragine e mettetela in 1 litro di acqua fredda, portate a bollore e cuocete per 5' a fuoco vivo. Lasciate raffreddare e unite 1 lime spremuto e 2 cucchiai abbondanti di sciroppo di zucchero. In un bicchiere colmo di ghiaccio mettete 2 parti di infuso di borragine, 1 di acqua tonica e 1 schizzo di gin. Guarnite con 1 fettina di limone.

Mojito light

In un bicchiere colmo di ghiaccio fatto con il lime ☞ unite una manciatina di menta fresca, 5 parti di soda, 1 parte di rum bianco o scuro e 1 schizzo di sciroppo di zucchero. Mescolate e servite.

E ora, tre cocktail politicamente scorrettissimi ma amatissimi – non si dice in giro che la correttezza politica sta passando di moda?

Martini hard

In un bicchierone (in gergo, mixing glass) con 6 ghiaccioli versate 1 bicchierino di vermut dry e girate bene con un lungo cucchiaio (in gergo, frullino). Scolate, tenendo il ghiaccio (se l'avete, utilizzate lo strainer, il passino con una specie di molla all'esterno che trattiene il ghiaccio) e unite 1 parte di gin o di vodka, freddi di frigo, non da freezer. Mescolate delicatamente per 30" e filtrate in un bicchiere. Unite 1 fettina di buccia di limone. Resta "il sospetto" del vermut, ma è la massima dose accettabile da chi sa vivere.

Negroni

In un bicchiere colmo di ghiaccio di arancia ☞ unite 1 parte di vermut rosso, 1 di Campari Bitter e 1 di gin. Mescolate e servite con 1 fettina di arancia. Una vera bomba.

Bloody mary

Condite della passata di pomodoro, possibilmente fatta in casa ☞, con sale, pepe, succo filtrato di limone e Tabasco, tutto a piacere. Mettete in un bicchierino 1 parte di vodka ghiacciata. Fate scivolare lungo la lama di un coltello appoggiata dentro il bicchiere, con la punta in basso (è più facile farlo che dirlo), 1 parte di pomodoro che, per il fenomeno della coesione, attraverserà la vodka e finirà nella parte inferiore del bicchiere. Bevete tutto in un sorso: l'alcol della vodka farà il suo dovere e alla fine il retrogusto amaro sarà smorzato dal dolce del pomodoro. Mescolare scompostamente vodka e pomodoro, come fanno tutti, è una barbarie.

Mania dell'autore 1:
il soffritto perfetto

C'era una volta, così iniziano tantissime fiabe. Prendete 1 cipolla, 1 carota e 1 costa di sedano, tritatele, fatele rosolare ecc., così iniziano un'infinità di ricette.

Questa preparazione si chiama soffritto. Serve a dare corpo e spessore ai piatti. Va cotto a bassissima temperatura, io uso dire: sopra una candela, quella elevata lo brucia e lo rende amarognolo e indigesto. Quando sentite un retrogusto di cipolla dopo aver gustato un piatto, vuol dire al 99 per cento dei casi che è stata cotta a una temperatura troppo elevata.

A volte, per esempio nel caso di un risotto ☞, abbinare bene il soffritto al riso è praticamente impossibile. Infatti, se il soffritto richiede sempre una temperatura di cottura più bassa possibile, il riso diventa risotto solo grazie a una tostatura iniziale fatta a fuoco più che allegro: salvare capra e cavoli è impossibile, o la cipolla brucia o il riso non si tosta bene. Se si deve rosolare una carne per un brasato ☞, cipolla e verdure non solo si bruciano, ma impicciano questa rosolatura, attenuandone il successo. Sono molti i casi come questi.

Qual è la soluzione? Semplice. Fare il soffritto come si deve, a fuoco dolcissimo, levarlo dalla casseruola, tritarlo, tenerlo da parte e unirlo alla preparazione quando la temperatura di cottura sarà meno elevata. Ma c'è una soluzione anche migliore. Fate il soffritto, con calma, nella solita giornata uggiosa, quando non avete nulla di meglio da fare. Conservatelo in frigo, dove dura senza problemi 1 settimana, o in freezer, diviso in dosi standard, dove dura 3 mesi, e aggiungetelo, dove e quando serve, al momento giusto. Questa procedura fa guadagnare sempre tempo, l'ingrediente più prezioso, e migliora la qualità di un piatto, senza mai peggiorarla. È inutile riscaldarlo prima di utilizzarlo. Toglietelo dal freezer 2 ore prima di usarlo.

Non spaventatevi e arrabbiatevi con me quando troverete in un'infinità di ricette l'indicazione di unire il soffritto a cucchiaiate. Se non l'avete pronto, basta farlo in un pentolino a parte e tritarlo, tutto qui. Calcolate che con 1 cipolla si fanno circa 4 cucchiai di soffritto di cipolle e con 1 cipolla, 1 carota e 1 gambo di sedano circa 6 cucchiai di soffritto all'italiana.

✓ Un soffritto va preparato col burro, caso mai con lo strutto, molto più leggero di quanto chiunque pensi. Se proprio volete usare l'olio: dovrà essere extravergine d'oliva, ma non saporito, altrimenti il sapore dell'oliva dominerà.

✓ Il soffritto non si sala, tanto non lo si mangia a cucchiaiate. Salerete il piatto dove lo utilizzerete. In tutti i libri di cucina è sempre indicato di aggiungere le spezie con moderazione. È giusto fare così. Ma c'è una spezia di cui tutti sempre abusiamo: il sale. Ne va messo poco, se e quanto necessario e all'ultimo momento.

Il soffritto di cipolle
Pelate e tagliate fini 1 kg di cipolle bianche, gialle o rosse, possibilmente con un coltello di ceramica. Sciogliete in una casseruola 150 g di burro (o olio) e fatele rosolare a fuoco dolcissimo, che di più non si può. Cuocete per 30' o più, non si cuociono mai troppo, mescolando con un cucchiaio di legno, unendo acqua se asciugasse troppo e sempre stando bene attenti che non brucino. Alla fine tritate o passate al frullatore a immersione (minipimer). Lo so, 150 g di grassi sembrano tanti ma è solo un problema di prospettiva. Calcolate che per 1 cipolla media, che pesa 100 g, si utilizza 1 noce di burro, che sono 10-15 g...

✓ Il coltello di ceramica è consigliabile per tagliare le verdure crude. Soprattutto quelle che si mangeranno crude, in quanto non le ossida: non è uno snobismo, cambia sul serio.

Il soffritto di porri

Procedete come per il soffritto di cipolle ☞, utilizzando 1 kg di porri. Lasciate pure un po' del verde, dà un buon sapore.

Il soffritto di scalogni

Procedete come per il soffritto di cipolle ☞, utilizzando 1 kg di scalogni. Consiglio di utilizzare questi bulbi il più spesso possibile, sono delicatissimi e buonissimi.

Il soffritto all'italiana

Procedete come per il soffritto di cipolle ☞, utilizzando 500 g di cipolle, 300 g di carote, 200 g di sedano e 150 g di burro (o olio).

Il soffritto all'italiana con pancetta

Una variante prevede la presenza di pancetta, fresca o affumicata. Procedete come per il soffritto di cipolle ☞, utilizzando 500 g di cipolle, 300 g di carote, 200 g di sedano, 200 g di pancetta tagliata a dadini e 100 g di burro (o olio). Dopo 10' di cottura, unite 1 bicchierino di vino bianco secco senz'alcol ☞ e 1 punta di concentrato di pomodoro.

Il soffritto ricco di anatra

In questa preparazione occorre usare non i tagli nobili dell'anatra, ma gli scartini, tutti quei ritagli che altrimenti non si saprebbe come impiegare. Ovviamente vanno anche bene i ritagli di tutti i volatili o di carni saporite.

Sminuzzate con un coltello pesante 200 g di ritagli d'anatra: occhio, non vanno mai tritati. Rosolate la carne per 4' in 1 noce di burro. Unite 1 bicchiere di vino bianco secco senz'alcol ☞, 500 g di soffritto all'italiana ☞ e 1 punta di concentrato di pomodoro. Cuocete per 10' a fuoco dolcissimo.

Sua maestà il pomodoro

È il re della cucina italiana e si fa fatica a credere che sino alla fine dell'800 non era diffuso: ma come facevano? Questo frutto (è un frutto, non una verdura) di origine centro e sudamericana ha conquistato veramente tutto il mondo, lo Stivale più che gli altri paesi.

Compare in un'infinità di preparazioni, lo si trova sempre nei negozi, tutto l'anno. Prevalentemente lo utilizziamo nella forma di passata, pelati, polpa pronta e concentrato, doppio o triplo che sia, e nella forma di salse pronte. Per quanto la qualità industriale sia a volte (ma non spesso) più che accettabile, quella casalinga è sempre migliore. Vi do qui di seguito alcune ricette.

La passata di pomodoro

In genere la si compra già fatta, è la forza dell'abitudine. Ma farsela è facile. Per vedere la differenza, fate la prova cocktail. Preparatevi un pomodoro condito o un *bloody mary* ☞, sia con una passata industriale sia con una fatta in casa: vedrete che differenza.

Tagliate a fette 1 kg di pomodori ben maturi, i migliori che avete trovato. Lasciateli appassire per 3 ore in forno a 70°, così da far evaporare il più possibile l'acqua di vegetazione. Passateli al passaverdure, senza insistere troppo. Tutto qui. Dura in frigo 6 giorni, in freezer 3 mesi.

La salsa di pomodoro

La salsa di pomodoro è base e cardine della cucina italiana. Per quanto relativamente semplice, le varianti sono tantissime e ognuno conserva gelosamente la "vera" ricetta, tramandata da nonne e mamme. Ovviamente sono tutte egualmente vere e pertanto vi propongo la mia vera, che in realtà sono due.

✓ Inutile impelagarsi nella diatriba fra pomodori da insalata, da sugo, con la buccia più o meno sottile e via cercando. È chiaro che ci sono pomodori più adatti di altri per ogni tipo di preparazione, però in realtà la vera discriminante è fra buoni, abbastanza buoni e altri. Per le salse, usate i buoni e gli abbastanza buoni e ignorate gli altri, che sono la stragrande maggioranza. Tradotto, comprate i più cari, costano comunque pochissimo e la spesa vale la candela.

Salsa del Sud

Si può fare solo se grazie a un destino benevolo (tipo: siete amico di chi li ha prodotti e in più lui ha il pollice verde) siete riusciti a procurarvi dei pomodori veramente buoni e maturi. Questa salsa non sopporta un prodotto medio.

Dividete 1 kg di pomodori a metà e, strizzandoli, eliminate al meglio l'acqua di vegetazione e anche un po' dei semi. Tagliateli grossolanamente. Scaldate un onesto quantitativo d'olio extravergine d'oliva con 1 o più spicchi di aglio e fate rosolare i pomodori per 2', aggiungete 1 punta di zucchero e proseguite a fuoco dolce per 10', mescolando quanto basta con un cucchiaio di legno. A cottura ultimata, togliete l'aglio se volete, passate al passaverdura o meno, dipende dal vostro gusto, regolate di sale e di peperoncino a piacere e aggiungete basilico a volontà, che non deve cuocere, si appassirà nella salsa e basta.

✓ Come ho già detto i pomodori devono essere veramente buoni e maturi perché questa salsa sia indimenticabile! Se avete anche qualche vago dubbio, tuffateli nell'acqua bollente, pelateli e privateli dei semi e dell'acqua di vegetazione. È più prudente.

Salsa del Nord

Salsa universale, da tenere sempre a disposizione in frigo: qui vanno bene anche i pomodori abbastanza buoni, in più, se vi capita, qui lo dico e qui lo nego, potete usare anche i pelati industriali.

Tuffate 1 kg di pomodori nell'acqua bollente, pelateli e privateli dei semi e dell'acqua di vegetazione. Tagliateli grossolanamente e fateli rosolare in poco burro oppure in 1 filo d'olio per 2', aggiungete 400 g di soffritto all'italiana ☞, 1 cucchiaio di concentrato di pomodoro, 1 cucchiaino di zucchero e cuocete dolcemente per 10'. Alla fine passate al passaverdura o meno, dipende dai gusti – io preferisco non farlo. Unite prezzemolo tritato a piacere e regolate di sale. Questa è la salsa da aggiungere a tutte le preparazioni dove la ricetta dice: aggiungete salsa di pomodoro. È veramente universale. Al posto del prezzemolo si può unire anche basilico o, meno ortodosso ma molto gustoso, menta, sempre tritati.

Salsa rossa o bagnèt ross

Si potrebbe definire un ketchup casalingo. È una gloria della tradizione piemontese. Accompagna alla grande il bollito misto, in compagnia della salsa verde ☞, ma anche la carne alla griglia. E sostituisce in tutti gli usi il ketchup industriale.

Fate sobbollire 2 bicchieri di aceto per 5', unite 4 cucchiai di zucchero, 500 g di salsa del Nord ☞ fatta con olio, abbondante peperoncino, 1 punta di fecola o di maizena, stemperate in 1 cucchiaio di acqua fredda, e cuocete per 10', mescolando. Si gusta a temperatura ambiente.

Mania dell'autore 2:
il vino senz'alcol

Il vino, nella cucina italiana, ma in Europa è lo stesso, è presente in un'infinità di preparazioni.

Il nettare di Bacco, come tutti sanno, è composto da una parte alcolica, circa il 10-14 per cento, mentre il resto è acqua e tantissimi ingredienti, arrivano anche a mille!, che ne determinano profumo e sapore.

Quando si usa nella cucina, bisogna tener conto di una cosa: mentre la parte acquosa e aromatica non crea problemi, fa il suo dovere, la parte alcolica di problemi ne crea, eccome. Perché l'alcol, nella cottura, dà un fondo acido e amaro del tutto riprovevole. D'accordo, in parte evapora, essendo più volatile dell'acqua. D'accordo, per questo motivo si usa aggiungere un'abbondante punta di zucchero nelle preparazioni dove compare il vino, serve a smorzare questa acidità. D'accordo, in genere (è un modo di dire, non lo fa più nessuno, da quanto tempo non comprate lardo o cotenna?) si abbina a ricchi grassi di maiale e affini, sempre sapidi, che ben si sposano con l'acido. Ma il problema resta e diventa drammatico per preparazioni come un brasato al vino rosso o un pollo al vino.

La soluzione ottimale è semplice: separare la parte alcolica da quella acquea e aromatica. Come? Facendo bollire il vino per 5'. L'alcol, che è più volatile, evapora subito, si sente bene mettendo la faccia sul pentolino dove bolle. Si usa il vino privato di questo suo rognoso componente (rognoso nella cucina naturalmente, in bocca è meraviglioso...) nelle cotture dove è richiesto. Tutto qui. Ma questo è un grande trucco, importante e vincente, per il successo di un piatto.

✓ Dopo averlo privato dell'alcol, sfido chiunque a riconoscere se si è partiti da un vino da Meditazione o da un onesto vino da tavola. Per questo motivo sconsiglio di usare nella cucina vino prezioso: quello corrente va altrettanto bene. Un robusto trebbiano bianco piuttosto che un innominato e poderoso rosso del Sud vanno benissimo nel 99,99 per cento dei casi. Brasato al Barolo escluso.

Chiedo fin da subito scusa per l'irritazione che colpirà alcuni dei miei lettori – mi auguro pochi – quando troveranno in un'infinità di ricette l'indicazione di unire vino senz'alcol e il simbolino ☞ che rimanda a questa pagina. Possono anche unire vino normale, come tutti fanno, ma il risultato sarà sempre una punta più o meno netta di acidità. Se piace...

Le salse o meglio i sughi degli italiani

Cominciamo con qualche definizione. Per salse si intende una preparazione emulsionata ☞ che accompagna carni, pesci, verdure e altro. I sughi invece sono una salsa che condisce una pasta. È una distinzione senza dubbio arbitraria, su cui molti non sono d'accordo, ma quando trovate questi termini sapete cosa intendo. L'esperienza di chi scrive di cucina dice che gli italiani non amano le salse, le reputano "cose da francesi". Naturalmente quelle nostre sono un'altra cosa. Ecco un esempio di altra cosa. Si noti comunque che la stragrande maggioranza delle nostre salse sono in realtà dei sughi, che nel 99 per cento dei casi condiscono una pasta e nell'1 per cento qualcosa d'altro, ridiventando salse.

I ragù

Cosa siano i ragù lo sanno tutti: la versione italiana dei *ragoût* francesi e tedeschi. Solo che quelli sono spezzatini guarniti, i nostri salse, anzi sughi – e quindi la carne va sminuzzata alla grande. C'è un solo, fondamentale trucco perché siano buoni: non tritare la carne ma tagliarla fine con un coltello pesante. E cucinarla il meno possibile.

Il ragù di carne

Tagliate a dadini piccoli con un coltello pesante 500 g di carne mista di manzo, vitello e maiale. Scaldate 1 noce di burro e fateli saltare per 4', unite 250 g di soffritto all'italiana con pancetta ☞, 1 bicchiere di vino rosso secco senz'alcol ☞ e 1 punta di concentrato di pomodoro. Cuocete a fuoco dolce per 20', non di più, unendo poco brodo di manzo ☞ se asciugasse troppo. Spolverate con una manciata di prezzemolo e regolate di sale e pepe.

Il ragù d'agnello

Disossate 500 g di spalla di agnello (è inutile sacrificare tagli più nobili) e tagliatela con un coltello pesante a dadini piccoli. Scaldate 1 noce di burro e fateli saltare per 2', unite 250 g di soffritto all'italiana ☞, 1 bicchiere di vino bianco secco senz'alcol ☞ e 1 punta di concentrato di pomodoro. Cuocete a fuoco dolce per 10', non di più, unendo poco brodo di manzo ☞ se asciugasse troppo. Spolverate con una manciata di prezzemolo o di menta, più delicata e profumata, tritati e regolate di sale e pepe.

Il ragù di pesce

Tagliate a dadini 500 g di polpa di pesce. Vanno bene tutti salvo quelli azzurri, ma tonni e pesci spada sono azzurri e con la loro polpa si ottengono dei meravigliosi ragù – la cucina è bella perché le eccezioni sono sempre più delle regole. Scaldate 1 filo di olio e fateli saltare per 1', unite 200 g di soffritto di scalogni o di porri ☞, 1 bicchierino di brodo di pesce ☞ o di verdure ☞ e 1 piccola punta di concentrato di pomodoro. Cuocete a fuoco dolce per 4', non di più. Spolverate con una manciata di menta tritata e regolate di sale e pepe.

Il pesto

Si trova in Liguria ma anche in Provenza, dove si chiama *pistou* – la diatriba per la primogenitura è insolubile. È a base di basilico ligure. Qui iniziano i problemi. I liguri non sono mai riusciti a fare una dop (denominazione d'origine protetta) del loro meraviglioso basilico: una storia tipicamente italiana. Perciò, se chiedete basilico ligure dovete fidarvi del fruttivendolo. Se siete fortunati, sa distinguere i vari tipi di basilico e, se ce l'ha, ve lo dà. Altrimenti vi dà quello del Sud. Distinguerli è difficile. Quello meridionale è a foglie più grosse e ha un profumo diverso, leggermente alla menta: ma ve ne accorgerete solo dopo aver fatto la salsa. Non resta che fidarsi del fruttivendolo e abbasso i liguri che non sono mai riusciti a "dop-izzarlo". Dovrebbe essere fatto in un mortaio di marmo con un pestello di bosso, ma nessuno fa così, salvo pochi fanatici come me. Nel frullatore viene lo stesso, ma con un'avvertenza: dato che il caldo ossida il basilico e lo rende amaro, e le lame girando scaldano, è bene mettere la boccia del frullatore per un paio d'ore in freezer prima di usarla. E se il freezer è pieno, può capitare, mettete nella boccia 2 cubetti di ghiaccio. Si frulla pochissimo: il basilico così non fa in tempo a scaldarsi più di tanto e resta meno amaro. In attesa che qualcuno inventi un frullatore con le lame di ceramica...

✓ Il pesto non si conserva, non c'è niente da fare, usatelo al più presto dopo averlo fatto. Il pesto industriale, chissà mai perché, è sempre orrido, evitatelo.

Pulite 50 foglie di basilico con un telo inumidito, non lavatelo! Tostate leggermente 1 manciatina di pinoli. Tirate fuori dal freezer la boccia, metteteci senza perdere tempo mezzo dl di olio extravergine d'oliva naturalmente ligure, il basilico, i pinoli, da 2 a 5 spicchi d'aglio, dipende dai gusti, ma è giusto abbondare, poco sale grosso, 15 g di pecorino romano e altrettanto grana grattugiati. Frullate per 10". Trasferite in una ciotola e completate con altrettanto olio e altri 15 g di pecorino e 15 g di grana.

Pesto di carciofi
Quando il basilico ha finito la sua stagione.

Pulite 3 carciofi, tagliateli a fettine e frullateli con 2 (o più, dipende dai gusti) spicchi d'aglio, 1 manciatina di pinoli leggermente tostati e 1 bicchiere di latte. Quando il pesto sarà ridotto a poltiglia, unite 6 cucchiai di olio extravergine d'oliva ligure, 1 manciata di grana e regolate di sale.

Salsa verde
Detta bagnèt vert. I puristi dicono che bisogna assolutamente usare acciughe dissalate. Io, che purista non sono, una volta tanto concordo. Usare acciughe sott'olio, anche le migliori, sminuisce questo piatto. Uso: carne bollita, ideale per questa preparazione.

Ammorbidite nell'aceto bianco o di mele, cosa molto eterodossa, 3 fette di pancarré private del bordo e strizzatele. Lessate 1 uovo per 10' e tritatelo. Tritate bene, con tanta pazienza, 100 g di foglie di prezzemolo, lavate e ben asciugate, 5 spicchi di aglio, più o meno, dipende dai gusti, 1 manciata di capperi dissalati e 3 acciughe dissalate. In una ciotola mettete tutti gli ingredienti tritati ed emulsionateli ☞ con una frusta a 1 dl o poco più di olio extravergine di oliva del Garda o ligure. Regolate di sale e pepe. Lasciatela in infusione 1 ora prima di gustarla.

Mostarda d'uva
Ricetta di Pellegrino Artusi. Molto simile alla cognà ☞ ma senza zucchero. È l'altro grande accompagnamento per la carne bollita.

Sbucciate 1 kg di mele renette e 2 pere, eliminate il torsolo e tagliatele a fette sottili. Cuocetele a fuoco dolce con 2 bicchieri di vino bianco dolce per 5' rimestando e aggiungete 1 litro di mosto. Cuocete fino a quando la mostarda sarà piuttosto densa, dipende da quanto è liquido il mosto, comunque circa 1 ora. Lasciate raffreddare e aggiungete 1 cucchiaio di senape sciolta con poco vino caldo, 100 g di cedri canditi tritati e un nonnulla di cannella in polvere. Si conserva senza problemi in barattoli chiusi, al fresco.

Pearà
È un'antichissima salsa veronese a base di midollo. Poderosa... Uso: accompagna i bolliti misti.

Tostate in forno 400 g di pane raffermo e grattugiatelo. Sciogliete in una casseruola 50 g di midollo tritato e amalgamatevi il pane. Unite anche 50 g di burro e, a filo, 4 dl di brodo di manzo ☞ caldo e cuocete a fuoco dolcissimo per 1 ora, coperto, e per 30', scoperto, sempre a fuoco minimo. Regolate di sale e di abbondante pepe nero pestato in un mortaio o col batticarne. Si serve calda.

Salsa di noci

Che un po' sugo è. Delicatissima e ligure. Al posto della ricotta si dovrebbe usare la prescinsoeua, una cagliata acida. Ma chi la trova? Uso: sulla pasta ripiena di verdure si esalta al massimo. Segnatamente sui pansotti, pasta ligure ripiena di erbe di stagione, borragine, bietole, ricotta, grana e aglio.

Sgusciate 1 kg di noci, sbollentate ☞ i gherigli e pelateli – ma potete anche partire come faccio io dai gherigli già sbucciati che sono ottimi, comodi e politicamente scorretti. Pestateli selvaggiamente. In una ciotola mescolateli con 3 fette di pancarré privato dei bordi, ammorbidito in poco latte e strizzato, aglio tritato a piacere, diciamo 2 spicchi, 100 g di ricotta e poco olio. Alla fine passate al passaverdura, unite olio a piacere e regolate di sale.

Mania dell'autore 3:
emulsionare

In questo libro compare spesso il termine emulsionare. Meglio definire questa lavorazione. Vuol dire mescolare, sbattendoli insieme con un attrezzo acconcio, dei liquidi o semiliquidi che in natura non sono naturalmente mescolabili. Emulsionando, le particelle si rompono e sembra che si aggreghino in un insieme omogeneo e (spesso) si incorpora aria, cosa che rende la preparazione gonfia e soffice. Ho scritto sembra perché in realtà basta aspettare e gli ingredienti si riseparano: l'emulsione non è mai definitiva, anche se ci sono, come sempre nella cucina, delle eccezioni con emulsioni di grande stabilità. Però questa sia pur momentanea aggregazione è molto. Basta farla all'ultimo momento e, prima che gli ingredienti si riseparino, saranno già stati gustati e digeriti.

Esistono poi degli ingredienti che si chiamano stabilizzanti: aiutano gli altri a legarsi al meglio. Il più famoso è il tuorlo d'uovo.

In pratica, nella cucina di tutti i giorni, tre gruppi di preparazioni richiedono di essere emulsionati.

I condimenti per insalate. Praticamente nessuno li emulsiona, danneggiando sempre e comunque qualsiasi insalata; una parte infatti risulta troppo ricca d'olio, una troppo ricca di aceto e una troppo salata. Per le procedure, ☞ insalate miste.

Alcune salse, in linea di massima stabilizzate con il tuorlo. La più famosa è la maionese ☞, che è anche in assoluto una delle più stabili. Grazie al tuorlo e all'emulsione, olio e

39

succo di limone, che non sono mescolabili, si fondono in qualcosa di nuovo, buono e gustoso.

Sughi e fondi di cottura, dove ingredienti liquidi, semiliquidi o al limite solidi, ma finemente sminuzzati, faticano a legarsi. Qui più che mai si deve emulsionare. Usate secondo buon senso una forchetta, una frusta, il frullino a mano o quello elettrico o quel fantastico attrezzo che è il minipimer, il frullatore a immersione. Usate quello che volete ma usatelo, per 1', basta e avanza, unendo se la ricetta lo accetta poco burro. Grazie a questa semplice procedura avrete una preparazione ben legata, gonfia, soffice, bella e vincente.

Do qui di seguito la definizione di altre procedure che compaiono in questo libro.

Deglassare

Questa procedura serve a sciogliere le crosticine che si formano durante la rosolatura di una carne che sarà poi arrostita: sono molto saporite, peccato non recuperarle. Si versa nella casseruola, dopo aver tolto la carne, 1 bicchiere di vino e, a fuoco vivo, lo si fa evaporare, continuando a grattare il fondo con un cucchiaio di legno. Alla fine le crosticine saranno state staccate dal fondo e diventeranno parte integrante della salsa che si va a preparare con altri ingredienti. Generalmente si usa vino bianco, ma tutti i liquidi vanno bene. Se si usa un distillato come un brandy o un Cognac, subito dopo averlo versato si flamba ☞ e poi si prosegue.

Flambare detto anche fiammeggiare

Vuol dire aggiungere un distillato, in genere brandy o Cognac, a una preparazione e dare fuoco per bruciare parte dell'alcol. Il distillato deve essere bollente. Si dà fuoco con un fiammifero, cosa che va bene, o inclinando la casseruola verso la fiamma, più pericoloso. Va fatto con il gas al massimo. Si usa in tante preparazioni, soprattutto per filetti e crêpes – nei ristoranti di lusso davanti al cliente, con grande effetto scenografico. State sempre attenti a non bruciarvi.

Mettere a mollo
Si usa per i funghi secchi, l'uvetta e per tutta la frutta secca. L'acqua deve essere tiepida – ma solo per guadagnare tempo: se è fredda ci vuole più tempo mentre se è bollente l'ingrediente inizia a cuocere troppo presto, cosa da evitare. Serve a reidratare gli ingredienti e a pulirli. 30' di ammollo bastano e avanzano, ma si sopravvive anche con meno. Alla fine gli ingredienti vanno strizzati prima di essere utilizzati. Soprattutto per la frutta secca, trovo interessante mettere a mollo non in acqua ma nel tè.
Anche i legumi secchi, naturalmente, si mettono a mollo.

Montare
È un sinonimo di emulsionare ☞. Si utilizza montare anche quando si sbattono con una frusta la panna e gli albumi.

Nappare
Un bellissimo termine dal suono dolce e accattivante. Vuol dire coprire un ingrediente con una salsa o un fondo.

Sbollentare detto anche sbianchire o bianchire
Vuol dire gettare verdure (anche altro, ma non voglio complicarvi troppo la vita...) tagliate, se grandi, in pezzi regolari, in acqua leggermente salata e bollente. Si cuoce per pochissimo tempo, da 1' a 3' al massimo. Unite poche verdure per volta, l'acqua non deve perdere il bollore. Si scolano e si ferma la cottura mettendole in acqua fredda, molto fredda, aggiungete dei cubetti di ghiaccio per 1'. Poi si scolano definitivamente. Si uniscono nei piatti dove servono all'ultimo momento, bastano pochi minuti di cottura. Questa procedura serve a cuocere le verdure senza al contempo spappolarle, restano croccanti e al dente come è giusto che sia. È un trucco veramente importantissimo!

Schiumare
Quando si lessa della carne (avviene anche con altri ingredienti ma in maniera meno significativa) sulla superficie

della pentola si forma una schiuma. Schiumare vuol dire togliere questa schiuma con un mestolo piatto forato che si chiama schiumarola; ma va bene anche un cucchiaio. L'altra preparazione in cui è indispensabile schiumare è la cottura di confetture e le marmellate.

Sgrassare

Vuol dire eliminare con un cucchiaio il grasso sciolto in eccesso che si forma cucinando. Si toglie con un cucchiaio; in alcuni casi si toglie l'ingrediente e si scola del tutto. Soprattutto quando si lessa della carne, questo grasso sciolto va eliminato, il brodo non sopporta i grassi.

Stemperare

Vuol dire diluire una sostanza solida con un liquido, in genere acqua, mescolando bene. Poi si aggiunge alla preparazione. Si utilizza soprattutto per la senape in polvere, la fecola di patate, la maizena e il concentrato di pomodoro – ma quest'ultimo solo se in dosi significative, se si unisce 1 punta di concentrato non serve stemperare.

La Francia sdoganata:
besciamella e maionese

Ci sono solo due salse francesi che sono da sempre state sdoganate alla grande nella nostra cucina: la besciamella e la maionese, che infatti hanno assunto nomi italiani. Ormai le consideriamo cose nostre.

La besciamella

La *béchamel* è un dono del marchese Louis de Béchameil, che non ho mai capito che ruolo avesse alla corte di Luigi XIV. La sua sorte, che ha reso il suo nome immortale, fu quella non certo di inventare ma di codificare una preparazione semplicissima: preparare un roux ☞, cioè farina e burro cotti insieme, e diluirlo con il latte. Sembra poco, è poco, ma... La crema biancastra che deriva da questa semplice procedura è una delle grandi salse madri, quelle cioè che non possono essere gustate direttamente, ma che vengono usate, più o meno profumate, arricchite e lavorate, per prepararne altre.

In una casseruola a fondo spesso fate un roux ☞ con 100 g di burro e 100 g di farina ben setacciata. Unite 1 litro di latte, fresco, intero e a temperatura ambiente, versandolo a filo, e cuocete per 10' a fuoco basso, sempre mescolando con la frusta, fino all'ebollizione. Alla fine profumate con noce moscata e regolate di sale e pepe. Ovviamente la quantità di latte cresce e decresce in funzione della scelta di avere una besciamella più o meno liquida. Più lunga è la cottura del piatto, più deve essere liquida.

✔ Molti libri di cucina dicono di unire il latte caldo. Ma è un errore, caldo su caldo favorisce il comparire dei fastidiosi grumi. Su un roux caldo si unisce un liquido freddo, su uno freddo un liquido caldo. Lo shock termico, insieme al rimestare con una frusta e con regolarità, evita i grumi.

Salsa *soubise* o besciamella alla cipolla

Tagliate 300 g di cipolle bianche a fette sottili, lasciatele a bagno in acqua fredda per 30', scolatele e stufatele a fuoco dolce in 2 cucchiai di burro per 20' o poco più. Aggiungete 400 g di besciamella ☞, cuocete ancora per 20', unendo poca acqua se asciugasse troppo e passate al passaverdura a fori piccoli. Emulsionate ☞ con 1 noce di burro e mezzo dl di panna e regolate ancora, se necessario, di sale e pepe. Accompagna alla grande gli arrosti.

Salsa *aurore* o aurora

Emulsionate ☞ a fuoco dolce senza far mai bollire 400 g di besciamella ☞ a 150 g di salsa di pomodoro ☞ densa e mezzo dl di panna. Ideale per pollo lesso e uova sode.

Salsa *mornay* o besciamella al formaggio

Emulsionate ☞ a fuoco dolce senza far mai bollire 400 g di besciamella a 50 g di panna, 50 g di burro e 100 g di *gruyère* o grana grattugiati. Fuori dal fuoco legate con 1 tuorlo. Perfetta per i gratin di verdure.

✔ Se al posto del latte usate del brodo, la besciamella prende il nome di vellutata – da non confondersi con l'omonima minestra ☞. Un po' più delicata, ma dipende dal brodo.

La maionese

La *mayonnaise* è l'altra salsa francese sdoganata, dono del duca di Richelieu, il cui cuoco l'aveva inventata nel 1756 la sera della gloriosa conquista di Mahón. Tutti questi nobili che danno il nome a preparazioni dicono poco di cucina ma molto di storia sociale francese. È la salsa più diffusa al mondo. In realtà la maionese sono due salse diverse, una, a mio parere pesante e fatta a mano con solo il tuorlo, l'altra, più leggera e delicata, fatta a macchina con tuorlo e albume.

✓ La presenza della senape è strategica. È uno stabilizzante, serve a ridurre il rischio che la maionese impazzisca. E se impazzisce lo stesso? Nessun problema, fatene un'altra usando quella impazzita al posto dell'olio.

Maionese a mano
Uso: per condire un pesce lesso; ne esisteranno altri ma non mi sovvengono.

Riducete 4 cl di aceto a fuoco dolce con poco sale per 3', quindi lasciatelo intiepidire. In una ciotola incorporate a 3 tuorli freschissimi e a temperatura ambiente l'aceto e una punta di senape. Unite prima goccia a goccia e poi a filo, senza mai smettere di battere con una frusta con movimento rotatorio e costante dall'alto verso il basso, alternandoli, 2 dl di olio di oliva extravergine leggerissimo e 2 dl di olio di semi. Quando l'emulsione ☞ avrà preso volume potrete aggiungere l'olio più velocemente. Una volta che tutto l'olio sarà stato assorbito, completate con 1 cucchiaio o poco più di succo filtrato di limone. Regolate di sale.

Maionese a macchina
Uso: *passim* – che come dice il Devoto-Oli indica una molteplice localizzazione del riferimento in questione. In parole povere, sono sterminati.

Sgusciate 2 uova nel frullatore e aggiungete una punta di senape. Mettete in funzione l'apparecchio a velocità massima e aggiungete a filo, alternandoli, 2 dl di olio di oliva non extravergine e 2 dl di olio di semi. Alla fine, solo alla fine, unite 2 cucchiai, più o meno, dipende dai gusti, di succo filtrato di limone e regolate di sale. Io la faccio col minipimer, l'unico problema è come tenere ferma la boccia se con una mano tieni il minipimer e con l'altra versi l'olio.

Maionese verde

Preparate con 2 uova una maionese a macchina ☞, unendo nel frullatore un mazzo di erbe fresche e profumate di stagione, sbollentate ☞ per 30" e strizzate. Vanno bene il prezzemolo, il dragoncello, gli spinaci, il crescione, il cerfoglio e altre. È una salsa profumata, deliziosa e curiosa.

Salsa tonnata

Preparate con 2 uova una maionese a macchina ☞, unendo nel frullatore 80 g di tonno sott'olio ben scolato dall'olio di conservazione e 2 acciughe dissalate. Guarnite con 1 manciatina di capperi sotto sale ben risciacquati. Per condire una carne fredda è perfetta.

Salsa tartara

Preparate con 2 uova una maionese a macchina ☞. Emulsionatela ☞ fuori dal frullatore a 1 cucchiaio di prezzemolo, 1 di dragoncello, 1 di scalogno, 1 di cetriolini agrodolci e 1 di capperi sotto sale risciacquati, tutti finemente tritati. Completate con qualche goccia di salsa Worcester e una punta di senape. Accompagna i fritti e le carni alla griglia.

Salsa cocktail

Preparate con 2 uova una maionese a macchina ☞. Emulsionatela ☞ fuori dal frullatore a 3 cucchiai di salsa rossa ☞ o ketchup, 1 di salsa Worcester, 1 di Cognac e poca senape. Completate con qualche goccia di Tabasco. Muore sui cocktail di frutti di mare.

Salsa *chantilly*

La più amata, ideale per condire gli asparagi. Non c'entra niente con la omonima panna montata zuccherata. Montate bene 100 g di panna e, separatamente, 1 albume a neve con 1 punta di sale. Preparate con 2 uova una maionese a macchina ☞ e incorporate l'albume e la panna montati.

Mania dell'autore 4:
il burro chiarificato

Cuocere nel burro una succulenta cotoletta alla milanese (ma il discorso vale per tante preparazioni) è un piacere sopraffino per il palato. L'unico problema è che dobbiamo farlo a fuoco relativamente basso, se no il burro brucia. Come fare allora se vogliamo una cotoletta realmente croccante? C'è una sola soluzione: usare il burro chiarificato, detto anche *ghee*, il burro rancido di salgariana memoria che gli arabi hanno portato dovunque sono arrivati e che i soliti francesi hanno riscoperto nel XVIII secolo. È un burro al quale è stata tolta la caseina e l'acqua; a seguito di ciò regge temperature di cottura elevate, le stesse degli oli di semi. Si conserva senza problemi in frigo per mesi.

Procedura. In una bastardella (una pentola dal fondo concavo, quelle che si usano a bagnomaria nelle preparazioni di pasticceria) messa a lieve bagnomaria (l'acqua deve appena sobbollire) sciogliete 1 kg di burro, senza rimestare mai. Sulla superficie si formerà una schiumetta, eliminatela con la schiumarola. Dopo 1 ora l'acqua sarà evaporata, la caseina, di color nocciola, concentrata sul fondo della bastardella e il resto assomiglierà a un olio di semi. Filtratelo, stando ben attenti a lasciare la caseina sul fondo della bastardella. Lasciatelo raffreddare. Conservatelo in un barattolo in frigorifero.

✓ Chiarificandosi il burro si riduce di peso circa del 40 per cento. Ma il quantitativo da usare è la metà di quanto indicato nelle ricette per la cottura in burro normale. Quindi fare il burro chiarificato è sì un lavoro, non un costo.

Le salse degli altri

Una punta esalta, l'abbondanza uccide. Questo è il principio guida nell'uso delle salse. Noi italiani prendiamo talmente alla lettera questo principio che... tendiamo a eliminarle del tutto, pomodoro e affini esclusi – che però sono sughi. Soprattutto quelle degli altri, soprattutto dei cugini francesi, vengono rigettate in blocco in quanto non conformi alle nostre tradizioni. È una cosa un po' strana, in particolare per chi scrive, che ha sempre diviso i piatti in buoni e cattivi, senza badare se sono razzialmente puri o meno.

Eliminarle è comunque un peccato, perché sono buone e arricchiscono (in piccole dosi...) moltissimi piatti. Nella speranza che questo breve capitolo possa spezzare una lancia in favore di queste amate preparazioni, ecco una piccola scelta di salse, le più adatte alla cucina italiana di oggi.

I burri aromatizzati
Non sono proprio una salsa ma quasi. I burri aromatizzati sono ormai estinti, alzi la mano chi li ha incontrati in questo ultimo anno in qualche casa o ristorante. Per burro aromatizzato si intende un burro in cui sono stati incorporati ingredienti pestati (se l'avete, in un mortaio) che ne determinano l'aroma come senape, aglio o altro. Ne esistono tanti, il più famoso è il:

Burro *maître d'hôtel*
Un grande classico della cucina internazionale, serve a

condire tutte le carni cotte alla griglia, che dopo la cottura sono sempre troppo asciutte. Incorporate in 100 g di burro il succo di mezzo limone, prezzemolo tritato fine a piacere, poco sale e pepe. È molto garbato arrotolare questo burro in alluminio in forma cilindrica, tenendolo in frigo. Quando le carni sono pronte e calde, tagliatene una rondella e mettetela sopra, in modo che inizi lentamente a sciogliersi: anche l'occhio vuole la sua parte. Esistono parecchie varianti. Prima, sostituire il mezzo limone con 1 lime, ottima, viene più delicato. Seconda, aggiungere anche 50 g di aglio. Terza, aggiungere anche 2 scalogni tritati, cotti in 1 bicchiere di vino bianco fino a che il vino è completamente ridotto, e 50 g di midollo di manzo sbollentato, scolato, schiacciato a poltiglia e lavorato a crema: questa sontuosa variante si chiama *Bercy*.

Salsa olandese

Una mitica salsa francese, praticamente una maionese calda con il burro al posto dell'olio.

Con una frusta montate 3 tuorli con 3 cucchiai di vino bianco senz'alcol ☞ e 1 pizzico di sale in una piccola casseruola posta in un bagnomaria caldo a fuoco basso, facendo attenzione a non far mai bollire l'acqua, finché cominciano ad addensarsi. Amalgamate, poco alla volta, 150 g di burro chiarificato ☞ tiepido e aromatizzate con qualche goccia di succo di limone, pepe e pepe di Cayenna. In totale montate per 20', la salsa dovrà risultare molto cremosa. Gustatela appena fatta, eventualmente conservatela, ma per pochissimo tempo, in caldo nel bagnomaria, se no rischia di impazzire.

Salsa all'aglio

Mitica, per chi ama l'aglio. Ma chi non ama l'aglio? Se esiste, evitatelo. L'unico trucco è quello di usare aglio fresco, estivo, senza l'anima verde. Se siete in un'altra stagione, pazienza, certo non si può rinunciare a una salsa così buona. In questo caso eliminate l'anima verde e procedete. Uso: perfetta su tutti gli arrosti freddi, sui pesci, sulle uova sode, ma gustatela anche quale condimento per una pasta in bianco o spalmata sul pane tostato.

Pestate alla disperata aglio a piacere, ma deve essere tanto. In una ciotola unite 2 tuorli, 1 schizzo di succo di limone filtrato, 2 dl di olio d'oliva, 1 cucchiaio di acqua fredda ed emulsionate ☞ con una frusta. Regolate di sale e pepe.

Salsa al cren
Possente, chi se ne innamora non la lascia più. Attenzione: il cren, *armoracia rusticana*, nulla c'entra col rafano, *raphanus rapanistrum*, termine generico che comprende il ramolaccio, che nessuno ha mai incontrato, e il ravanello, delizioso ma particolarmente inadatto a una salsa. Uso: carni bollite, affumicate e alla griglia.

Grattugiate, piangendo tutte le lacrime che avete, mettetelo in conto, il cren pelato. In una ciotola unite al cren un po' di senape in polvere, poco zucchero, pochissimo sale e poco aceto di mele. Così com'è, risulta veramente poderosa, pochi duri riescono a goderla. Se non lo siete, attenuatene la forza con una fetta di pancarré ammorbidita in poco latte e strizzata, con una purea di mele o con panna acida ☞.

Salsa al vino rosso
Come si vede dalla ricetta è una grande sintesi, il culmine alto e inarrivabile della cucina basata sugli aiutacuochi. E che sintesi! Uso: eccellente per i filetti di manzo e vitello.

In un pentolino fate cuocere per 4' 1 dl di vino rosso senz'alcol ☞ con 2 dl di fondo di carne ☞, 1 rametto di timo, 1 punta di zucchero e 4 cucchiai di soffritto di cipolle ☞. Passate al passaverdura, unite 40 g di roux ☞ e cuocete a fuoco dolcissimo per 10'. Quando la usate, ma solo in quel momento, unite 60 g di midollo di manzo tagliato a lamelle e saltato in padella o sbollentato ☞. Regolate di sale e pepe.

Chutney

È una meravigliosa salsa di origine indiana, ormai sdoganata alla grande in Europa, fatta con frutta e verdura, zucchero di canna e aceto di mele. Potete usare frutta come mele, pere, mango, papaia e chi più ne ha più ne metta, piuttosto che verdura, ottima la zucca, o un mix di frutta e verdura, ottima l'aggiunta di cipolla. L'importante è evitare frutta con semini, come i kiwi. Uso: tutte le carni e i pesci arrosto, bolliti e alla griglia.

Cuocete per 1 ora 4 parti di frutta e verdura pulite e tagliate a piccoli pezzi, 1 parte di zucchero di canna, 1 parte di aceto di mele e pochissimo sale. Mettete il *chutney* in barattoli e conservateli al fresco, meglio in frigorifero. Dopo 2 settimane si può gustare, dopo 2 mesi è perfetta.

Salsa al curry

Il curry è una miscela di spezie, dal coriandolo al pepe, dal cumino alla noce moscata, ma domina la curcuma, che dà il tipico colore giallo. Può essere leggero, piccante o molto piccante, in genere è riportato sulla confezione. La piccantezza è data dalla presenza più o meno abbondante di peperoncino. Cercate un buon curry indiano naturalmente, non le pallide imitazioni occidentali. Uso: bocconcini di carne oppure pesci e crostacei, insomma tutto quanto volete. Aggiungetela a fine cottura del piatto, sempre guarnendo con yogurt o panna acida ☞.

Rosolate in poco olio 2 ali di pollo con la pelle per 3', unite 4 cucchiai di soffritto all'italiana ☞, 1 bicchiere di vino bianco secco senz'alcol ☞, 30 g di burro, 4 bicchieri di brodo di pollo ☞ o universale ☞, 1 mela renetta pelata e tagliata a fette, 1 cucchiaino di farina setacciata e curry a piacere. A piacere vuol dire tante cose. L'unica volta che un amico indiano di Goa mi ha fatto un "vero" curry, dopo peraltro avermi più volte allertato, stavo chiamando i pompieri per salvare la mia bocca: così usa da quelle parti. Voi regolatevi secondo il vostro piacere, non il loro. Cuocete per 1 ora, a fuoco dolce, coperto, unendo poco brodo se asciugasse troppo. Regolate di sale, passate al passaverdura e avrete la vostra salsa. Dura 6 giorni in frigo, 3 mesi in freezer.

Salsa alla senape
Per chi ama il gusto della senape. Attenzione: si va da un quasi dolce al piccante da piangere, l'essenza di senape serve a far riprendere gli svenuti. Uso: carne alla griglia, filetti di manzo e vitello.

Unite 5 dl di brodo universale ☞, 50 g di roux ☞ e senape a piacere: dipende dalla sua forza e dal vostro gusto, assaggiate e verificate. Cuocete per 10' e regolate di sale e pepe.

Salsa alla menta
Facile ma deliziosa – chi l'ha mai detto che solo le preparazioni complicate sono buone? È di origine inglese. Uso: per la carne fredda è perfetta, soprattutto per il rosbif ☞.

Tritate 100 g di menta fresca, versatevi sopra 2 dl di aceto caldo e 3 cucchiai di zucchero. Emulsionate ☞ e regolate di sale. Lasciate in infusione almeno 1 notte prima di gustarla.

Salsa di mele
I tedeschi detengono il record mondiale di consumo pro capite di mele. Merito anche di questa loro salsa, onnipresente. È roba da tedeschi, ma (volgare insinuazione su una cucina che invece amo e rispetto) buona! Uso: accompagna tutte le carni, arrosto o brasate, ma anche un'infinità di altre preparazioni.

Pelate 3 mele, tagliatele a dadini e mettetele in una ciotola con il succo di 1 limone. Fatele cuocere in 1 cucchiaio abbondante di zucchero di canna, cannella a piacere, qualche chiodo di garofano pestato, 2 cucchiai di soffritto di cipolle ☞ e 1 dito di vino bianco senz'alcol ☞ per 10'. Passate al passaverdure ed eventualmente addensate con fecola o maizena, stemperate ☞ in 1 cucchiaio di acqua fredda, o roux ☞. Alla fine regolate di sale e, se vi piace, di poca senape.

Salsa agrodolce
Un classico sapóre che gli orientali hanno reso di moda in tutto il mondo. Uso: dovunque, se si vuole dare un gusto agrodolce alle preparazioni.

Fate rinvenire nel tè tiepido 80 g di uvetta e 80 g di albicocche secche per 1 ora, strizzatele e tritatele. In un pentolino a fuoco dolcissimo caramellate 50 g di zucchero, unite 2 dl di aceto e la frutta. Cuocete per 5'. Eventualmente addensate con poca fecola stemperata ☞ in 1 cucchiaio di acqua fredda.

Salsa allo yogurt
Una salsa del futuro, delicata. Sostituisce la panna acida ☞. Uso: veramente universale, va bene su carni e pesci in umido, zuppe, minestre, verdure brasate e quant'altro.

Mescolate 4 parti di yogurt greco intero con 1 parte di panna. Regolate di sale, profumate con erba cipollina tritata a piacere e condite con poco Tabasco e salsa Worcester.

Salsa all'arancia
Una versione non canonica della mitica salsa all'arancia dei francesi. Uso: per volatili arrosto.

Tagliate a bocconi e infarinate 250 g di carne mista di manzo e rosolatela in 1 noce di burro. Unite 50 g di soffritto all'italiana ☞, mezza bottiglia di vino rosso senz'alcol ☞, 1 foglia d'alloro, 1 spicchio d'aglio e 1 arancia tagliata a metà. Cuocete a fuoco dolcissimo per 2 ore, filtrate il succo, assolutamente senza schiacciare altrimenti viene fuori l'amaro della buccia d'arancia. Fatelo ridurre alla consistenza di un fondo ed emulsionatelo ☞ con 1 noce di burro. Regolate di sale e pepe.

Salsa alle pere e cioccolato
Moderna, sontuosa, gustosa. Uso: per selvaggina e arrosti.

Sbucciate e tagliate a cubetti 2 pere mature. Fatele rosolare in 1 noce di burro e unite 1 pizzico di cannella in polvere. Versate 1 bicchiere di Cognac caldo, fiammeggiate ☞, quindi aggiungete 800 g di panna e 20 g di cioccolato fondente al 70 per cento grattugiato. Cuocete per 20' a fuoco dolce, scoperto. Alla fine frullate. Regolate di sale e pepe.

Salsa al cioccolato
Questa è più classica. Va bene su tutte le carni.

In un pentolino fate cuocere per 7' 1 dl di vino bianco senz'alcol ☞ con 2 dl di fondo di carne ☞, 20 g di cioccolato fondente al 70 per cento grattugiato, 1 punta di zucchero e 4 cucchiai di soffritto di cipolle ☞. Passate al passaverdure, unite 40 g di roux ☞ e cuocete a fuoco dolcissimo per 7'. Regolate di sale e pepe.

Gli impasti base,
quelli che ha senso farsi a casa

Una delle cose più divertenti è leggere nei libri di cucina, tutti, anche i migliori, la ricetta della pasta sfoglia. Non ci si capisce mai nulla. Il fatto è che questa preparazione è di una complessità assoluta da fare in casa, dove non ci sono né una impastatrice seria né una sfogliatrice, mitiche macchine adorate da tutti i pasticceri. Per scrivere e descrivere con verosimiglianza questa ricetta ci vorrebbero almeno tre pagine e alla fine comunque nessuno capirebbe. Per questo motivo qui non troverete questa ricetta. Se volete usare la pasta sfoglia, fate come me: compratela già pronta, dal miglior fornitore che avete sottomano. Fa (un po') tristezza ma la verità è che in questi casi il prodotto artigianale (qui lo dico e qui lo nego: anche quello industriale e magari surgelato) è migliore.

Per questo troverete qui poche, sceltissime e umane proposte, fattibili in casa con un elevato rischio di successo. Eccole.

Pasta frolla
Tutti, grandi e piccini, la amano, è molto friabile e richiede una lavorazione rapida, possibilmente con le mani molto fredde (bagnatevele prima in acqua gelata) e su una superficie di marmo o di acciaio, per non scaldare il burro. Se la lavorate troppo diventa dura. Il burro e lo zucchero devono corrispondere a metà peso della farina, anche se è meglio usare un po' meno zucchero per evitare che la pasta risulti troppo friabile e cuocendo diventi scura.

Per 1 torta o per circa 30 frollini. Farina 00 g 200, burro g 100, zucchero semolato g 90, 1 uovo, 1 tuorlo, 1 pizzico di sale

Mescolate la farina con il sale e lo zucchero e disponetela a fontana sul piano di lavoro. Unite al centro il burro freddo a pezzetti e con la punta delle dita intridete la farina con il burro. Aggiungete l'uovo e il tuorlo, che devono essere a temperatura ambiente, e lavorate la pasta molto rapidamente, sempre con la punta delle dita o con la lama di un coltello per non riscaldarla, quel tanto che basta per amalgamare gli ingredienti e ottenere una massa grumosa. Se quando la impastate tende a sgretolarsi troppo sotto le mani, aggiungete qualche goccia di succo di limone. Impastate velocemente a piene mani fino a ottenere una pasta omogenea, formate una palla, avvolgetela nella pellicola e fatela riposare in frigo per 30'.

✓ Potete usare lo zucchero a velo, diminuendone la dose di un terzo, perché dolcifica di più dello zucchero semolato. Potete aromatizzare l'impasto con scorza di limone grattugiata, mandorle o nocciole leggermente tostate, spellate e polverizzate o cacao amaro.

Pasta brisée
È simile alla pasta frolla, ma senza zucchero. Viene utilizzata per le preparazioni salate.

Per 1 crostata salata o per circa 50 salatini. Farina 0 g 300, burro g 150, 1 pizzico di sale, 1 dl d'acqua fredda

Setacciate la farina con il sale sul piano di lavoro, unite il burro freddo a pezzetti e amalgamateli sfregandoli tra le mani. Impastate velocemente aggiungendo, poca alla volta, l'acqua fredda, fino a ottenere un impasto sodo e omogeneo. Formate un panetto, avvolgetelo in pellicola trasparente e tenetelo in frigo per 1 ora.
✓ Se la volete dolce, unite 2 cucchiai di zucchero. Asso-

miglia alla frolla ma è più neutra ed "essenziale" – termine ambiguo ma che rende l'idea.

Pasta per pizze e focacce
Siamo in Italia, tutti devono saperla fare e farla!

Per circa 700 g di pasta leggera e ben lievitata. Farina 0 g 500, lievito di birra g 25, 1 cucchiaino di zucchero, 3 dl di acqua tiepida, 1 cucchiaino di sale, 2 cucchiai di olio

Stemperate ☞ il lievito in metà acqua tiepida, unite lo zucchero e lasciate riposare per 10'. Disponete la farina sul piano di lavoro, cospargetela con il sale, fate un incavo al centro e versate il lievito, l'acqua rimasta e l'olio. Impastate energicamente fino a ottenere una pasta morbida, liscia ed elastica, ma non appiccicosa: unite se necessario un po' di farina. Raccoglietela a palla in una ciotola infarinata, praticate in superficie un taglio a croce, copritela con un telo e lasciatela lievitare in luogo tiepido, ma non sul termosifone e lontana da correnti d'aria, per circa 1 ora e mezzo o finché sarà raddoppiata di volume. Prima di usarla, lavoratela ancora per qualche minuto sul piano leggermente infarinato: quest'operazione ha lo scopo di interrompere la lievitazione.

✓ Ricordate di non mettete mai il sale a diretto contatto con il lievito di birra perché ritarda il processo di lievitazione, mentre lo zucchero lo facilita.

Mania dell'autore 5:
il pane

Trovare il pane buono è ormai un terno al lotto. Farselo a casa è più facile di quanto sembri e fa fare un figurone. Quindi... Questa è una mania di quelle che quando ti colpiscono non ti mollano più.

✓ Senza una bilancia al grammo e senza una buona impastatrice fare il pane è molto disagevole. Spesso impossibile.

Pane svedese

Una ricetta datami tanti anni fa da Bodil, un'amica scandinava. Da allora tutte le domeniche, o quasi, lo faccio. Dura tutta la settimana senza problemi. Non c'è lievito e lievitazione, è una ricetta veloce.

Per 1 pane della dimensione di un pancarré. Yogurt bianco g 500, 2 cucchiaini di bicarbonato di sodio, 1 cucchiaino di sale, mezzo dl di sciroppo o miele liquido, olio, quanto basta di: farina 00 di grano tenero, farina integrale di grano tenero, farina di segale, farina di soia, fiocchi di avena, fiocchi di riso, fiocchi di frumento, fiocchi d'orzo, crusca, varie ed eventuali simili

Unite allo yogurt il bicarbonato e sbattete con una frusta. Aggiungete il sale e mezzo dl di sciroppo o miele e sbattete ancora. Unite quanto basta di farine e simili, mescolate a vostro piacere. Siccome hanno tutte consistenza diversa, quanto basta vuol dire di unirle fino a quando si avrà una consistenza di una pappetta per galline. Deve essere abbastanza solida, ma quando si versa nello stampo deve essere spalmabile senza difficoltà con una spatola per renderla di spessore uniforme. Non essendoci lievito, non serve aspettare prima di proseguire alla cottura. Mettete la pappetta in uno stampo da 30 cm di silicone oppure di alluminio unto d'olio e pareggiatela. Cuocete per 2 ore in forno a 180°. Lasciate raffreddare fuori del forno.

Pan brioche
Difficile non è ma dovete essere precisi al grammo.

Per 4 stampi da plum-cake da 20 cm. Farina 00 g 860, uova intere g 520, tuorli g 110, burro g 520, zucchero semolato g 80, zucchero di canna g 40, lievito di birra g 70, latte, sale g 20

Impastate a macchina per 10' le uova intere, gli zuccheri, il lievito e il sale. Aggiungete la farina e lavorate (no, lasciate lavorare) per altri 5'. Quando la farina sarà ben incorporata, aggiungete i 110 g di tuorli e il burro a temperatura ambiente, ben sbattuto e cremoso. Lasciar lavorare per altri 10' fino a ottenere un composto elastico. Lasciate lievitare in un contenitore coperto, in luogo tiepido, per 20'. Rilavorate l'impasto, suddividetelo negli stampi unti con poco burro e poneteli in luogo tiepido per altri 20'. Pennellate la superficie con uovo sbattuto con poco latte. Infornate per 20' a 160°.

Panini al burro
Grazie alla doppia lievitazione riusciranno ben gonfi.

Per 15 panini. Farina 00 g 500, burro g 100, lievito di birra g 35, 2 dl di latte, 1 cucchiaino di sale, 1 cucchiaio di zucchero, 1 albume
Sciogliete il lievito di birra con lo zucchero in metà latte tiepido e aggiungete qualche cucchiaio di farina per ottenere una pastella: lasciatela riposare per 20'. Impastate la farina con il burro morbido a pezzetti, il sale e la pastella, aggiungendo man mano il latte rimasto. Quando l'impasto è ben so-

stenuto, ma liscio e morbido, copritelo con un telo e lasciate riposare per 1 ora in luogo tiepido. Lavoratelo ancora per qualche minuto, dividetelo in 15 o più porzioni e formate delle palline, arrotolandole, una alla volta, sul piano di lavoro sotto il palmo della mano. Disponetele poco distanziate su una teglia foderata con carta da forno, copritele con un telo e lasciate lievitare ancora per 30'-40'. Spennellatele con l'albume leggermente sbattuto e cuocetele in forno a 220° per circa 15'.

Panini al rosmarino e lardo
Per 60 panini. Farina bianca 00 kg 1, lievito di birra g 60, sale g 40, olio dl 1,5, acqua dl 4,5, lardo in piccoli cubetti g 200, aghi di rosmarino finemente tritati g 60

A macchina, lavorate per 15' tutti gli ingredienti. Formate 60 piccoli panini sferici e poneteli a lievitare in luogo tiepido per 20'. Disponeteli poco distanziati su una teglia foderata con carta da forno e cuoceteli in forno a 170° per 15'.

Filoni al pomodoro e basilico
Per 8 filoni. Farina bianca 00 kg 2, lievito di birra g 80, sale g 80, acqua litri 1,05, olio dl 2,5, 30 foglie di basilico, 8 pomodori sodi, un po' di parmigiano grattugiato

A macchina, lavorate per 20' la farina, il lievito, il sale, l'acqua e l'olio. Incorporate le foglie di basilico sminuzzate manualmente e lavorate per 3'. Lasciate lievitare in luogo tiepido per 20'. Rilavorate manualmente l'impasto e suddividete in 8 filoni. Disponeteli poco distanziati su una teglia foderata con carta da forno e ungeteli leggermente con olio. Battete con il palmo della mano nel senso di lunghezza dei filoni, creandovi un solco. Adagiate nel solco i pomodori tagliati a rondelle. Spolverate di sale fino e completate con poco parmigiano grattugiato. Lasciate lievitare in luogo tiepido per 30'. Cuoceteli in forno a 180° per 25'.

Filoni con fiori di zucca e scamorza
Per 8 filoni. Farina bianca 00 kg 2, lievito di birra g 80, sale g 80, acqua litri 1,05, olio dl 2,5, 20 fiori di zucca, 300 g di scamorza affumicata

A macchina lavorate per 20' la farina, il lievito, il sale, l'acqua e l'olio. Incorporate manualmente all'impasto, delicatamente, i fiori di zucca privati del picciolo e tagliati a julienne. Lasciate lievitare in luogo tiepido per 20'. Rilavorate manualmente l'impasto unendo la scamorza grattugiata e suddividete in 8 filoni. Disponeteli poco distanziati su una teglia foderata con carta da forno, ungeteli leggermente con olio e lasciateli lievitare in luogo tiepido per 30'. Cuoceteli in forno a 170° per 25'.

Grissini
Fatti in casa sono sempre acclamati da grandi e piccini...

Per 30 grissini. Farina 00 g 500, lievito di birra g 15, 1 cucchiaino di sale, olio extravergine d'oliva cl 4, dl 2,8 d'acqua tiepida, mezzo cucchiaino di zucchero

Disponete la farina a fontana sulla spianatoia, versate al centro il lievito sciolto in metà acqua tiepida con lo zucchero e lavorate l'impasto; aggiungete l'olio, l'acqua rimasta e il sale e impastate fino a ottenere una pasta morbida e liscia. Formate una palla, ungetela d'olio, mettetela in una ciotola, coprite con pellicola e lasciate lievitare per 50'. Lavorate ancora l'impasto per qualche minuto e formate un rotolo largo 10 cm. Tagliatelo a fette di circa 2 cm di spessore e ricavatene tanti cordoncini, allungandoli e assottigliandoli con le dita. Disponeteli poco distanziati su una placca rivestita con carta da forno e cuoceteli in forno a 220° per circa 15'.

✓ Prima di infornarli potete spennellarli con un'emulsione ☞ di acqua e olio e cospargerli con semi di sesamo, di papavero o di finocchio oppure con aghi di rosmarino tritati.

Il buffet

Ovvero tutto da gustare a temperatura ambiente, per un pasto seduto o in piedi con tanti amici. Questi piatti, di fatto antipasti freddi, possono aprire senza problema qualsiasi pasto. E a mezzogiorno possono essere un pasto completo o quasi. Insomma, la versatilità fatta piatto.

Crocchette di pesce
Per 6. Scaldate 30 g di burro, unite 300 g di patate lesse passate allo schiacciapatate e amalgamate 1 tuorlo e 1 cucchiaio di grana grattugiato. Rosolate per 6' 300 g di baccalà (o altro pesce a polpa bianca) tritato con 4 cucchiai di soffritto di cipolle ☞; togliete dal fuoco, unite la purea di patate, 1 cucchiaio di prezzemolo tritato e 1 pizzico di peperoncino, legate con 2 tuorli e regolate di sale. Lasciate raffreddare e formate tante crocchette a forma di tappo. Infarinatele, passatele prima nell'uovo sbattuto e poi nel pangrattato e friggetele in abbondante olio ben caldo finché saranno dorate.

Crocchette di riso
Per 6. Lessate 400 g di riso fino o superfino, scolatelo al dente e coloratelo con 1 bustina di zafferano sciolto in poca acqua calda. Amalgamatevi 3 cucchiai di pecorino grattugiato e qualche foglia di basilico tritato e lasciatelo intiepidire. Fate rosolare 100 g di pancetta affumicata tritata con 4 cucchiai di soffritto di cipolle ☞. Aggiungete 1 dl di salsa di po-

modoro ☞, proseguite la cottura per 20' e unite 100 g di piselli lessati; regolate di sale e pepe, fate raffreddare e aggiungete 2 mozzarelle a dadini. Con le mani inumidite formate con il riso tante palline grosse come albicocche; praticate un incavo al centro, inserite mezzo cucchiaio di ripieno e richiudetele. Passatele prima in uovo sbattuto con 1 pizzico di sale e poi nel pangrattato, friggetele in abbondante olio molto caldo e scolatele su carta assorbente.

Focaccia con i pomodorini
Per 6. Mescolate 1 cucchiaio di origano con 4 cucchiai di pecorino grattugiato, 7 cucchiai di olio e un pizzico di sale e pepe. Lavate 20 pomodorini ciliegia e incideteli con un taglio a croce. Lavate 7 zucchine piccole, spuntatele e grattugiatele con la grattugia a fori grossi. Foderate con 700 g di pasta per pizze e focacce ☞ una teglia unta d'olio, praticate sulla superficie tante fossette e adagiatevi i pomodorini. Cospargete con le zucchine, salate leggermente e irrorate con il composto aromatico. Cuocete in forno a 230° per 20'. Servitela tiepida.

Hummus
Originario del Libano, è diffuso in tutta l'area mediorientale. Serve la *tahina*, pasta di semi di sesamo tostati – se non la trovate rinunciate a questo gustosissimo piatto, non avete alternativa.

Per 6. Passate 300 g di ceci lessi molto teneri e 3 spicchi d'aglio tritati al passaverdure. Mescolate alla purea 5 cucchiai di *tahina* e 4 cucchiai di succo di limone, aggiungendo tanta acqua di cottura dei ceci, circa 1 tazza, quanto basta ad avere un composto soffice e cremoso. Regolate di sale e aromatizzate con 1 pizzico di cumino in polvere. Servitelo a temperatura ambiente, dopo averlo irrorato con poco olio in cui avrete sciolto 1 pizzico di paprika. A piacere, spolverizzate di prezzemolo, coriandolo o menta tritati. Servite con pane tostato possibilmente caldo e verdure fresche.

Insalata russa

Che i russi chiamano insalata italiana ed è una preparazione di origine francese. Le vie della cucina...

Per 6. Ammorbidite 4 filetti di aringa salata in 2 dl di latte per 1 ora, sgocciolateli e asciugateli. Pelate 1 mela, tagliatela a cubetti e irrorateli con poco succo di limone. Lessate 200 g di patate in acqua salata, spellatele e tagliatele a dadi. Sbollentate ☞ 150 g di pisellini sgranati. Pulite 150 g di carote e 150 g di fagiolini e lessateli separatamente in acqua bollente salata finché saranno teneri ma ancora croccanti. Lasciateli raffreddare a temperatura ambiente e tagliateli a dadini. Mescolate le verdure con maionese a macchina ☞ e densa, unite 2 cucchiai di capperini dissalati, 150 g di funghetti sott'olio, i cubetti di mela e i filetti di aringa a pezzettini. Coprite con pellicola e tenete in frigo per 24 ore. Servitela dopo averla riportata a temperatura ambiente per 30'.

Pâté di fegato

Gustoso, sempre di successo, sempre piacevole. Si può anche fare mescolando fegato di vitello con quello di maiale o con fegatelli di pollo.

Per 6. Rosolate 400 g di fegato di vitello a pezzetti e 100 g di pancetta tritata in 50 g di burro. Unite 4 cucchiaiate di soffritto di cipolle ☞, 2 foglie d'alloro e 2 bacche di ginepro e continuate a rosolare per 10'. Versate 1 bicchiere di vino dolce e lasciate evaporare a fuoco vivo. Eliminate l'alloro e unite 100 g di burro morbido e frullate. Montate 2 bicchieri di panna, incorporatela al composto freddo e trasferitelo in uno stampo da plum-cake foderato con pellicola. Mettete in frigo per 3 ore, sformatelo e cospargetelo con 50 g di pistacchi tritati. Servitelo con pane tostato caldo.

Pesce finto

Per 8. Lessate 500 g di patate a pasta bianca, sbucciatele, passatele allo schiacciapatate e lasciatele intiepidire. Frullate nel mixer 300 g di tonno sott'olio ben scolato con 2 filetti d'acciuga sott'olio, 4 cetriolini sott'aceto e 2 cucchiai di capperi sott'aceto sgocciolati, 1 spicchio d'aglio, 50 g di burro e 2 cucchiai di maionese ☞ non troppo soda. Amalgamate il composto alla purea di patate, regolate di sale e pepe e profumate con 1 cucchiaino di scorza grattugiata di limone e 1 cucchiaio di succo di limone. Trasferite il composto in uno stampo a forma di pesce unto d'olio e pressatelo bene con una spatola, coprite con pellicola e fate riposare in frigo per 3 ore. Eliminate la pellicola e capovolgete lo stampo su un piatto ovale per sformare il pesce. Se non avete lo stampo modellate il composto con le mani direttamente sul piatto e disegnate scaglie e pinne con un coltellino. Decoratelo come più vi piace e servitelo con abbondante maionese ☞.

Pizza di scarola
Per 6. Mettete a mollo ☞ 30 g di uvetta in acqua tiepida per 10'. Scottate 1 cespo di scarola liscia in acqua bollente salata, scolatela, strizzatela e tagliatela a striscioline. Soffriggete 2 spicchi d'aglio in una padella con 4 cucchiai d'olio, unite la scarola, 6 filetti d'acciuga sott'olio a pezzettini, 60 g di capperi dissalati, 100 g di olive nere denocciolate, l'uvetta strizzata e 30 g di pinoli e lasciate insaporire per 5'. Eliminate l'aglio. Foderate con 600 g di pasta per pizze e focacce ☞ una teglia unta d'olio, riempitela con la scarola condita, coprite con 400 g di pasta, sigillando i bordi. Praticate con uno stecchino tanti buchini sulla superficie, spennellatela d'olio e cuocete in forno a 230° per 20'. Servitela tiepida.

Quiche lorraine
Per 6. Foderate con 250 g di pasta brisée ☞ uno stampo per crostate di 28 cm di diametro. Coprite con un foglio di carta da forno, cospargetelo di legumi secchi e cuocete in forno a 200° per 15'. Tagliate 250 g di pancetta tesa a listarelle e fatele rosolare in una padella con 1 noce di burro. Eliminate la carta e i fagioli e distribuite la pancetta sgocciolata dal grasso di cottura sul guscio di pasta intiepidito. Sbattete 3 uova

con 3 dl di panna, 2 dl di latte e 1 pizzico di sale, pepe e noce moscata. Versate il composto sulla pancetta e cuocete in forno a 200° per circa 30'. Servitela tiepida.

✓ Di questa antica specialità della Lorena esiste anche una versione marinara preparata allo stesso modo, ma con le cozze fatte aprire in padella al posto della pancetta, l'acqua emessa dalle cozze al posto del latte, con l'aggiunta di 1 cucchiaio di farina e senza noce moscata.

Sfoglia di zucca

Per 6. Pulite 800 g di zucca e tagliate la polpa a fettine. Allineatele su una placca foderata con carta da forno, cuocetele in forno a 180° per 15' e schiacciatele con una forchetta. Tritate 100 g di speck e fatelo rosolare in una padella antiaderente, aggiungete la zucca e insaporite per 5'; regolate di sale e profumate con 5 foglie di salvia tritate. Unite 100 g di provolone piccante a dadini e 3 uova sbattute con 50 g di grana grattugiato e 2 dl di panna. Foderate con 400 g di pasta sfoglia uno stampo di 28 cm di diametro rivestito con carta da forno, versatevi il composto e decorate la superficie con striscioline di pasta. Cuocete in forno a 190° per 40'. Servitela tiepida.

Tabbulé

Mettete a mollo ☞ 120 g di *burgul* in acqua fredda finché sarà tenero e ancora al dente; sgocciolatelo e strizzatelo. Mescolatelo con 7 cucchiai di cipollotti tritati, 150 g di prezzemolo tritato e 7 cucchiai di foglie di menta tritate. Emulsionate ☞ 1 cucchiaino di sale con 5 cucchiai di succo di limone e 7 cucchiai di olio extravergine d'oliva leggero, versate il condimento sull'insalata di *burgul* e lasciate insaporire per 15'. Lavate 4 pomodori maturi e sodi, spellateli, eliminate i semi e tagliateli a dadini. Uniteli al *burgul*, mescolate e servite con foglie di lattuga. Se piace il limone, si può dimezzare il succo e unire 1 limone intero sbucciato e tagliato a pezzetti.

✓ Se non trovate il *burgul*, un grano spezzato tipico del mondo mediorientale, potete usare il cuscus precotto. Mettetelo in un'insalatiera, bagnatelo con l'olio e il succo di limone e lasciatelo gonfiare per circa 30', mescolando di tanto in tanto con una forchetta.

Tarama

Turchi e greci se ne disputano la primogenitura. Andrebbe fatto con le uova di tonno, ma chi le trova in Italia?

Per 6. Frullate 100 g di uova di lompo con 200 g di gamberetti lessati, 2 fette di pancarré messe a mollo ☞ nel latte e strizzate, 1 albume, 1 uovo sodo, 2 spicchi d'aglio e 1 piccola cipolla, versando a filo 2 dl di olio extravergine d'oliva leggero e il succo filtrato di 1 limone. Coprite con pellicola e tenete in frigo per un po'. Accompagnate con pane tostato possibilmente caldo e verdure crude.

Tortino di cavolfiori

Per 6. Dividete 2 cavolfiori in cimette e lessatele per 10' in acqua bollente salata; scolatele e tagliatele a pezzetti. Versate 3 dl d'acqua in una casseruola, unite 150 g di burro a pezzetti e un cucchiaino di sale e portate a ebollizione. Togliete dal fuoco, aggiungete 200 g di farina in una sola volta e mescolate bene con un cucchiaio di legno. Cuocete l'impasto continuando a mescolare per 10', finché risulterà liscio e consistente staccandosi dalle pareti e dal fondo della casseruola. Questa pasta si chiama *pâte à chou* e, come si vede, è relativamente semplice da preparare. Togliete dal fuoco e lasciatelo raffreddare senza smettere di mescolarlo. Amalgamate alla pasta 5 uova, uno per volta, i cavolfiori, 70 g di grana grattugiato e 1 pizzico di cannella. Trasferite il composto in una pirofila imburrata e spolverizzata di pangrattato e cuocete in forno a 190° per 30'. Servitelo tiepido.

Mania dell'autore 6:
le insalate miste

L'abuso che ne facciamo a pranzo, in genere proposte in bar riciclatisi in ristoranti veloci (vero) e simpatici (*sic!*) fa sì che tendiamo a snobbarle, a considerarle un banale ripiego. È un errore: possono essere delle preparazioni squisite e gustose. Ecco le più amate, interessanti e curiose. Ma prima leggete bene quanto segue relativo ai condimenti per insalate: non ha senso preparare una succulenta insalatona e rovinarla con un condimento sbagliato.

I condimenti per insalate

Condire un'insalata mettendo prima il sale poi l'aceto e poi l'olio è una vera barbarie: così facendo questi ingredienti non si riescono a emulsionare ☞. Per cui una foglia sarà troppo salata, una troppo acetata e una troppo oliata. Si deve, di più si deve assolutamente emulsionare il condimento, cioè sbattere insieme tutti gli ingredienti.

La preparazione di base prevede sale quanto basta (dipende dall'insalata, ma basta e avanza mezzo grammo a testa che equivale più o meno a 1 cucchiaio non troppo raso per 8 persone), 1 cucchiaio di aceto e 3 cucchiai di olio, più pepe tritato fresco a piacere, ben sbattuti per 1' con una forchetta in modo che si emulsionino. Al posto della forchetta, che sia chiaro basta e avanza, si può anche usare la frusta manuale, quella elettrica o il minipimer. Si lascia riposare perché i sapori si leghino, alla fine un'ultima rapida sbattitura e si condisce.

All'aceto si può sostituire il succo filtrato di limone. Una variante interessante prevede l'aggiunta di 1 cucchiaino di senape, più o meno forte: è molto consigliabile perché buono e poi la senape è uno stabilizzante dell'emulsione. Un'altra variante aggiunge, oltre alla senape, altrettanta panna. Piuttosto che del gorgonzola sbriciolato. O pasta d'acciughe. E via con la fantasia.

✓ Potete anche comprare nei negozi di attrezzature di cucina una bottiglietta di plastica con ugello, molto amata dai cuochi, dove conservare il condimento emulsionato. Dura senza problemi per 1 settimana, anche a temperatura ambiente, in fondo è un sott'olio. Però agitate bene prima di usarlo.

✓ Quando in un'insalata mista compare sia insalata a foglie dure sia a foglie tenere, prima mescolate le foglie dure e gli altri ingredienti robusti, poi unite quelle tenere e mescolate con delicatezza ancora un po' e condite.

✓ Per tagliare o meglio spezzettare le insalate è bene usare le mani. Se volete proprio tagliarle, serve un coltello di ceramica, che non le ossida. Fate questo investimento.

Insalata caesar
Per 6. Fate dorare 2 spicchi d'aglio schiacciati in 3 cucchiai d'olio. Private 4 fette di pancarré della crosta, spennellatele con olio, tagliatele a cubetti e fateli tostare in forno a 180° per 10'. Tagliate 100 g di pancetta affumicata a listarelle e rosolatele in una padella antiaderente senza aggiunta di grassi finché saranno croccanti. Mescolate 2 tuorli con 2 cucchiaini di senape forte, 1 pizzico di sale e 1 macinata di pepe ed emulsionate ☞ con 1 bicchierino di olio versato a filo, 1 cucchiaino di salsa Worcester, 2 cucchiai d'aceto bianco e 2 cucchiai di parmigiano grattugiato. Lavate 2 cuori di lattuga romana, asciugatela, spezzettate con le mani le foglie e mettetele nell'insalatiera. Conditele con la salsina, unite la pancetta, 4 filetti d'acciuga sott'olio sminuzzati, i crostini e 50 g di parmigiano in scaglie e mescolate delicatamente.

Insalata waldorf
Per 6. Pelate 1 sedano rapa, tagliatelo a cubetti, tuffateli in abbondante acqua bollente salata per qualche istante e scolateli bene. Sbucciate 3 mele rosse o verdi, eliminate il torsolo e tagliatele a piccoli dadi. Mescolate sedano e mele in un'insalatiera, spruzzateli con 2 cucchiai di succo filtrato di limone e cospargeteli con un pizzico di sale: lasciate insaporire per 30'. Scottate 150 g di gherigli di noce in acqua bollente per qualche istante, scolateli, spellateli e spezzettateli. Uniteli alle mele e al sedano e condite con 150 g di maionese ☞ diluita con 4 cucchiai di panna e altri 2 cucchiai di succo filtrato di limone.

Insalata greca
Per 6. Tagliate a dadini 250 g di formaggio feta, a spicchi 6 grossi pomodori maturi e sodi e a listarelle 1 peperone verde. Dividete 6 piccoli cetrioli a metà senza sbucciarli, eliminate i semi e affettateli. Sbucciate 1 cipolla rossa e tagliatela ad anelli sottilissimi. Unite il tutto in un'insalatiera con 24 olive nere kalamata denocciolate. Emulsionate ☞ 5 cucchiai di olio, 1 cucchiaio d'aceto, mezzo cucchiaino di sale, 1 pizzico abbondante d'origano o di maggiorana e condite l'insalata con la salsina.

Insalata svedese
Per 6. Tagliate 1 cavolo cappuccio verde a listarelle molto sottili e 2 porri e 4 carote a julienne. Riunite le verdure in un'insalatiera e conditele con 1 pizzico di sale e mezzo cucchiaino di senape in polvere. Fate bollire 1,5 dl di aceto di mele con 2 cucchiai di vino bianco e 1 cucchiaio di zucchero per 1': versatelo sulle verdure, mescolate e lasciate marinare per qualche ora in frigo. Condite con 1 dl di olio di semi di mais prima di servire.

Insalata nizzarda
Per 6. Lessate 400 g di patate, sbucciatele e tagliatele a rondelle. Spuntate 300 g di fagiolini, lavateli e cuoceteli al vapore.

Affettate 3 pomodori e riunite tutte le verdure in un'insalatiera. Emulsionate ☞ 2 cucchiai d'aceto con 6 cucchiai di olio, 1 cucchiaio di senape forte, 1 ciuffo di prezzemolo o di basilico tritato e 1 pizzico di sale. Condite patate, pomodori e fagiolini con la salsina. Aggiungete 200 g di tonno sott'olio sgocciolato e 6 filetti d'acciuga sott'olio, 3 uova sode tagliate a spicchi, 1 cucchiaio di capperi sottaceto e 18 olive nere denocciolate.

Insalata di pesci affumicati

Per 6. Pulite 2 finocchi, tagliateli a fettine sottilissime e mettetele in acqua ghiacciata per 10', per renderle più croccanti. Sgocciolateli, asciugateli e riuniteli in un'insalatiera con 1 cipolla rossa affettata sottile, 10 noci sgusciate e spezzettate e 2 mazzetti di rucola spezzettata. Sbucciate 1 avocado, tagliate la polpa a cubetti e irrorateli con il succo di mezzo limone. Emulsionate ☞ il succo dell'altra metà del limone con 1 pizzico di sale, 5 cucchiai di olio e 1 macinata di pepe. Versate il condimento sull'insalata. Unite 6 fettine di pesce spada affumicato, 6 fettine di salmone affumicato, 6 fettine di storione affumicato, tutti tagliati a listarelle, i cubetti di avocado e 12 olive nere.

Insalata esotica

Per 6. Pulite 2 ananas e tagliate la polpa a cubetti. Sbucciate 2 avocado, dividete la polpa a pezzetti e cospargeteli con il succo filtrato di 1 limone. Mescolate la frutta con 2 pomodori a dadini e irrorate con 4 cucchiai di olio emulsionato ☞ con 1 pizzico di curry, qualche goccia di Tabasco e 1 pizzico di sale. Aggiungete 400 g di polpa di pollo a cubetti o altrettanti piccoli scampi cotti al vapore, conditi con 2 cucchiai di maionese ☞.

Antipasti gustosi

Non è facile trovare un antipasto che possa aprire un pasto in maniera "giusta". Perché segue, siamo in Italia, la pasta o il riso, un secondo e un dolce: troppo, a mio parere tre portate bastano e avanzano. Suggerisco questa soluzione. Se vi piace abbondare, iniziate con un antipasto freddo, quelli del buffet ☞, in dosi limitate: sono piatti preparati prima, non vi creeranno problemi in cucina. Se invece proprio volete offrire un antipasto che sia ricco e succulento, poi rinunciate al primo.

Qui di seguito vi suggerisco una piccola scelta di amati e succulenti antipasti caldi che possono ben sostituire il primo.

Calzone alla bufala

Un ottimo modo per riciclare la mozzarella di bufala quando è diventata vecchia, cioè ha più di 2 giorni. Ma non compratela apposta per questo scopo, sarebbe uno spreco! Ci sarebbe anche la mozzarella in carrozza, ma questo piatto riesce, se tutto va bene, solo dopo non meno di cinquanta tentativi. Evitatelo.

Per 4. Tagliate a fettine sottili 300 g di mozzarella e mettetele a scolare in uno scolapasta per 2 ore o più: devono risultare veramente asciutte. Sbollentate ☞ 300 g di broccoletti per 2', fateli saltare in padella con 1 filo d'olio e 1 spicchio d'aglio per 5' e tritateli. Dividete 500 g di pasta per pizze e focacce ☞ in 4 parti e tiratene ognuna a disco sottile su una spianatoia leggermente infarinata. Farcite i calzoni con la mozzarella e i broccoletti, spolverizzate con poco sale e tanto pepe, chiudeteli, irrorateli con poco olio e cuocete in forno alla massima temperatura per 20'.

Clams chowder
Per 4. Lessate 2 patate al dente e pelatele. Cuocete 100 g di bacon tagliato a striscioline in una padella antiaderente e tenetelo da parte in caldo. In un'ampia casseruola fate aprire 2 kg di cozze, unendo anche un mestolino di acqua. Quando sono tutte aperte, levatele e filtrate il fondo. Rimettetelo nella casseruola, aggiungete le patate tagliate a fettine sottili, 4 cucchiaiate di soffritto di cipolle ☞, 50 g di roux ☞, il bacon già cotto, 2 bicchieri abbondanti di latte e cuocete per 5'. Unite le cozze e cuocete ancora per 4'. Alla fine regolate di pepe e se è il caso anche di sale. Il fondo deve essere denso.
Servitele accompagnate da fette di pane casereccio tostate e guai a chi non fa la scarpetta. Si mangiano con le mani. Non dimenticate, per questa come per le altre ricette con le cozze, un ciotolone per i gusci vuoti e delle ciotoline di acqua aromatizzata con 1 fetta di limone per sciacquarsi le dita.

Cozze al curry
Per 4. Pulite bene 2 kg di cozze, spazzolandole a fondo ed eliminando il bisso, la peluria che fuoriesce. Sciacquatele più volte. In una padellona fate aprire le cozze, poi scolatele e filtrate il fondo al colino, meglio rivestito con una mussola, per eliminare la sabbia. Rimettete il liquido filtrato nella padellona e unite 4 cucchiaiate di soffritto di cipolle ☞ e 4 cucchiaiate di salsa al curry ☞, più o meno, dipende dal vostro piacere e da quanto è forte il curry. Cuocete a fuoco allegro e quando la salsina comincerà ad addensarsi unite le cozze e 1 vasetto di yogurt greco da 250 g. Cuocete ancora per 1', rimestando delicatamente e servite. Non dovrebbe essere necessario salare, caso mai regolate.

Cozze al pepe e anice

Per 4. Procedete come per le cozze al curry ☞ fino al filtraggio del fondo. Rimettete il liquido filtrato nella padellona e unite le cozze, coprite con un mare di pepe nero pestato fine, non macinato, e 1 bicchierino di liquore all'anice. Cuocete per 5', spolverate con prezzemolo e regolate di sale.

Cozze gialle alla panna

Per 4. Procedete come per le cozze al curry ☞ fino al filtraggio del fondo. Rimettete il liquido filtrato nella padellona e unite 4 dl di panna e 50 g di roux ☞; aromatizzate con 1 o 2 bustine di zafferano. Appena la salsa comincia ad addensarsi (ci vorranno circa 3') unite le cozze, se è il caso regolate di sale e cuocete ancora per 3'.

Crostata di porcini

Per 6. Pulite 500 g di funghi porcini, tagliateli sottili e fateli saltare per 10' in 1 filo d'olio. In una ciotola amalgamate i funghi con 2 uova e 200 g di groviera a dadini, 4 cucchiaiate di panna e 4 di soffritto di cipolle ☞. Regolate di sale e pepe. Tirate 250 g di pasta brisée ☞, stendetela in uno stampo di 24 cm di diametro foderato con carta da forno e riempite con il composto, livellandolo. Cuocete in forno a 180° per 40'.

Erbolata di primavera

Una delle più antiche ricette italiane, di Martino de Rossi, il più grande cuoco italiano del '400 – anche se era svizzero di nascita. In quel periodo questa preparazione, fatta con tutte le erbe possibili e immaginabili, apriva sempre il pasto.

Per 6. Sbollentate ☞ 500 g di bietole per 2', tritatele e impastatele con maggiorana, salvia, menta, prezzemolo, anch'esse tritate, 200 g di ricotta passata al passaverdura, 2 albumi montati a neve e 50 g di burro ammorbidito. Regolate di sale e pepe e unite 1 cucchiaio di zucchero. Tirate 250 g di pasta brisée ☞, stendetela in uno stampo da 24 cm di diametro foderato con carta da forno e riempite con il composto, livellandolo. Cuocete in forno a 180° per 40'.

Farinata di ceci
    Per 4. Versate in una ciotola 500 g di farina di ceci. Unite a filo 1 litro e mezzo di acqua girando con una forchetta per evitare che si formino grumi. Regolate di sale e pepe e lasciate riposare per 3 ore. Alla fine troverete una schiumetta in superficie che eliminerete con un cucchiaio. Ungete una teglia con qualche cucchiaio di olio e versate la farinata, rimestando con un cucchiaio di legno fino a quando tutto l'olio sarà stato assorbito. Lo spessore ottimale dipende dai gusti ma ancor più dal tipo di forno che avete. Se è a gas viene bene, sarà più croccante: in questo caso meglio sottile. Se invece il forno è elettrico viene meno bene, più asciutta, quindi in questo caso meglio uno spessore maggiore. Purtroppo nessuno ha in casa un forno a legna, dove viene perfetta. Cuocete la farinata in forno a 220° per 12' in forno a gas e 14' in forno elettrico. Servitela calda tagliata in pezzi a forma di losanga, come vuole la tradizione. È molto nutriente...

Sformato di polenta con asparagi
    Per 6. Pelate 12 gambi di asparagi (le punte tenetele per altre preparazioni), tagliateli a fettine e fateli saltare al burro per 10', unendo 1 bicchiere di brodo di verdure ☞. Frullate e regolate di sale. Fate la polenta ☞ con 250 g di farina di mais bianca, unite 100 g di gorgonzola e 50 g di panna e mescolate bene. Distribuite la polenta condita in 6 stampini imburrati e spolverizzati con pangrattato. Passateli in forno a 180° per 15'. Sformateli e guarniteli con la salsa d'asparagi.

Sformato di porri
    Per 6. Saltate 12 porri tagliati a rondelle in una padella con poco olio per 6' e tritateli. Incorporate 500 g di besciamella ☞, 6 uova e 100 g di parmigiano grattugiato, regolate di sale e pepe. Rovesciate il composto in una teglia foderata con

carta da forno e cuocete in forno a 180° per 40'. Servite lo sformato caldo a fette, spolverato di parmigiano grattugiato.

Strudel di anatra e verza
Ma chi l'ha detto che lo strudel è solo dolce? Ecco due interessanti ricette salate. La pasta phillo, greca, fatta con olio, si trova nei migliori supermercati, surgelata.

Per 4. Saltate in padella con poco burro 300 g di petto d'anatra tagliato a dadini per 2', sfumate con un bicchierino di succo filtrato d'arancia e cuocete per 10'. Tagliate 500 g di cavolo cappuccio rosso a fettine e rosolatele per 10'. In una ciotola impastate anatra e cavolo, unite 1 pizzico di cannella e regolate di sale e pepe. Lasciate raffreddare. Spennellate 3 fogli di phillo scongelati con burro fuso, metteteli uno sopra l'altro, disponetevi sopra l'impasto e arrotolate, chiudendo bene i bordi. Mettete sulla placca un foglio di carta da forno, spennellate di burro, adagiatevi lo strudel spennellato di burro e cuocete in forno a 200° per 20'.

Strudel di carciofi e cappesante
Per 4. Pulite 300 g di carciofi e tagliateli a spicchi. Rosolateli in padella con 1 spicchio d'aglio e poco burro per 15', unendo poca acqua se asciugassero troppo. Unite 300 g di cappesante sgusciate e tagliate a dadini, sfumate con un bicchierino di vino bianco senz'alcol ☞ e cuocete per 5'. Eliminate l'aglio, regolate di sale e pepe e lasciate raffreddare. Spennellate 3 fogli di phillo scongelati con burro fuso, metteteli uno sopra l'altro, disponetevi sopra l'impasto e arrotolate, chiudendo bene i bordi. Mettete sulla placca un foglio di carta da forno, spennellate di burro, adagiatevi lo strudel spennellato di burro e cuocete in forno a 200° per 20'.

Mania dell'autore 7:
tartare e carpacci

Deliziosi anche se troppo politicamente corretti. La *tartare* si scrive con la "e" perché è una preparazione francese, mentre i carpacci sono una gloria recente ma fragorosa della cucina veneziana. L'unico problema, per i carpacci di carne, è che in casa abbiamo poche affettatrici e tagliarla sottile con un coltello è tutt'altro che facile. Ma se si fa tagliare dal macellaio anche poche ore prima rischia di ossidarsi troppo. I *ceviche* sono dei carpacci marinati nel succo di agrumi.

Tartare di carne

La vera *tartare* si prepara con carne di cavallo e va tagliata a mano, mai nel tritatutto. Se no si spappola e diventa una banale crema, troppo simile ai mediocri paterini industriali.

Per 2. Tagliate 300 g di filetto o controfiletto di cavallo (ma se fosse manzo chiudo un occhio...) a fette sottili e pestatele sul tagliere con un coltello pesante per 15', in modo da tritarla bene. Condite la carne con il succo filtrato di mezzo limone, 2 cucchiai d'olio, 1 pizzico di sale, 1 macinata di pepe e qualche goccia di salsa Worcester, lavorando l'impasto con una forchetta. Formate 2 polpette leggermente schiacciate e disponetele sui piatti. Formate al centro una fossetta e fatevi scivolare 1 tuorlo ciascuna e condite con 1 punta di senape e poche gocce di Tabasco. Distribuite tutt'intorno, a mucchietti separati, 2 scalogni, 1 ciuffo di prezzemolo, 4 cetriolini sott'aceto e 1 cucchiaio di capperi, tutti tritati. Questi ingredienti si possono anche mescolare alla polpetta.

✓ Si può anche prepararla qualche ora prima in modo che la carne si insaporisca bene. L'unica avvertenza è che tuorlo, limone e sale vanno messi all'ultimo momento.

✓ La carne di cavallo va messa a congelare almeno per un giorno prima dell'uso: la congelazione uccide eventuali batteri e parassiti. Poi la si lascia scongelare in frigo. Per quella di manzo non c'è bisogno.

Tartare di pesce

Per 2. Prendete 300 g di pesce spada, o tonno o salmone (tutti senza pelle) o filetto di merluzzo, branzino, orata o sogliola o scampi o gamberi sgusciati. Qui come non mai il pesce deve essere freschissimo. Tagliateli a dadini con un grosso coltello. Metteteli in una ciotola con 2 cucchiai di vodka, la scorza grattugiata di 1 terzo di limone e pepe pestato e lasciate riposare in frigo per 1 ora. Sgocciolate i dadini di pesce e conditeli con sale, 2 cucchiai di olio, poco succo filtrato di limone, 2 scalogni tritati e 1 zucchina a dadini marinati in olio, succo di limone, sale, pepe e 1 pizzico di zenzero in polvere. Cospargete con 1 cucchiaio di capperini sott'aceto e qualche stelo di erba cipollina tagliuzzata.

Carpaccio di carne

Quasi come al mitico Harry's bar di Venezia, con accanto Hemingway.

Per 2. Avvolgete in pellicola trasparente 200 g di scamone o controfiletto di manzo privato delle parti grasse e tenetelo in freezer per 30'. Tagliatelo a fettine sottilissime e disponetele, leggermente accavallate, su un piatto da portata in modo da ricoprirne interamente la superficie. Mescolate 3 cucchiai di maionese ☞ con 1 cucchiaio di panna, 1 cucchiaino di senape, qualche goccia di salsa Worcester e 1 cucchiaino di Cognac. Intingete una forchetta nella salsa e fatela scendere a filo sulla carne. Spolverate di sale e pepe.

Carpaccio di pesce

Per 2. Prendete 200 g di filetto di branzino o tonno o pesce spada o storione (ma potere fare questa preparazione virtualmente con tutti i pesci e i crostacei, basta che siano freschissimi) e teneteli in freezer per 20' prima di tagliarli a fettine molto sottili. Metteteli in un piatto e conditeli con salsa *ponzu* all'italiana ☞ o con una *citronnette* ☞.

La salsa *ponzu* all'italiana

In Giappone per condire il *sushi* (pesce crudo con riso) usano la salsa di soia. Ma con grande attenzione, perché sala moltissimo. Loro passano "un attimo" il pesce nella salsa, mai il riso che assorbirebbe troppo e lo mangiano salato a puntino. Noi non siamo così bravi e uniamo sempre troppa salsa di soia. Pazienza, poi ci si attacca alla birra o al *sakè*. Una soluzione quando si ordina il *sushi* in un ristorante giapponese è quella di chiedere la salsa *ponzu*, che in Giappone si usa per condire il *sashimi*, il pesce tagliato sottilissimo, senza riso. È fatta in diverse maniere. L'amico cuoco Ichi me ne ha insegnata una fatta con salsa di soia, *sakè* e *mirin* (vino dolce di riso usato solo per la cucina); esiste anche una versione con salsa di soia, succo filtrato di limone e *dashi* (brodo giapponese di alga *konbu*). Con queste potete condire il *sushi* senza problemi e poi gustarlo al giusto punto di salatura. Ciò detto, vi propongo una versione italianizzata della salsa *ponzu*.

In una ciotola emulsionate ☞ 1 parte di salsa di soia con 1 di olio e 1 di vermut dry. Unite cipollotto tritato e Tabasco a piacere. Lasciatela in infusione per 1 ora. Al momento del pasto, emulsionatela ancora per 1'.

La *citronnette*

In una ciotola emulsionate ☞ bene pochissimo sale con 1 cucchiaio di succo filtrato di limone, 3 di olio, 1 punta di senape dolce e Tabasco a piacere.

79

Carpaccio di pesce agli agrumi

In questo caso il pesce verrà cotto dal succo degli agrumi della marinatura, è praticamente un *ceviche* ☞ della tradizione spagnola e latinoamericana.

Per 2. Procedete come per il carpaccio di pesce ☞ e tagliatelo a fettine molto sottili. Spremete 1 limone e mezza arancia e filtrate il succo. Versate sul piatto da portata 3 cucchiai di succo d'agrumi e disponetevi sopra le fettine di pesce. Irroratele con il succo d'agrumi rimasto. Coprite con pellicola e fate marinare al fresco per 30'. Frullate 2 spicchi d'aglio con 1 mazzetto di rucola, 5 cucchiai d'olio e 1 pizzico di sale e pepe e versate la salsina sul pesce.

Ceviche al peperone

Praticamente un opulento piatto unico.

Per 2. Scottate 6 gamberoni per 2' in acqua bollente e raffreddateli in acqua ghiacciata. Sgusciateli, privateli del budellino nero, metteteli in una ciotola e irrorateli con il succo di 1 arancia, aggiungendo anche mezza cipolla bianca e 50 g di sedano affettati. Tagliate a dadi 100 g di peperoni, se possibile 1 terzo gialli, 1 terzo verdi e 1 terzo rossi, metteteli in una ciotola con 100 g di pomodorini ciliegia divisi in due, 2 dl di succo di lime e 1 dl di olio extravergine d'oliva leggero, ligure o del Garda. Aggiungete i gamberoni scolati, 200 g di polpa di cernia tagliata a piccole fette, 150 g di piovra e 150 g di calamari tagliati finemente. Pepate, coprite con pellicola e lasciate marinare per 30' al fresco. Spolverizzate con coriandolo sminuzzato, poco sale e servite.

Mania dell'autore 8:
le ostriche cotte

Una delle frasi che mi mandano veramente in bestia è: io le ostriche le mangio crude, cuocerle è una barbarie. D'accordo, sono molto buone anche crude. Ma volete mettere quelle cotte? Sono infinite le preparazioni calde di questo mitico mollusco, una più buona dell'altra. Fate una prova. Una sera, con amici fidati, preparate metà ostriche crude e metà cotte. Poi vedete quale piatto finisce prima.

Le ostriche si possono aprire a crudo, ma serve un coltello acconcio, facile da trovare, e per sicurezza un guanto di acciaio, molto costoso e che nessuno ha. Se servite cotte, più prudente aprirle in forno. Ecco la procedura. Mettete le ostriche in forno caldo a 200°, in una casseruola larga, con un velo di acqua sul fondo. Dopo pochi minuti si apriranno leggermente. Levate la casseruola dal forno, lasciate intiepidire e aprite le valve: non occorrerà alcuno sforzo, essendo leggermente cotte, il muscolo che tiene legata l'ostrica alla valva superiore non opporrà resistenza. Togliete il mollusco dalla valva e tenete da parte. Filtrate la loro saporita acqua.

Ecco qui di seguito alcuni esempi di queste barbare preparazioni. Quante ostriche a testa dipende dal vostro piacere.

Oyster shot – **cocktail di ostriche**
Per aprire alla grande questo capitolo e ogni pranzo. Non è proprio un'ostrica cotta, ma quasi, comunque è una vera bomba. Aprite le ostriche ☞. Spezzettatene 1 e mettetela in

un bicchierino. Unite 1 parte della loro acqua e 2 parti di vodka fredda, condite con salsa Worcester, Tabasco e pochissima salsa al cren ☞. Bevete tutto in un sorso, non preoccupatevi, non vi ingozzerete.

Ostriche al gorgonzola

Aprite le ostriche ☞. Lavorate del gorgonzola piccante con panna e parte dell'acqua d'ostriche fino a quando la consistenza sarà cremosa. Mettete sulla valva concava 1 foglia di verza sbollentata ☞ e ritagliata a misura (serve solo a evitare che la crema si incolli alla valva). Aggiungete il mollusco e coprite con la crema. Coprite con un velo di pangrattato e passate al grill per 2'.

Ostriche al formaggio e spinaci

Aprite le ostriche ☞. Saltate in poco burro degli spinaci e tritateli. Mettete 1 cucchiaino di spinaci nella valva concava, unite il mollusco e coprite con salsa *mornay* ☞ stemperata ☞ con poca acqua d'ostriche. Passate al grill per 2'.

Ostriche alla milanese

Aprite le ostriche ☞. Asciugatele bene, passatele nell'uovo sbattuto e nel pangrattato leggermente tostato. Friggetele in abbondante burro e olio di oliva non extravergine caldi per 3', toglietele, passatele su carta assorbente e salatele. Spruzzatele con succo di limone prima di gustarle.

Ostriche alla diavola

Aprite le ostriche ☞. Lavorate del burro con la loro acqua, aglio tritato, prezzemolo tritato, pangrattato tostato, Tabasco, salsa Worcester, gin e limone; eventualmente regolate di sale. Mettete i molluschi nelle valve concave coperti da 1 cucchiaino di impasto e cuocete in forno per 3'.

Mania dell'autore 9:
i soufflé

Lo so, i soufflé non vengono mai, per tante ragioni che non ho mai compreso fino in fondo. Ma sono così buoni! Quando sono solo e mi voglio trattare bene, mi faccio un abbondante soufflé, cosa che mi mette in pace con me stesso e col mondo. Funziona, fatelo anche voi. Se poi più volte il soufflé vi viene bello, soffice e montato, azzardatevi a proporlo agli amici – ma cuocendo sempre e comunque in stampi individuali.

✓ Gli stampi devono essere in porcellana, tondi, a pareti alte e lisce e non bisogna mai riempirli più di 2 terzi. Non aprite mai il forno durante la cottura. Gli albumi montati non devono essere molto sodi ma cremosi. Un soufflé si può cuocere in forno anche a bagnomaria, ma in questo caso l'acqua deve essere preventivamente scaldata; questa tecnica serve a non fare asciugare l'interno del soufflé.
Serviteli sempre subito, prima che si sgonfino!

Le dosi sono un po' abbondanti, ma per mettersi in pace con se stessi e col mondo...

Soufflé di porcini
Per 1. Tagliate a fettine 50 g di funghi porcini e 50 g di scalogno e rosolateli in poco burro per 5'. Unite 2 cucchiai di vino dolce senz'alcol ☞ e cuocete per 10' a fuoco dolcissimo, coperto. Frullate, unite 1 tuorlo e 1 dl di besciamella ☞ e regolate di sale e pepe. Montate 1 albume a neve con

1 pizzico di sale e incorporatelo al composto. Ungete di burro uno stampo, versate il composto e cuocete in forno a 160° per 8'-10'.

Soufflé di gorgonzola

Per 1. Scaldate 1 dl di besciamella ☞ e unite 50 g di gorgonzola sminuzzato e altrettanto grana grattugiato. Regolate di cannella, noce moscata, sale e pepe. Fuori dal fuoco unite 1 tuorlo. Montate ☞ 1 albume a neve con 1 pizzico di sale e incorporatelo al composto. Ungete di burro uno stampo, versate il composto e cuocete in forno a 160° per 8'-10'.

Soufflé di gamberi

Ma vanno bene tutti i crostacei.

Per 1. Frullate 100 g di gamberi sgusciati e bolliti. Unite 1 dl di besciamella ☞ calda, 1 tuorlo, poca noce moscata e regolate di sale e pepe. Montate ☞ 1 albume a neve con 1 pizzico di sale e incorporatelo al composto. Ungete di burro uno stampo, versate il composto e cuocete in forno a 160° per 8'-10'.

Soufflé di lardo e acciughe

Qui la cottura è rapidissima in quanto non compaiono tuorli o altro che richiedono più tempo per cuocere a puntino.

Per 1. In una ciotola lavorate con un cucchiaio di legno 50 g di lardo macinato con pochissima acetosella tagliata a julienne e 2 filetti d'acciuga tagliati a pezzettini. Montate ☞ 3 albumi a neve con 1 pizzico di sale e incorporateli al composto. Ungete di burro uno stampo, cospargetelo con poco parmigiano grattugiato, versate il composto e cuocete a bagnomaria già caldo in forno a 160° per 3'.

Minestre (abbastanza) classiche

Zuppe, minestre, minestroni più un'infinità di termini regionali: che confusione semantica. In gran sintesi si tratta di verdure a pezzi cotte insieme, ispessite, il più delle volte ma non sempre, con legumi, pasta o riso e arricchite con grassi vari: una definizione che non definisce niente. Comunque, io uso sempre il termine minestra, il più generico di tutti, per questo motivo mai sbagliato. Resta che tutti sanno, più o meno, cosa sono e soprattutto tutti le amano. La pasta è buona, anche il riso lo è, ma una bella e ricca minestra ci scalda corpo e spirito come pochissime altre cose. In più, vedere sobbollire una minestra rilassa più di un ansiolitico. E non dimentichiamoci che sono preparazioni sempre poco costose. Cosa si può chiedere di più?

✓ Se a una minestra che sta sobbollendo si aggiungono pasta o riso, ci sono due alternative: o vi ustionate la bocca cercando di gustarla troppo calda o questi scuociono in attesa che la minestra sia a temperatura umana. Molto meglio cuocerli separatamente al dente e aggiungerli alla minestra quando questa è alla temperatura di servizio.

✓ È impossibile dare tempi giusti di ammollo dei legumi secchi in quanto questo dipende da quanto sono vecchi, cosa che nessuno sa. Dovete quindi fidarvi dell'etichetta o chiedere a chi ve li vende. Lo stesso vale per i tempi di cottura "giusti". Vi conviene preparare tutti i piatti a base di legumi in anticipo, quando sono cotti a puntino li lasciate raffreddare e li scaldate al momento di servire. Così sono anche più gustosi.

Pasta e fagioli
Sono centinaia le versioni italiane di questo piatto mitico.
Questa è la mia. Se non trovate l'osso di prosciutto, che peraltro hanno tutti i salumieri, sostituitelo con qualche pezzo
di cotenna. La cottura nelle due pentole serve a eliminare il
fastidioso problema di separare i fagioli dalle verdure quando si devono passare.

Per 4. Mettete a mollo ☞ 400 g di fagioli borlotti secchi
per 1 notte, scolateli e sciacquateli. In una casseruola unite
metà dei fagioli, 2 foglie di alloro e 2 cucchiai d'olio, coprite
a filo d'acqua e cuocete per 2 ore; eliminate l'alloro. Unite in
un'altra casseruola il resto dei fagioli con 1 cipolla, 1 carota,
1 costa di sedano, tutti a fette, 1 osso di prosciutto, 100 g di
pancetta a dadini e 2 pomodori pelati. Coprite a filo d'acqua
e cuocete per 2 ore, unendo poca acqua se asciugasse troppo. Eliminate l'osso, passate al minipimer e al passaverdura
e rimettete nella casseruola. Unite i fagioli lessati scolati, regolate di sale e pepe e cuocete per 5'. Spegnete, lasciate riposare coperto per 10' e unite 120 g di pasta secca di piccolo formato o all'uovo sminuzzata e lessata al dente a parte.
Servite spolverizzato con abbondante grana grattugiato.

Zuppa di farro
Per 4. Mettete a mollo ☞ per 1 notte 100 g di fagioli borlotti secchi, scolateli, sciacquateli, metteteli in una casseruola, copriteli a filo d'acqua e lessateli per 3 ore a fuoco dolcissimo. Mettete a mollo per 12 ore 200 g di fagioli cannellini
secchi. In una casseruola unite i cannellini scolati con 1 cipolla, 1 costa di sedano e 1 pomodoro. Coprite a filo d'acqua
e cuocete a fuoco dolcissimo per 2 ore, unendo poca acqua
se asciugasse troppo. Eliminate cipolla e sedano, passate al
minipimer e al passaverdura. Rimettete questa crema nella
casseruola e unite 60 g di farro, messo a mollo in acqua per 1
ora. Aggiungete 4 cucchiaiate di salsa di pomodoro ☞ e cuocete per 10', sempre a fuoco dolce, unendo poca acqua se
asciugasse troppo. Alla fine unite i borlotti, cuocete ancora

per 5', regolate di sale e pepe e servite condito con 1 filo di olio extravergine d'oliva toscano.

Minestrone al pesto
Per 4. Unite in una casseruola 100 g di pancetta a dadini, 4 porri a rondelle, prezzemolo grossolanamente tritato, 100 g di fagioli cannellini secchi lasciati a mollo ☞ per 12 ore, 2 zucchine a pezzi, 100 g di scarola a julienne, 100 g di borragine a julienne e 100 g di piselli. Coprite a filo di brodo di verdure ☞ e cuocete a fuoco dolcissimo per 2 ore, unendo poco brodo se asciugasse troppo. Regolate di sale e pepe. Spegnete, lasciate riposare coperto per 10' e aggiungete 120 g di ditalini o simili lessati a parte al dente e 5 cucchiaiate di pesto ☞. Spolverate con grana e pecorino grattugiati e servite.

Minestrone freddo con riso
Per 4. Unite in una casseruola 100 g di pancetta a dadini, 100 g di prosciutto cotto a julienne, 4 pezzi di cotenna, 8 cucchiai di soffritto all'italiana ☞, prezzemolo grossolanamente tritato, 2 foglie di salvia, 2 patate a dadini, 100 g di fagioli borlotti secchi lasciati a mollo ☞ per 1 notte e scolati, 2 zucchine a pezzi e 100 g di piselli. Coprite a filo di brodo di verdure ☞ e cuocete a fuoco dolcissimo per 2 ore, unendo poco brodo se asciugasse troppo. Regolate di sale e pepe. Spegnete, lasciate riposare coperto per 10' e unite 120 g di riso lessato a parte al dente. Lasciate riposare per 1 ora e servite.

Minestra di riso e zucca
Per 4. Tagliate a dadini la polpa di 1 kg di zucca. Metteteli in una casseruola con 4 bicchieri di brodo di verdure ☞, 4 amaretti sbriciolati, 100 g di mostarda di Cremona tagliata a dadini e 4 cucchiaiate di soffritto di cipolle ☞. Cuocete per 30', unendo poco brodo se asciugasse troppo, regolate di abbondante noce moscata, sale e pepe. Unite fuori dal fuoco il riso lessato al dente e spolverizzate con abbondante grana grattugiato.

Minestra di castagne e porcini

I porcini sono profumati e costosi. Farli cuocere nulla aggiunge loro e molto toglie. Si tratti di una zuppa, di un risotto o quant'altro, meglio unirli alla fine, tagliati sottilissimi. Così il sapore si esalta.

Per 4. Sciacquate e mettete a mollo ☞ in acqua tiepida per 12 ore 200 g di castagne secche. Scolatele, spezzettatele, mettetele in una casseruola, unite 4 cucchiaiate di soffritto all'italiana ☞, copritele a filo con brodo di verdure ☞ e cuocete a fuoco dolcissimo per 1 ora e mezzo, unendo poco brodo se asciugasse troppo. Unite 50 g di farina di riso stemperata ☞ con 1 bicchiere di latte e cuocete ancora per 30'. Regolate di sale e pepe e spegnete. Completate con 200 g di funghi porcini tagliati sottilissimi, possibilmente con l'affettatartufi, lasciate riposare coperto per 10' e servite con abbondante grana grattugiato.

Minestra di bianchetti

Per 4. Lessate per 30' in 1 litro di brodo di verdure ☞ o leggero di pesce ☞ 4 cipollotti tagliati a rondelline, 300 g di piselli, 300 g di favette fresche e 200 g di punte di asparagi. Regolate di sale e pepe. Spegnete e aggiungete 120 g di spaghettini spezzettati e lessati a parte al dente e 200 g di bianchetti.

Minestra di gamberi

Per 4. Unite in una casseruola 200 g di sedano di Verona pelato e tagliato a fettine, 2 patate pelate e tagliate a fettine, 6 cucchiaiate di soffritto all'italiana ☞, 1 bicchiere di fondo di crostacei ☞ (prevalentemente gamberi) e 2 foglie di alloro. Coprite a filo d'acqua e cuocete per 1 ora unendo poca acqua se asciugasse troppo. Togliete l'alloro e regolate di sale e pepe. Fate saltare per 2' 16 code di gambero sgusciate e private del budellino nero con 1 filo di olio e 1 spicchio d'aglio. Unite alla minestra i gamberi, cuocete per 2' e profumate con abbondante prezzemolo tritato.

Minestra d'orzo al vino
Per 4. Unite in una casseruola 300 g di orzo perlato, lavato e sciacquato, 150 g di pancetta a julienne, 4 quadrotti di cotenna tagliati a striscioline e sbollentati per 5', 6 cucchiai di soffritto di cipolle ☞, 2 porri a rondelle, 2 carote grattugiate e 2 bicchieri di vino rosso senz'alcol ☞. Coprite a filo di brodo universale ☞ e cuocete coperto a fuoco dolce per 1 ora e mezzo, aggiungendo poco brodo se asciugasse troppo. Regolate di sale e pepe. Servite con abbondante grana grattugiato.

Pancotto alla pavese
Qui serve un brodo di manzo ☞ veramente stratosferico, quello che altrimenti utilizzereste per un risotto alla milanese ☞. È una versione più fattibile della zuppa pavese, dove le uova sono cotte solo versandoci sopra il brodo caldo – e l'albume resta sempre sgradevolmente crudo.
Coprite a filo con brodo di manzo 4 fette di pane casereccio raffermo a dadoni e lasciate che assorba per 1 ora. Fate 8 uova in camicia ☞ e tenetele in caldo. Scaldate, ma non troppo (non deve essere bollente) la zuppa di pane con ancora poco brodo, regolate di sale, mettetela nelle fondine individuali, unite 2 uova a piatto, spolverizzate con abbondante grana grattugiato e tanto pepe e servite.

Minestra di cotechino e lenticchie
Molti suggeriscono di mettere a mollo ☞ le lenticchie. No, è inutile, basta sciacquarle bene, molto bene, e lessarle "quanto basta", che vuol dire circa 1 ora, ma dipende da come sono e quanto sono vecchie.

Per 4. Fate rosolare 200 g di pasta di cotechino pelato e sminuzzato con 1 spicchio d'aglio per 15'. Unite 200 g di lenticchie sciacquate, 4 cucchiai di soffritto di cipolle ☞, 2 carote grattugiate, 2 foglie di salvia, 1 bicchiere di vino bianco senz'alcol ☞, 1 punta di concentrato di pomodoro e coprite a filo d'acqua calda. Cuocete a fuoco dolcissimo fino a quando do le lenticchie saranno tenere, ma non devono diventare crema, unendo poca acqua se asciugasse troppo. Regolate di sale e pepe e servite.

Minestra di ceci e costine
Per 4. Mettete a mollo ☞ per 1 notte 200 g di ceci secchi. Scolateli, unite 8 costine di maiale, 4 cucchiai di soffritto all'italiana ☞, 1 bicchiere di vino bianco senz'alcol ☞, 1 punta di concentrato di pomodoro e coprite a filo d'acqua. Cuocete per 3 ore a fuoco dolcissimo, unendo poca acqua se asciugasse troppo. Alla fine regolate di sale e pepe.

Minestra di trippa e fagioli
Per 4. Mettete a mollo ☞ 100 g di fagioli bianchi di Spagna per 1 notte. Sciacquate 400 g di trippa mista di manzo e vitello e tagliatela a piccoli pezzi. Scaldate un velo d'olio in una casseruola pesante, possibilmente di ghisa smaltata, unite la trippa, rosolatela bene, aggiungete i fagioli scolati, 6 cucchiaiate di soffritto all'italiana con pancetta ☞, 1 bicchiere di vino bianco senz'alcol ☞, 4 bicchieri di brodo di manzo ☞ leggero e 1 punta di concentrato di pomodoro. Cuocete coperto a fuoco ultradolce per 3 (bastano, 4 sono meglio e 6 meglio ancora) ore, unendo poco brodo se asciugasse troppo. Alla fine regolate di sale e pepe. Servite con abbondante grana grattugiato.

Minestrone all'anatra
Per 4. Unite in una casseruola 200 g di fagioli cannellini secchi messi a mollo ☞ per 12 ore, 200 g di soffritto ricco di anatra ☞, 4 porri a rondelle, 4 scalogni a fette, 2 carote grattugiate, prezzemolo grossolanamente tritato, 2 foglie di salvia, 2 rape a dadini e 2 zucchine a pezzi. Coprite a filo di brodo universale ☞ e cuocete a fuoco dolcissimo per 2 ore, unendo poco brodo se asciugasse troppo. Regolate di sale e pepe. Servite con abbondante grana grattugiato.

Mania dell'autore 10:
le vellutate

Ho da sempre un incubo diurno: che le minestre vengano troppo brodose. Per evitarlo bisogna eccedere con legumi, patate, pasta, riso e quant'altro – e io non amo eccedere – perlomeno con questi ingredienti. Per questo motivo amo le vellutate, che sono delle creme emulsionate ☞ come si fa per i sughi e guarnite. Le trovo calde, piacevoli, leggere, intime, "giuste" qualunque cosa voglia dire e sexy – e se il vostro partner non le trova sexy, cambiate partner.

Le tecniche per ispessire sono due. La prima prevede di lessare del riso, passarlo al passino e poi aggiungerlo; per semplificare si può sostituire con farina di riso stemperata ☞ in un liquido. La seconda consiste nell'aggiungere un roux ☞. Sono equivalenti. Se nella ricetta è previsto l'uso di patate e altri ingredienti addensanti, si può anche non ispessire con riso o farina. La tradizione chiede di legare alla fine anche con tuorli, ma non sempre bisogna seguire la tradizione. Alla fine si emulsiona sempre.

Le ricette tradizionali dicono di cuocere alla disperata le verdure, per poi passarle senza problemi al passaverdura. Io invece dico di cuocerle per non più di 15' (restano più buone), di frullarle col minipimer e di passarle al passaverdura con i buchi piccoli. In linea di massima, frullare solo con il minipimer non basta per avere una vellutata come si deve. Se siete pigri, fatelo, ma insistete molto a lungo col minipimer alla massima velocità.

Vellutata alla menta
Fresca, delicata, deliziosa.

Per 2. Tagliate a fettine 1 cespo di lattuga, 1 patata, 1 cetriolo, 1 cipolla e le foglie di 2 rametti di menta, fatele brasare in poco burro, coprite a filo con brodo di verdure ☞ e cuocete per 15'. Frullate, passate e regolate di sale e pepe. Emulsionate ☞ bene. Servitela fredda, guarnita con 1 cucchiaio di salsa alla menta ☞ e 1 cucchiaio di yogurt greco a testa.

Vellutata di bruscandoli alla birra
I bruscandoli sono i germogli di luppolo. Se non li trovate, usate gli asparagini selvatici.

Per 2. Tagliate 150 g di bruscandoli a pezzi e fateli rosolare per 10' con 1 noce di burro, 2 scalogni a fettine e 1 patata a cubetti. Unite 1 bottiglietta di birra da 33 cl e cuocete per 20'. Frullate, passate, regolate di sale e pepe ed emulsionate ☞ la crema con una frusta elettrica, unendo 1 noce di burro.

Vellutata all'aglio
Volevo scrivere: non è per tutti. Non è vero, è per tutti, perlomeno per tutti i "giusti". Viene meglio in estate, quando l'aglio è senza l'anima verde. Nelle altre stagioni, eliminate con pazienza l'anima.

Per 2. Pelate 2 teste (teste, non spicchi!) d'aglio. In una pentola unite gli spicchi con 2 bicchieri di brodo di manzo ☞ leggero, 1 patata a dadini, 20 g di farina di riso e 1 foglia di alloro. Cuocete per 20', eliminate l'alloro, frullate e passate. Regolate di sale e pepe ed emulsionate ☞ bene con 1 filo d'olio.

Vichyssoise
Una gloria della cucina... americana, non è un piatto francese come tutti credono.

Per 2. Rosolate per 10' in 1 noce di burro 2 porri tagliati a rondelle, unite 2 patate tagliate a dadini e cuocete per 5'. Coprite a filo con brodo universale ☞, unite 1 mazzetto guarnito ☞ e cuocete per 20', unendo poco brodo se asciugasse troppo. Eliminate il mazzetto, frullate e regolate di sale e pepe. Emulsionate ☞ nella zuppa 1 bicchiere di panna, fate raffreddare e mettete in frigorifero per almeno 2 ore. Servitela guarnita con erba cipollina e crostini di pane.

Vellutata di sedano di Verona e porri
Per 2. Pelate e tagliate a dadini 200 g di sedano di Verona e unite 2 porri a rondelle, 2 cucchiaiate di soffritto di cipolle ☞ e 20 g di farina di riso. Coprite a filo di brodo di verdure ☞ e cuocete per 20'. Poi frullate e passate. Regolate di sale e pepe ed emulsionate ☞. Servitela guarnita con 50 g di pancetta tagliata a julienne e saltata in padella con poco olio per 1'.

Supervellutata di cipolle
Per 2. Tagliate a fettine 1 cipolla bianca, 1 rossa e 1 dorata, 2 cipollotti e 2 scalogni; rosolateli per 15' a fuoco dolcissimo con 1 noce di burro. Unite 2 bicchieri di brodo di verdure ☞, 30 g di farina di riso e cuocete per 15'. Frullate e passate, regolate di sale e pepe ed emulsionate ☞. Servitela guarnita con 2 fette di pancarré tostato e tagliato a dadini e con grana grattugiato.

Vellutata di cipolle ai gamberoni
Per 2. Pulite 6 gamberoni, staccando la testa e la coda e sgusciateli. Con gli scarti fate un brodo ☞. Tagliate a fette 2 cipolle gialle, fatele appassire nell'olio per 10', versate 2 bicchieri di brodo, 40 g di roux ☞, lasciate bollire dolcemente per 10', frullate e passate, regolate di sale e pepe ed emulsionate ☞. Rosolate in una padella in 1 filo d'olio e con 1 spicchio d'aglio le code dei gamberoni private del budellino nero. Distribuite la vellutata nei piatti e guarnitela con le code di gambero.

Vellutata di riso e panna
Una proposta sontuosa, perfetta per coccolarsi e coccolare. Ma non dite al partner quanta panna avete usato.

Per 2. Cuocete 25 g di riso carnaroli e 25 g di riso basmati in 1 litro di panna per 20', frullate, passate, regolate di sale ed emulsionate ☞. Unite alla vellutata nei piatti individuali 1 cucchiaio di salsa verde ☞ e 2 code di gambero a testa sgusciate, private del budellino nero e saltate in padella per 1' con poco olio. In alternativa potete usare 1 cucchiaio di fondo di carne ☞ e 60 g di animelle dorate in padella per 1'.

Vellutata di trippa
Per 2. Frullate a lungo 200 g di avanzi di trippa con 2 bicchieri di brodo di verdure ☞. Scaldate la crema, unite 100 g di fagioli borlotti o cannellini lessati, cuocete per 10' e regolate di sale e pepe. Spolverizzate con menta tritata e servite.

Vellutata d'asparagi
Ricetta di una volta, che più classica non si può.

Per 2. Separate le punte dai gambi di 12 asparagi e pelate col pelapatate la parte dura dei gambi. Tagliate questi ultimi a rondelle e cuoceteli a vapore per 15', poi frullate e passate, unite 40 g di roux ☞, 50 g di panna e 2 bicchieri di brodo di verdure ☞. Quando la vellutata è densa, regolate di sale e pepe e, fuori dal fuoco, emulsionate ☞ bene con 1 tuorlo. Unite alla fine le punte divise a metà per il lungo, sbianchite ☞ in acqua bollente per 1' e saltate per 2' in padella con 1 filo di olio e 1 spicchio d'aglio.

Minestre insolite

Quattro proposte interessanti e appaganti. Sono due classiche anche se poco conosciute regionali italiane e due straniere e senza dubbio curiose. Provatele.

Macco

Per 2. Sciacquate e mettete a mollo ☞ per 12 ore 150 g di fave secche. Scolatele e mettetele a cuocere coperte a filo d'acqua per 1 ora, dolcemente. Alla fine passatele e regolate di sale. Distribuite la crema nelle ciotole individuali e unite 100 g a testa di catalogna lessata. Irrorate con poco olio extravergine d'oliva pugliese e cospargete con tanto, tanto pepe.

Mesciua

Per 2. Mettete a mollo ☞ in acqua tiepida per 12 ore 100 g di cannellini e per 1 notte 50 g di ceci. Mettete i legumi con 50 g di farro in una casseruola, coprite a filo d'acqua e cuocete dolcemente sino a quando i ceci saranno cotti a puntino, aggiungendo poca acqua calda se asciugassero troppo; ci vorranno circa 3 ore. Regolate di sale e condite con 1 filo d'olio extravergine d'oliva toscano e tanto pepe.

Zuppa di cozze, mango e menta

Per 2. Pulite 500 g di cozze e fatele aprire in una padella a fuoco vivo con 1 filo di olio e 1 spicchio d'aglio. Sgusciatele e filtrate il fondo. In una pentola unite poco olio, 1 pomodoro sbollentato ☞, pelato, privato dei semi e dell'acqua di vegetazione, mezzo mango a cubetti, le cozze e il fondo e cuocete a fuoco vivo per 3'. Regolate di sale e pepe, spegnete, unite 5 foglioline di menta e servite.

Minestra siberiana
Questo è il piatto di cui avete bisogno se d'inverno vi si rompe il riscaldamento in casa. È a base di barbabietole crude, più difficili da trovare di quanto si pensi.

Per 2. Sbucciate e tagliate a fette 4 barbabietole crude. Unitele in una casseruola a 1 piedino di vitello spaccato in 2 e 1 cucchiaio di zucchero. Coprite a filo d'acqua e cuocete a fuoco dolcissimo per 2 ore, unendo poca acqua se asciugasse troppo. Alla fine eliminate le fette di barbabietola (hanno già dato tutto al brodo), togliete il piedino, disossatelo e tagliatelo a pezzetti. Rimetteteli nel brodo, regolate di sale e pepe, alleggeritevi dei vestiti e gustatela guarnita con panna acida o yogurt. Vestiti o meno, non è afrodisiaca.

Mania dell'autore 11:
gli aiutacuochi – i brodi

Chi si occupa di editoria gastronomica sa bene che praticamente tutti i lettori sono sempre a caccia di trucchi e segreti per fare bene un piatto. Che esistono naturalmente, anche se meno di quanto si creda; è il lavoro ben fatto che fa grande un piatto. Bene, di tutti i trucchi possibili quello realmente vincente, quello capace di dare a un piatto, a parità di ingredienti usati, quel tocco in più che fa la differenza è l'uso appropriato di basi, brodi, fondi e affini, che chiamo collettivamente "aiutacuochi". Se fatti con criterio, intelligenza, passione e scrupolo, rappresentano il valore aggiunto che, senza dubbi o esitazioni, fa la differenza. I cuochi professionisti, quelli bravi, lo sanno, e dedicano a queste preparazioni la massima attenzione. Gli appassionati lo sanno meno, e capita che spendano soldi per comprare delle ottime e costose materie prime per poi banalizzare il piatto utilizzando, per esempio, un brodo di dado. No, tutte queste preparazioni sono veramente *il* trucco vincente. Fra l'altro, si possono preparare senza problema in anticipo. Fateli in una giornata uggiosa e archiviateli in attesa del pasto.

In questo capitolo parlerò dei brodi, che sono i liquidi di cottura di carni, pesci e verdure. Se tutti gli aiutacuochi aiutano, il brodo lo fa più di tutti. Nella cucina non solo italiana ed europea è la prima e più importante preparazione, surclassa tutte le altre. Dedicateci cura e attenzione.

Studiate sempre bene il brodo "giusto" da usare. La regola generale è semplice: deve essere fatto con gli scarti degli ingredienti del piatto che si sta preparando. Un filetto di manzo richiede un brodo di manzo, un *ragoût* di pollo un brodo di pollo, un risotto con le rane un brodo di rane. Ci sono come sempre delle eccezioni, ma questa è una regola d'oro. State sempre ben attenti al livello della concentrazione. Se un brodo è troppo ristretto, diventa una bomba che prevarica gli altri sapori. Se troppo diluito, è come mettere acqua. Se diluito al punto "giusto", cosa che si appura solo con l'esperienza, è delicato e vincente e dà al piatto quel profumo in più che fa la differenza.

Il brodo si conserva senza problemi. Utilizzate le bottiglie vuote dell'acqua minerale gassata, più robuste di quelle dell'acqua naturale. Riempitele a 3 quarti, non di più, altrimenti quando ghiaccia rischia di rompersi la bottiglia, chiudetele col loro tappo e conservatele in freezer senza problemi per 3 mesi. In frigorifero dura meno, solo 1 settimana, poi degrada. Non dimenticate di applicare sulla bottiglia un'etichetta con la data della preparazione e il contenuto, altrimenti la confusione è inevitabile.

Per fare un buon brodo, non usate acqua di rubinetto, ma acqua oligominerale naturale, con un residuo fisso compreso fra 50 e 500 mg per litro – e se volete strafare, optate per quelle minimamente mineralizzate, cioè con un residuo fisso inferiore a 50 mg per litro. Il brodo è un concentrato, meglio non concentrare quanto si trova nell'acqua di rubinetto, i sali, il calcare e quant'altro.

Non indico mai fra gli ingredienti il sale. Ma questo va aggiunto "quanto basta" solo al momento in cui si prepara il piatto, mai prima.

Cuocere un brodo in una pentola chiusa con un coperchio lo rende più torbido. Cosa che succede anche a cuocere la carne più del tempo indicato. Filtrate il brodo sempre in una mussola bianca, va bene anche un fazzoletto.

Manca qui il brodo cosiddetto composto, quello del bollito misto ☞ all'italiana. Il piatto è meraviglioso ma il brodo misto di carni e pollo è di difficile uso. Quindi, se volete gustare quel meraviglioso piatto, fatelo e diluite il brodo, che non sarà mai ottimale ma intanto c'è.

Il brodo di manzo

Nell'ambito dei brodi, quello di manzo è il vero re. Soprattutto se concentrato è forte e dominante, combinarlo non è mai facile. Però per le grandi salse da carne, per un risotto esemplare come quello alla milanese ☞ e per alcune mitiche zuppe è insostituibile. Diluito, allarga il raggio d'azione.

Per 2 litri. Carne di muscolo di un bovino adulto in un solo pezzo kg 1, 1 osso di manzo con midollo, 2 cipolle, 1 porro, 2 carote medie, 2 coste di sedano verde, 2 foglie di alloro, 1 mazzetto di gambi di prezzemolo, pepe nero in grani, 3 chiodi di garofano, 3 litri di acqua oligominerale naturale

Pelate 1 cipolla, dividetela in due per il largo e fatele tostare in una padella, dal lato piatto, per 20': sembra una tecnica biodinamica (che lo sia?), serve a rendere più brillante il brodo. Picchettate l'altra cipolla con i chiodi di garofano. Unite a freddo tutti gli ingredienti e portate a bollore. Cuocete scoperto dolcemente, schiumando ☞ e sgrassando ☞ con attenzione. Dopo 1 ora e mezzo dal bollore eliminate le verdure e cuocete ancora per 1 ora e mezzo. Alla fine filtrate con un colino coperto con una mussola bianca e, se volete un brodo più concentrato, cuocete ancora per 1 ora, sempre dolcemente.

✓ La carne bollita, condita con poco sale grosso e accompagnata da una salsa verde ☞ o dalla salsa che più vi aggrada, è deliziosa, non è certo un ripiego.

Il brodo di vitello

Accompagna, va da sé, preparazioni di vitello piuttosto che infiniti piatti dove la carne è un ingrediente dominante. Ma bisogna stare attenti: se concentrato a fondo, diventa poderoso (quasi) come il brodo di manzo, può addirittura andare bene per un risotto alla milanese ☞!

Per 2 litri. Carne di muscolo di vitello in un solo pezzo g 600, biancostato di vitello g 600, 1 osso di vitello, 2 cipolle, 1 porro, 2 carote medie, 2 coste di sedano verde, 2 foglie di al-

loro, 1 mazzetto di gambi di prezzemolo, pepe nero in grani,
3 chiodi di garofano, 3 litri di acqua oligominerale naturale

Procedete esattamente come per il brodo di manzo ☞,
cuocendo la carne e le verdure per 1 ora e mezzo e concentrando a piacere dopo aver filtrato.

Il brodo di pollo
Per 2 litri. 1 pollo da 1,2 kg circa privato del fegato, 1 carcassa di pollo, 2 cipolle, 1 porro, 2 carote medie, 2 coste di sedano verde, 2 foglie di alloro, 1 mazzetto di gambi di prezzemolo, pepe nero in grani, 3 chiodi di garofano, 3 litri di acqua oligominerale naturale

Procedete esattamente come per il brodo di manzo ☞,
cuocendo pollo e verdure per 1 ora e mezzo. Alla fine filtrate. Potete farlo anche con 1 gallina che cuocerete fra 2 ore e
mezzo e 3 ore, dipende dall'età della gallina, sempre togliendo le verdure dopo 1 ora e mezzo, o con 1 cappone, che richiede 2 ore di cottura.

Il brodo universale
Personalmente lo chiamo, poco elegantemente, brodo
"puttana", perché si sposa con tutti i piatti che genericamente
richiedono "un brodo". Consideratelo una ruota di scorta e
quindi tenetelo sempre in freezer, tanto non costa niente. Per
un risotto giallo non andrà mai bene, ma per tutti gli altri risotti, anche per quelli misti di pesce, se la cava più che bene.
Sempre giocando con il livello di concentrazione.

*Per 2 litri. Ossi misti di vitello kg 1, 2 carcasse di pollo,
2 cipolle, 1 porro, 2 carote medie, 2 coste di sedano verde, 2
foglie di alloro, 1 mazzetto di gambi di prezzemolo, pepe nero
in grani, 3 chiodi di garofano, 3 litri di acqua oligominerale
naturale*

Spezzettate gli ossi e la carcassa e fateli rosolare in una casseruola per 20'. Scolate il grasso, coprite con l'acqua e unite le verdure, come indicato per il brodo di manzo ☞. Cuocete per 1 ora e mezzo, schiumando ☞ e sgrassando ☞ e filtrate.

Il brodo di pesce
Per 1 litro. Teste, scarti e lische di pesce kg 1, 2 porri, 1 carota, 1 costa di sedano verde, 1 pomodoro, 1 foglia di alloro, 2 spicchi d'aglio, 1 mazzetto di gambi di prezzemolo, 1 bicchiere di vino bianco secco senz'alcol ☞, pepe bianco in grani, 1,5 litri di acqua oligominerale naturale

Sciacquate bene e spezzettate gli avanzi di pesce; tagliate sottili porri, carote, sedano e aglio. Riunite gli scarti del pesce e le verdure in una casseruola, rosolateli con 1 noce di burro o 1 filo d'olio per 10', unite l'acqua, il vino, il pomodoro, il pepe, il mazzetto e l'alloro, portate a bollore e cuocete a fuoco dolcissimo, schiumando ☞, per 40' e filtrate.
✓ Si può fare con gli scarti di tutti i pesci salvo quelli azzurri.

Il brodo di crostacei
Per 1 litro. Teste e gusci di crostacei g 600, gamberetti piccoli e tristi che di più non si può g 400, 2 porri, 1 carota, 1 costa di sedano verde, 1 pomodoro, 1 foglia di alloro, 2 spicchi d'aglio, 1 mazzetto di gambi di prezzemolo, 1 bicchiere di vino bianco secco senz'alcol ☞, pepe bianco in grani, 1,5 litri di acqua oligominerale naturale

Me se per caso avete 1 kg di teste e scarti, eliminate i gamberetti. Sciacquate bene e spezzettate teste, gusci e gamberetti. Procedete come per il brodo di pesce ☞.

Il brodo di verdure
Fatelo ricco e più saporito possibile, non è facile ma...

Per 1 litro. 2 cipolle, 2 porri, 2 carote, 2 coste di sedano, 1 patata sbucciata, 2 zucchine, 1 pomodoro, 2 spicchi d'aglio,

101

2 foglie di alloro, 1 mazzetto di gambi di prezzemolo, 2 bacche di ginepro, 2 chiodi di garofano, burro, 1,5 litri di acqua oligominerale naturale

Tagliate a pezzi cipolle, aglio, porri (anche un po' di verde), carote, sedano e zucchine. Fatele rosolare a fuoco dolcissimo per 15' in 1 noce abbondante di burro, unite l'acqua, l'alloro, il ginepro, i chiodi di garofano, la patata a fette, il pomodoro e il mazzetto e cuocete per 40', schiumando ☞. Filtrate. Si può rosolare anche con l'olio, ma il burro è meglio. La patata intorbida un po', ma dà spessore: la consiglio.

Il brodo di sassi

Per finire, il brodo più snob, quello antichissimo che facevano i marinai greci tutte le sere quando tiravano a secco le navi, mai si azzardavano a navigare di notte. Dipende dalle erbe che usate, ma in ogni caso è più saporito di quanto si possa immaginare. Usatelo al posto di un brodo universale ☞ o di verdure ☞. È elegante, discreto, tutt'altro che povero, oggi, e soprattutto vi farà fare un vero figurone con gli amici.

Per 1 litro. 10 sassi belli, tondi e porosi raccolti da voi in riva al mare, naturalmente dove il mare è pulito..., abbondanti erbe aromatiche e verdure a piacere come: prezzemolo, basilico, salvia, rosmarino, timo, finocchietto selvatico, barbe di finocchi, barbe di frate, ortiche e chi più ne ha più ne metta, 1,5 litri di acqua piovana (se ne siete sprovvisti, oligominerale naturale), 3 cucchiai di olio e 3 cucchiai di aceto bianco

Unite a freddo tutti gli ingredienti e cuocete per 1 ora, poi filtrate.

Mania dell'autore 12:
gli aiutacuochi – i fondi

I fondi sono considerati in Italia una brutta cosa o meglio "cose da francesi". È vero che Oltralpe li amano moltissimo. Ma questo non ne inficia l'uso. In sostanza, sono dei dadi fatti in casa. Si usano al posto dei dadi industriali, non certo per fare un brodo, ma per arricchire carni e quant'altro, proprio come fanno tutti con i dadi, sbagliando, che sono troppo salati e ricchi di glutammato. Ma quelli fatti in casa stanno ai dadi come una donna sta a una bambola di gomma. Tutto qui, non sembrano proprio dei mostri.

Una garbata aggiunta di fondo a una preparazione di carne, pesce e crostacei la arricchisce alla grande. Garbata, ho scritto: in effetti è l'abuso che crea mostri, non l'uso. Perciò fateli e usateli *con judicio* quando serve. Nelle ricette di questo libro non vi tedio consigliando l'aggiunta di un po' di fondo, salvo quando non se ne può proprio fare a meno. Consideratelo scontato.

Si conservano benissimo. In frigo durano anche 1 mese, in freezer 6 mesi. La soluzione ottimale è di metterli nelle buste di plastica usa e getta per ghiaccioli e prenderli uno per uno, quando servono, proprio come se fossero dei dadi.

Il fondo di carne
È detto anche fondo bruno, è la madre di tutti i fondi, il nobile sostituto del dado di carne e la base delle ultraclassiche salse di accompagnamento alla carne di una volta.

Per 2 litri. Muscolo di bue kg 1, biancostato di vitello kg 1, ossi di manzo o vitello kg 1, cotenne g 300, 1 carcassa di pollo, 2 cipolle con la buccia, 2 carote, 2 coste di sedano, 1 mazzetto di gambi di prezzemolo, 2 foglie di alloro, 1 punta abbondante di concentrato di pomodoro, 1 bicchiere di vino bianco dolce secco, 4 litri di acqua oligominerale naturale

Unite tutti gli ingredienti (salvo concentrato, mazzetto, alloro e vino) in una capace teglia e cuoceteli in forno, a calore massimo, per 1 ora, mescolando. Scolateli dal grasso e passateli in una casseruola. Unite il concentrato stemperato ☞ in poca acqua, il mazzetto e l'alloro e copriteli con 4 litri d'acqua. Cuoceteli a fuoco dolcissimo schiumando ☞ e sgrassando ☞, per 8 ore, purtroppo non di meno, altrimenti non scatta la malia. Alla fine filtrateli con una mussola, unite il vino e riducete ancora.

Il fondo di pesce
È un brodo di pesce concentrato. È detto anche fumetto. I pesci, diciamocelo, non sono mai ricchissimi di sapore, aggiungerne un po' non fa che bene. Un cubetto di fondo è un aiutacuoco fantastico. La ricetta che segue è generica, fatta con pesci diversi. Se volete arricchire una preparazione a base di branzino, usate un brodo di branzino. E via gustando.

Per 2 dl. 2 porri, gambi di funghi champignon g 100, brodo di pesce ☞ misto 1 litro, 1 bicchierino di vino dolce, burro

Tritate porri e funghi e fateli rosolare in 1 noce di burro per 20', a fuoco dolcissimo. Versate il brodo e il vino e fate cuocere dolcissimo sino a che si sarà ridotto a 1 quinto. Alla fine filtrate.

Il fondo di crostacei
Procedete come per il brodo di pesce ☞ utilizzando brodo di crostacei ☞.

Minestre degli altri

Perbacco, anche all'estero mangiano minestre. Ecco una scelta di quelle che reputo più interessanti e gustose. Sono tutte ricche e saporite, un po' italianizzate, da condividere con amici fidati.

Minestra di coda allo sherry

Una volta era fatta con la tartaruga, ora politicamente improponibile, anche se la *green turtle* dei Caraibi non è affatto a rischio di estinzione, come invece lo è la *caretta caretta* del Mediterraneo.

Per 4. Rosolate per 15' in 1 noce di burro 2 cipolle, 200 g di rape e 2 carote tagliate a pezzi, con timo e maggiorana a piacere. Tritate questo soffritto. Tagliate a pezzi 1 kg di coda di bue e rosolatela in 1 noce di burro. Coprite a filo di brodo di manzo ☞, unite il soffritto e 1 foglia di alloro e cuocete a fuoco dolcissimo per 4 ore, unendo altro brodo se asciugasse troppo. Unite 2 bicchieri di sherry, cuocete ancora per 10', eliminate l'alloro, regolate di sale e pepe e servite.

Mulligatawney

Una minestra di pollo indiana dal nome bellissimo.

Per 4. Tagliate a piccoli pezzi 1 pollo da 1 kg e rosolateli in 1 noce di burro per 5'. Unite 6 cucchiai di soffritto di cipolle ☞, coprite a filo di brodo di pollo ☞ o universale ☞ e cuocete dolcemente per 1 ora, unendo poco brodo se asciugasse troppo. Alla fine unite salsa al curry ☞ a piacere e regolate di sale. Fuori dal fuoco legate con 1 vasetto di yogurt greco.

Soupe à l'oignon

La zuppa di cipolle l'abbiamo anche noi *mais ça c'est la France*. Con la Marianna, è il simbolo di quel paese.

Per 4. Tagliate a fette sottili 1 kg di cipolle bianche e fatele rosolare a fuoco dolcissimo in 100 g di burro per 20', unite 40 g di farina setacciata e cuocete per 5'. Unite 1 bicchiere di vino bianco senz'alcol ☞ e coprite a filo con acqua o brodo universale ☞ bollenti. Cuocete a fuoco dolcissimo per 40', mescolando di tanto in tanto, unendo poca acqua se asciugasse troppo. Regolate di sale e pepe. Nei piatti individuali mettete una manciatina di pane (meglio la *baguette* ma...) tagliato a fette, tostato e tagliato a dadi, coprite con una manciatina di *gruyère* tagliato a fettine e con la zuppa bollente. Fate riposare per 5' e servite. I piatti individuali, arricchiti da qualche ricciolo di burro, possono essere anche gratinati per 5' in forno. In ogni caso, attenti alle ustioni!

Borsch

La più mitica minestra russa, in versione edulcorata.

Per 4. Rosolate per 10' in 1 noce di burro 400 g di barbabietole precotte tagliate a dadini. Rosolate 100 g di pancetta affumicata a dadini e 100 g di bocconcini di carne di maiale in 1 noce di burro per 10', unite 2 cucchiai di soffritto di cipolle ☞, 200 g di cavolo bianco tagliato a julienne, le barbabietole, 1 cucchiaio di zucchero e 3 cucchiai di aceto, coprite a filo con acqua o brodo universale ☞ bollenti e cuocete per 30', unendo poca acqua se asciugasse troppo. Unite 2 patate tagliate a dadini e cuocete ancora per 30'. Regolate di sale e pepe e servite condito con panna acida ☞.

Gulyàs

Il *gulyàs* è una zuppa ungherese. Lo spezzatino con cipolle e paprika che noi chiamiamo gulasch i magiari lo chiamano *pörkölt*.

Per 4. Rosolate per 15' in 1 noce di burro 300 g di cipolle tritate con paprika a piacere (ma deve essere tanta) e una manciatina di cumino. Rosolate per 5' in 1 noce di burro 500 g di carne di manzo tagliata a dadi, unite la cipolla, 1 mazzetto di gambi di prezzemolo e 1 foglia di alloro. Coprite a filo con brodo di manzo ☞ e cuocete per 1 ora e mezzo, unendo poca acqua se asciugasse troppo. Unite 2 peperoni tagliati a filetti sottili e 2 patate tagliate a dadini e cuocete per 30', unendo ancora poca acqua se asciugasse troppo. Eliminate mazzetto e alloro e regolate di sale.

Botwinja

Per chiudere, una deliziosa zuppa fredda russa. È un piatto leggermente acido, così vogliono nella Moscovia, quindi si deve unire vino non privato dell'alcol.

Per 4. Tagliate a strisce 1 kg in tutto di spinaci, acetosella e scarola e brasateli in 1 noce di burro per 5'. Unite 4 cetrioli pelati, privati dei semi e tagliati a dadi, 1 finocchio tagliato sottile, 50 g di cerfoglio e 50 g di dragoncello tritati, 2 bicchieri di vino e 1 cucchiaio abbondante di zucchero e cuocete per 30', unendo pochissima acqua se asciugasse troppo. Regolate di sale e pepe. Si serve fredda, profumata con salsa al cren ☞ a piacere, ma deve essere tanta.

Mania dell'autore 13:
gli aiutacuochi – roux, marinate e altri

Completo i capitoli sugli aiutacuochi con un gruppo eterogeneo di altre preparazioni, tutte molto utili.

Il roux

Ecco un altro mostro francese, sempre guardato con sospetto. Solo si fosse chiamato con un nome italiano sarebbe più accettato. Proporrei farina burrata o farbù, che però è orrendo. Continuiamo con roux, e non lo metto in corsivo perché è come bar, è un termine quasi italianizzato. Si tratta di burro e farina cotti insieme, tutto qui. Serve "solo" per addensare una salsa, un fondo di cottura o quant'altro. Ho messo solo fra virgolette perché addensare è una cosa importantissima, trasforma una serie di liquidi scomposti e deboli in qualcosa di unitario e forte. In Italia usiamo passare nella farina gli ingredienti prima di cuocerli per avere alla fine una salsa della giusta densità. Ma così non rosolano bene, è molto più prudente legare all'ultimo con del roux.

Sciogliete in una padellina antiaderente altrettanto burro e unite altrettanta farina 00 ben setacciata. Continuate a rimestare con un cucchiaio di legno a fuoco dolcissimo. Cuocete per 5', se volete un roux chiaro, che non modifica il colore della salsa, o anche qualche minuto di più, se preferite un roux più scuro, che dà un leggero color caramello. Ma è solo questione di colore, il risultato non cambia. Una volta fatto e intiepidito, dura in frigorifero 5 giorni e in freezer 3 mesi.

✓ Per evitare grumi, unite un roux caldo a una preparazione fredda e un roux freddo a una preparazione calda.

✓ Il roux industriale, in grani, fatto non col burro ma con grassi vegetali, è meglio di quanto si potrebbe supporre. Tutti i grandi cuochi di nascosto lo usano. Compratelo anche voi.

✓ Per addensare si può anche unire fecola, che non è solo di patate, o maizena, sempre stemperati ☞ in un liquido freddo. Comodo, più che accettabile, lo fanno tutti, ma il roux è meglio.

La marinata

Serve a rendere più tenera la carne dura. Ma chi trova più della carne dura? Ormai la si trova solo ben frollata e tenera. C'è un unico caso in cui la marinatura è indispensabile: la grigliata mista. Qui la mancanza della marinata iniziale rende la carne, sempre e comunque, stopposa. Il vino è tradizionalmente bianco, per carni rosse va bene anche quello rosso.

Mescolate 1 bottiglia di vino bianco (o rosso), 1 bicchiere di aceto, 3 carote, 3 cipolle e 3 coste di sedano verde tagliati a fettine, 2 spicchi d'aglio, 2 foglie di alloro, pepe in grani, bacche di ginepro, chiodi di garofano, qualche rametto di prezzemolo e 1 bicchiere di olio. Immergete i pezzi di carne e tenete al fresco, girando di tanto in tanto, per un tempo compreso fra le 2 ore e 1 giorno, dipende da quanto la carne è dura. Alla fine scolate e asciugate bene la carne.

✓ Se la carne fosse veramente dura, tipo un vecchio cinghiale che avete travolto con la macchina, unite alla marinata dell'ananas o della papaia tritati: hanno degli enzimi che inteneriscono anche la carne più coriacea.

La panna acida

Può arricchire un'infinità di preparazioni, dalle insalate miste ai pesci affumicati alle zuppe, si usa un po' su tutto come in Italia usiamo il grana grattugiato, ma è anche più versatile. Purtroppo nel nostro paese in commercio non si trova, salvo rari e benemeriti casi. Se ne avete bisogno, preparatela, avete ben tre possibilità. Sono palliativi, insoddisfacenti come tutti i palliativi, ma meglio di niente.

Emulsionate ☞ 2 dl di panna liquida con 2 cucchiai di succo filtrato di limone e 1 pizzichino di sale. Lasciatela per almeno 1 ora sopra un calorifero.

Emulsionate ☞ 1 dl di yogurt greco intero con 100 g di robiola.

Emulsionate ☞ 1,5 dl di panna liquida con 60 g di mascarpone e 2 cucchiai di succo filtrato di limone.

Il prezzemolo congelato
Ma sì, consideriamolo un aiutacuoco. Nella cucina italiana una spruzzata di prezzemolo non si nega a nessun piatto. Ma farlo ogni volta è una gran rottura. Quindi prendete un'abbondante dose di prezzemolo nella solita giornata uggiosa. Separate i gambi, che comunque vi serviranno per i brodi, dalle foglie, che laverete e asciugherete bene. Poi tritatele con calma e pazienza fino a che saranno ridotte ai minimi termini e mettetele in un vasetto che conserverete in freezer, anche per 1 mese. Quando serve, un cucchiaio e via.

Il mazzetto guarnito
Serve in un'infinità di preparazioni, però, ahilui e ahinoi, non si conserva bene in frigo, dura massimo 6 giorni, e malissimo in freezer. Consiste in un mazzetto di erbe aromatiche legate con filo da cucina, in modo che alla fine si possa eliminare senza problema. Il mazzetto classico è fatto con gambi di prezzemolo, mai le foglie – è uno spreco – rametti di timo e foglie di alloro. In quello meno classico si uniscono, a piacere, gambi di basilico, maggiorana, erba cipollina, cerfoglio, salvia ma anche menta, dragoncello e bucce private della parte bianca di arancia e limone.

La passione estrema:
ragoût, fondute e paste come piatto unico

Condividere in otto devoti amici un pasto, di più no, si è in troppi, è in assoluto il massimo piacere della vita. Per renderlo ancora più indimenticabile, meglio preparare un ricco, poderoso e abbondante piattone unico: serve a cementare l'amor degli amici. Ecco alcune proposte imbattibili.

I *RAGOÛT*

I *ragoût*, da me amatissimi sovra a ogni altra preparazione, sono degli spezzatini di carne o pesce, cotti in umido e arricchiti con verdure, spezie, odori e salse. Esistono in infinite varianti in tutte le tradizioni culinarie – meno nella nostra, peccato, dove compaiono col nome di spezzatino o fricassea. Vanno serviti accompagnati da un amido come: cuscus, e allora diventano cuscus di; riso pilaf, e allora diventano pilaf di; salsa al curry (e riso pilaf), e diventano curry di; patate, qui non assumono alcun nome specifico, ma anche con polenta, gnocchi e, perché no?, pasta secca o all'uovo.

Ragoût di pesce
Per 8. Pesce misto kg 3, vanno bene tutti salvo quello azzurro, soffritto di cipolle ☞, cipolline, porri, carote, sedano, zucca, patate, zucchine, champignon, peperoncino, sale

Sfilettate i pesci o meglio fatelo fare in pescheria, se non ve lo fanno cambiate pescheria. Con teste, lische e scarti fate un

111

fondo ☞ denso. Cuocete al dente in poco brodo di pesce ☞ cipolline, porri a cilindretti, carote tornite, sedano a pezzi, zucchine a cilindri, zucca a spicchi, patate a spicchi, champignon divisi in due e quant'altra verdura, cotte separatamente e tenute in caldo. Gettate il pesce a pezzi nel fondo caldo, unite 8 cucchiai di soffritto, cuocete per 10' e regolate di sale e peperoncino. Alla fine mescolate pesce e verdure. Accompagnate con l'amido che amate (è perfetto il cuscus) condito con poco sugo (anche se questa non è la ricetta canonica del cuscus di pesce).

Curry di pollo e gamberi
Per 8. 2 polli da 1 kg l'uno, 32 code di gamberi, soffritto di cipolle ☞, albicocche e uvette secche, salsa al curry ☞, brodo di pollo ☞, roux ☞ g 50, 1 vasetto di yogurt greco da 250 g, olio

Fate dorare i polli, divisi in 8 pezzi l'uno, in poco olio per 4'. Coprite a filo con brodo caldo, aggiungete 8 cucchiai di soffritto e cuocete per 50', unendo poco brodo bollente se asciugasse troppo. Aggiungete albicocche e uvette secche messe a mollo ☞ in acqua tiepida per 30', strizzate e fatte a pezzi, i gamberi rosolati in poco olio per 1', salsa al curry a piacere, il roux e cuocete ancora per 10'. Regolate di sale. Condite con lo yogurt e accompagnate con riso pilaf ☞.

Daube di manzo
La *daube* è una preparazione francese il cui nome deriva dallo spagnolo *dobar*, stufare. È un *ragoût* cotto in vino e brodo. Una volta si usava solo vino per di più con il suo alcol, ma così resta a mio parere troppo acida.

Per 8. Muscolo di bovino adulto tagliato a cubotti e non troppo magro kg 2, pancetta tagliata a piccoli cubotti g 200, lardo g 100, mezza bottiglia di vino rosso senz'alcol ☞, 1 mazzetto guarnito ☞ concentrato di pomodoro, brodo di manzo ☞ leggero, 1 arancia, roux ☞ g 50, 40 cipolline glassate ☞, funghi g 400, burro, sale

In una pentola di ghisa fate dorare manzo e pancetta nel lardo tritato. Dopo 5' aggiungete il vino e altrettanto brodo caldi, 2 cucchiaiate di concentrato e il mazzetto guarnito arricchito col giallo di mezza arancia. Cuocete coperto per 2 ore a fuoco dolcissimo unendo poco brodo se asciugasse troppo. 10' prima che sia pronto eliminate il mazzetto, unite 50 g di roux e regolate di sale e pepe. Fate saltare in poco burro i funghi tagliati a fette finché non abbiano buttato fuori tutta l'acqua. Aggiungete cipolline e funghi alla *daube*, legate per 5' sul fuoco e servite. Accompagnate con l'amido che volete; consiglio tagliatelle, condite con qualche cucchiaiata di sugo.

Daube di vitello con spugnole e asparagini

Per 8. Petto e spalla di vitello tagliati a dadi kg 2, burro g 100, soffritto all'italiana con pancetta ☞, mezza bottiglia di vino bianco aromatico senz'alcol ☞, 1 mazzetto guarnito ☞ con menta, alloro, gambi di prezzemolo, salvia e giallo d'arancia, concentrato di pomodoro, brodo di vitello ☞, 24 cipolline glassate ☞, spugnole secche g 100, 1 mazzo di asparagini, roux ☞ g 50, olio, sale e pepe

In una pentola di ghisa fate dorare il vitello con il burro per 5'. Unite il vino e altrettanto brodo caldi, il soffritto, il mazzetto e 1 punta di concentrato. Cuocete coperto per 1 ora e 20', a fuoco dolcissimo unendo poco brodo se asciugasse troppo. Sbollentate ☞ per 1' le punte degli asparagini e tenetele da parte. Bollite in poca acqua i gambi degli asparagini per 20', frullate, passate al passaverdura e fate ridurre a fuoco dolce fino ad avere una salsa densa. 5' prima che sia pronto togliete il mazzetto, unite 50 g di roux, le spugnole fatte rinvenire in acqua per 30' e saltate in poco olio per 1', le cipolline glassate, la crema e le punte degli asparagini. Regolate di sale e pepe. Accompagnate con tagliatelle condite con qualche cucchiaiata di sugo.

Pilaf di manzo all'egiziana

Per 8. Tagli di manzo di terza qualità come polso, giogo, pet-

to, falda (*ma va bene anche il muscolo*) *kg 1, ceci g 500 peso a secco, soffritto di cipolle* ☞, *salsa di pomodoro* ☞, *fagiolini g 500, 3 foglie d'alloro, 4 cucchiai di zenzero in polvere e 4 peperoncini (più o meno, dipende dai vostri gusti), olio, zucchero, prezzemolo, sale*

La sera prima mettete a mollo ☞ i ceci in abbondante acqua tiepida. Scolateli e lessateli per 3 ore in acqua, aggiungendo anche l'alloro e poco sale, schiumando ☞. Fateli raffreddare nella loro acqua e scolateli. Tenete il brodo. Spuntate i fagiolini, divideteli in due e sbollentateli ☞ per 5'. Tagliate la carne a cubetti e gettateli in acqua bollente per 5'. Scolate. In una grossa pentola mettete 5 cucchiai di olio, gettate la carne, fatela rosolare per 5'. Aggiungete a filo il brodo caldo dei ceci, 8 cucchiaiate di salsa di pomodoro, 8 di soffritto, 1 cucchiaio di zucchero, lo zenzero e i peperoncini sbriciolati. Cuocete coperto per 2 ore a fuoco dolcissimo, unendo altro brodo se asciugasse troppo. 10' prima che sia pronto aggiungete ceci e fagiolini. Regolate di sale, spolverate col prezzemolo e servite. Accompagnate con riso pilaf ☞.

Ragoût di agnello allo zafferano
Per 8. Spalla d'agnello kg 3, soffritto all'italiana ☞, *zafferano, farina, cipolline, porri, carote, patate, champignon, panna acida* ☞, *burro g 50, sale*

Disossate la spalla d'agnello, con gli ossi fate un brodo, seguendo la procedura e utilizzando le verdure del brodo universale ☞. Tagliate a cubi la carne, infarinatela leggermente, fatela rosolare nel burro, coprite a filo col brodo, unite 8 cucchiai di soffritto e cuocete per 1 ora. Profumate con lo zafferano e regolate di sale. Lessate al dente in poco brodo cipolline, porri a cilindretti, carote tornite, patate a spicchi e champignon divisi in due. Alla fine mescolate agnello e verdure e condite con 8 cucchiaiate di panna acida. Accompagnate con patate bollite o con l'amido che volete.

Condividere un pasto è una cosa bellissima. Nessun piatto è più condivisibile delle fondute. Andrebbero gustate sotto una tenda in un altopiano battuto dal vento...

Fonduta mongola

Presente, con nomi diversi, in tutta l'Asia orientale. A mio parere, la prima fra tutte le fondute. Se non trovate gli spaghettini di soia, usate quelli normali, lessateli al dente e fermatene la cottura sotto acqua corrente fredda.

Per 8. Carne mista, magra e disossata kg 1,5, filetto di pesce a polpa bianca g 300, gamberi sgusciati g 300, spaghettini di soia g 300, spinaci g 300, foglie di cavolo cappuccio g 300, 3 litri di brodo di pollo ☞, sale, salsa di soia da fonduta. Per la salsa: salsa di soia 2 dl, vermut bianco 2 dl, olio di sesamo 2 dl, 4 spicchi d'aglio, 4 peperoncini freschi, zenzero fresco g 60

Preparate la salsa: tritate l'aglio e i peperoncini, pelate e tritate lo zenzero. Aggiungete la salsa di soia, il vermut e l'olio e lasciate in infusione. Tagliate la carne a fettine e il filetto a bocconcini. Lavate gli spinaci e i gamberetti e asciugateli. Sbollentate ☞ per 5' le foglie di cavolo cappuccio e scolatele. Fate rinvenire gli spaghettini in acqua fredda per 10'. Portate a tavola in una capace marmitta il brodo caldo e ponetelo su un fornelletto. Ogni commensale, prendendoli con forchettine a manico lungo (o con bacchette cinesi...), cuocerà a piacere i vari ingredienti e li passerà nella salsa prima di gustarli.

Fonduta alla borgognona

Ma prima prenotate la tintoria: alla fine i vestiti sapranno di olio...

Per 8. Lombata di manzo kg 2, 1 litro di olio di semi (se tro-

vate quello di nocciole è perfetto, ma in Italia è quasi introvabile), salse di accompagnamento: all'aglio, alla senape, tartara, al curry, al cren, agrodolce ☞

Riducete a bocconcini la carne e metteteli a tavola con le salse. Scaldate l'olio e versatelo in una capace marmitta, che metterete a tavola su un fornelletto. Ogni commensale, prendendoli con forchettine a manico lungo, cuocerà a piacere i bocconcini e li passerà nella salsa prediletta prima di gustarli. Occhio alle ustioni.

Fonduta al formaggio
Lassù in Svizzera, nel Vallese, dove questo piatto è nato, non tolgono l'alcol al vino. Incauti.

Per 8. Gruyère stagionato kg 1, 2 spicchi d'aglio, burro g 200, vino bianco secco senz'alcol ☞*, kirsch, pane, pepe*

In una marmitta di terracotta, sciogliete il burro, unite il *gruyère* tagliato a fettine sottili, l'aglio tritato e il vino che dovrà coprire a filo il formaggio. Cuocete a fuoco dolce rimestando fino a quando il formaggio sarà fuso. Alla fine unite tanto pepe e 4 bicchierini di kirsch. Portate la marmitta a tavola e mettetela su un fornelletto. Con delle forchettine a manico lungo infilzate dei cubetti di pane un po' raffermo e intingeteli nella fonduta calda. Occhio alle ustioni. Gustate con vino bianco profumato (l'eventuale uso di acqua fa solidificare il formaggio nel pancino e provoca orrendi incubi: da evitare!).

LE PASTE COME PIATTO UNICO

Ragù alla napoletana
La pasta più buona. Punto. Senza dubbi o esitazioni.

Per 8. Rigatoni (o altra pasta a piacere) kg 1 – è un piatto unico! –, girello o scamone di manzo kg 2, pancetta finemente tritata g 200, concentrato di pomodoro g 800, vino rosso senz'alcol ☞, soffritto di cipolle ☞, basilico, zucchero, peperoncino, strutto (o olio), sale

Stemperate ☞ il concentrato con altrettanta acqua calda. Rosolate in poco strutto (o olio) la carne per 5', sfumate con 2 bicchieri di vino, unite il concentrato stemperato, la pancetta, 8 cucchiaiate di soffritto, una grossa manciata di foglie di basilico, 1 cucchiaio di zucchero e cuocete coperto a fuoco stradolcissimo per 4 ore, unendo poca acqua se asciugasse troppo. Togliete la carne, tenetela in caldo e continuate la cottura scoperto finché il sugo sarà denso, scuro e lucido. Rimettete la carne nella casseruola, coprite, cuocete per 10' c regolate di sale e peperoncino. Tagliate la carne a fette e servitela con rigatoni cotti in abbondante acqua salata al bollore, scolati al dente e fatti saltare per 2' in padella con parte del sugo e 2 bicchieri di acqua di cottura. Al manzo si può sostituire altrettanta coscia di maiale.

Genovese alla napoletana
L'1 per mille, non di più, meno buona del magico ragù alla napoletana.

Per 8. Rigatoni (o altra pasta a piacere) kg 1 – è un piatto unico! –, muscolo di manzo kg 1,5, cipolle kg 1, 2 carote, salame g 250, vino bianco senz'alcol ☞, basilico, concentrato di pomodoro, zucchero, peperoncino, sale

Tritate le cipolle con le carote, 1 grossa manciata di foglie di basilico e il salame. In una casseruola rosolate in poco strutto (o olio) il muscolo per 5', unite 2 bicchieri di vino, 2 di acqua bollente, 2 cucchiai di concentrato stemperati ☞ in altrettanta acqua calda, il trito e 1 cucchiaio di zucchero e cuocete a fuoco stradolcissimo coperto per 6 ore, unendo poca acqua se asciugasse troppo. Alla fine regolate di sale e peperoncino. Tagliate la carne a fette (si sbriciolerà ma non importa) e servitela con rigatoni cotti in abbondante acqua sa-

lata al bollore, scolati al dente e fatti saltare per 2' in padella
con parte del sugo e 2 bicchieri di acqua di cottura.

Spaghettini ai frutti di mare
La più sontuosa pasta di mare. Mette allegria a tutti.

*Per 8. Spaghettini kg 1 – è un piatto unico! –, seppioline
g 400, calamaretti g 400, 24 canocchie, 24 code di gambero,
40 vongole, 40 cozze, salsa di pomodoro* ☞*, olio, prezzemolo,
sale*

Pulite le seppioline e i calamaretti, immergeteli in un *court-
bouillon* ☞ freddo, lessateli per 6' dall'ebollizione e scolateli. Nello stesso *court-bouillon* bollente, cuocete le canocchie
e le code di gamberi private del budellino nero per 3'. Tagliate i molluschi a pezzetti di circa 2 cm e la polpa delle canocchie a dadini. Fate aprire in una pentola le vongole. Sgusciatene 30 e filtrate il fondo, che userete per saltare la pasta.
Fate lo stesso con le cozze. In una padellona unite tutti i frutti di mare e legate con 8 cucchiaiate di salsa di pomodoro, regolando poco di sale (il fondo di cozze e vongole è salato).
Cuocete, scolate e saltate gli spaghettini nella padellona unendo poco olio e 2 bicchieri di fondo di cozze e vongole. Spolverizzate di prezzemolo tritato e servite.

Come si cuoce la pasta

Tutti noi italiani abbiamo nel Dna la tecnica di cottura della pasta. Non è una battuta, è proprio vero. Gli stagisti giapponesi e tedeschi, mediamente bravissimi, che operano nei top ristoranti dello Stivale, nel momento in cui devono cuocere la pasta sempre vacillano: cogliere il momento giusto è veramente qualcosa che ti riesce dopo generazioni di tentativi. Noi queste generazioni le abbiamo, loro no.

Quando parlo di pasta mi riferisco a quella secca. Però le tecniche di cottura qui riportate valgono anche per la pasta all'uovo.

Ricapitolo le regole per una buona cottura. Distinguiamo in tre. Ovvero: la cottura della pasta che prevede un sugo cotto. La cottura della pasta che prevede un sugo a crudo. La cottura della pasta a risotto.

LA COTTURA DELLA PASTA CHE PREVEDE UN SUGO COTTO

È quella più classica. Il trucco vincente, che tutti conoscono e che nessuno fa, è uno solo: saltare in padella la pasta con il sugo. Ma andiamo passo a passo. Ecco consigli e procedura.

Non lesinate al momento dell'acquisto nella qualità della pasta. Costa pochissimo, se moltiplicate il prezzo pagato anche per due o più non cambia niente, resta un piatto ultraeconomico.

Va a piacere e dipende dal sugo e dal menu che segue, ma

80 g a testa è una dose ottimale. Certo, se è un piatto unico crescete *ad libitum*...

Il recipiente di cottura deve essere possibilmente di acciaio. L'alluminio, che va bene per tutte le cotture, essendo poroso tende a rilasciare gli umori (uso questo bel termine medioevale dato che quello scientifico mi sfugge) che ha assorbito durante le precedenti cotture, intorbidendo leggermente l'acqua, cosa che non è bene. La pasta deve cuocere in una pentola, ovverosia in un recipiente cilindrico e piuttosto alto, dotata di regolare coperchio.

La quantità di acqua da usare, dicono tutti i testi, è di 1 litro per 100 g di pasta. Ma è poco. Ultimamente sono impazzito con dei meravigliosi paccheri (rigatoni giganti) di Gragnano, che venivano sempre rotti con mio grande scorno. Solo aumentando il quantitativo di acqua fino a 2 litri per 100 g questo problema non si è più verificato. Non si mette mai troppa acqua.

Qualunque sia il quantitativo di acqua, portatela a bollore senza sale e coperta, così ci mette meno tempo. Quando bolle, salatela con 10 g di sale a litro se il sugo è, diciamo così, normale o con 8 g se il sugo è tendenzialmente saporito. Controllate quanta acqua avete messo e pesate il sale: l'occhio tradisce. 1' dopo aver gettato il sale calate delicatamente la pasta nell'acqua.

Non abbandonatela a sé. Giratela con un forchettone possibilmente di legno con amore e attenzione: la pasta sente queste cose e cuoce meno stressata. Il tempo di cottura non dipende dalla dimensione della pasta ma dal suo spessore. Per i tempi, *passim*: ogni italiano ha il suo punto di dente, parlare di questo è del tutto inutile. Scolatela comunque 1' prima del punto di dente, qualunque cosa questo voglia dire per voi.

Poi saltate in padella la pasta con il sugo scelto a fuoco vivo, unendo anche poco brodo o acqua di cottura. Questo è un punto fondamentale. La pasta, dopo scolata, tende disperatamente ad assorbire liquidi. Se la si condisce in una ciotola con un sugo, di questi liquidi non ne trova abbastanza e diventa "gnucca", termine che uso per una pasta stressata dalla mancanza di liquidi. Quindi, quando si scola la pasta nella padella del sugo unite anche un po' di grasso (olio o burro), diciamo 5 g a porzione, e del brodo o acqua di cottura della pasta, circa 4 cl (misurate!) a porzione, poco più o poco meno, dipende sostanzialmente da quanto è brodoso il sugo e da come è stata essiccata la pasta, più è artigianale più liquidi richiede, più è industriale meno. Non spaventatevi, anche se sembra che la pasta galleggi nel brodo e il timore di aver rovinato tutto faccia capolino, l'assorbimento e l'evaporazione saranno rapidissimi. Cuocete per 1,5'-2' a fuoco vivo, mescolando. Alla fine, fuori dal fuoco, condite con quanto previsto dalla ricetta, tipo grana grattugiato, prezzemolo tritato e quant'altro.

Questa tecnica, oltre a evitare che la pasta diventi gnucca, dà una grande profondità al piatto, in quanto liquidi e grassi utilizzati nella cottura del sugo e insaporiti dagli altri ingredienti vengono assorbiti dalla pasta condendola "dal di dentro" si potrebbe dire. Non c'è alcun motivo al mondo per non saltare una pasta, se la si vuole godere al massimo.

Qualcuno obietta: ma così si sporca una pentola in più. È vero, ma ci sono le lavastoviglie. E il sugo in qualche casseruola dovete averlo cotto, basta cuocerlo in una padella abbastanza capiente da contenere la pasta scolata e così non ci sono problemi.

LA COTTURA DELLA PASTA CHE PREVEDE UN SUGO A CRUDO

Tipo il pesto, il più classico dei sughi a crudo. La procedura di cottura è la stessa descritta sopra, ma alla fine non la si può saltare in padella, il trucco fondamentale. La tradizione dice di utilizzare una zuppiera ben calda e di unire al sugo anche 1 mestolo di acqua di cottura. Di fatto, così facendo si ottiene sempre o un piatto brodoso o un piatto gnucco. Una soluzione ottimale non c'è. Io opto per una soluzione estremamente eterodossa: fate saltare a fuoco vivo la pasta in un grasso (olio o burro) emulsionato ☞ con un liquido (brodo o acqua di cottura). Quindi mettete in una padella 5 g di grasso (olio o burro) e 4 cl di brodo o acqua a porzione, emulsionate con una forchetta o con una frusta, scolate la pasta 1' prima che sia al dente e saltatela a fuoco allegro per 1,5'-2', mescolando, fino a quando avrà assorbito tutto l'assorbibile. Alla fine unitela nella zuppiera al sugo prescelto, ma senza aggiungere ulteriore brodo o acqua di cottura. Fra l'altro, con questa tecnica la pasta che si cala nella zuppiera sarà molto calda e si legherà al meglio col sugo. Provate col pesto ☞ e vedrete quanto il risultato vi soddisferà.

LA COTTURA DELLA PASTA A RISOTTO

Una tecnica molto interessante, presente peraltro in alcune tradizioni regionali. Con questa tecnica la pasta si cala delicatamente nella casseruola col sugo e si cuoce a fuoco medio, mescolando sempre delicatamente, aggiungendo brodo bollente mestolo a mestolo, unendo il successivo solo quando quello precedente sarà stato assorbito del tutto, proprio come avviene per il risotto. In linea di massima, salvo un inconveniente di cui dirò dopo, la cottura a risotto è la migliore. Si può fare con tutti i formati delle paste, anche gli spaghetti, ovviamente in una casseruola acconcia, cioè più larga che si può. Basta stare attenti, all'inizio, che la pasta, soprattutto gli spaghetti, non si attacchino l'uno all'altro. Con un po' di mano, mescolando con garbo e attenzione, non è un problema. Perché è la migliore? Per un motivo semplice: nella cottura in acqua la pasta assorbe appunto acqua salata, che è quello che è. Nella cottura a risotto assorbe i liquidi del sugo e il brodo, anche se fosse di dado (non sia mai ma potrebbe anche capitare a qualche sventato...), è sempre ben più buono dell'acqua. Quindi la pasta risulterà più saporita e più legata al suo sugo. I tempi di cottura sono un paio di minuti in più rispetto a quelli della cottura in acqua. Alla fine, fuori dal fuoco, unite quanto serve, tipo grana grattugiato, prezzemolo tritato e quant'altro.

In linea di massima, la pasta si cala nella casseruola del sugo quando questo è già fatto, con tutti gli ingredienti previsti. Naturalmente alcuni ingredienti, a seconda della ricetta, si possono unire anche durante la cottura, proprio come avviene per il risotto. Esempio. Se il sugo è di pomodoro e gamberi, questi ultimi vanno uniti solo 2' prima che la pasta sia pronta.

Naturalmente questa tecnica non può essere utilizzata se si scelgono sughi a crudo.

L'inconveniente è uno solo. La pasta cuocendo cede un po' di amido, difficile quantificare, dipende sostanzialmente da come è stata essiccata; mentre la pasta industriale cede meno, quella artigianale essiccata a bassa temperatura cede di più. Con la cottura tradizionale questo amido finisce nell'acqua di cottura, nessun problema. Se invece finisce nel sugo, è inevitabile che questo diventi amidoso: per dare un'idea è come aggiungere a un sugo per 4 persone 1 cucchiaio raso o anche più di fecola o maizena. Alcuni sughi non soffrono di questo amido, o meglio a molti piace un sugo così.

Per gli altri sughi o per chi non ama la densità, c'è una sola soluzione. Cuocete per 3' la pasta in acqua bollente in modo che perda parte dell'amido e scolatela nella casseruola col sugo per proseguire la cottura a risotto. È senza dubbio una procedura un po' complessa, ma gli dèi della gola sapranno apprezzare il vostro gesto.

La pasta con i sughi cotti più gustosi

Quanti sono i sughi da pasta? Certamente più di mille. Come è difficile immaginare un sugo che non si sposi con la pasta! Qui di seguito vi propongo una scelta di quelli più interessanti e gustosi.

Questa proposta vale per tutte le paste secche, per quelle all'uovo ma anche per la stragrande maggioranza di gnocchi e ravioli, fatto salvo l'abbinamento col ripieno.

SUGHI CON LE VERDURE

Con cipollotti e peperoncino

Per 4. Rosolate per 10' in una casseruola in 1 filo di olio 400 g di cipollotti affettati; unite 2 cucchiai di pomodori sbollentati ☞, pelati, privati dei semi e tritati, peperoncino, 1 foglia di alloro, timo fresco, maggiorana fresca e basilico spezzettato a piacere e cuocete per 10'. Regolate di sale. Saltate la pasta in questo sugo.

Con cime di rapa, acciughe e uvetta

Per 4. Sbollentate 400 g di cime di rapa per 2', tagliuzzatele e fatele saltare in una casseruola in 1 filo di olio, 1 spicchio d'aglio, 1 manciata di uvetta ammorbidita in acqua tiepida per 20' e strizzata e i filetti spezzettati di 2 acciughe. Regolate di sale e pepe. Dopo aver saltato la pasta, servitela spolverizzata con 2 cucchiaiate di pecorino grattugiato. Si può fare anche con i broccoletti.

Con zucchine e fiori di zucca

Per 4. Tagliate a fettine sottili 400 g di zucchine e rosolatele per 1' in una casseruola in 1 filo di olio, 4 cucchiaiate di soffritto di cipolle ☞, 1 spicchio d'aglio e 1 bustina di zafferano sciolta in poca acqua bollente. Regolate di sale e pepe. Dopo aver saltato la pasta, servitela spolverizzata con i fiori di zucca spezzettati e 2 cucchiaiate di grana grattugiato.

Con melanzane e menta

Per 4. Tagliate a julienne 2 melanzane e fatele rosolare in una casseruola in 1 filo di olio per 4' con 4 cucchiaiate di soffritto di cipolle ☞, 4 di salsa di pomodoro ☞ e tanta menta. Regolate di sale e pepe. Saltate la pasta in questo sugo.

Con i peperoni

Per 4. Frullate a crema 150 g di peperonata ☞ con 4 filetti d'acciughe, 2 spicchi d'aglio e 2 cucchiai d'olio. Scaldate in una casseruola 150 g di peperonata non frullata, unite la crema e regolate di sale. Dopo aver saltato la pasta, servitela spolverizzata con menta, basilico e prezzemolo finemente tritati.

Con i carciofi

Per 4. Pulite e tagliate a fettine 6 carciofi; cuoceteli in una casseruola per 10' in 1 filo di olio, 2 spicchi d'aglio, mezzo finocchio tritato, 1 bicchiere di vino bianco secco senz'alcol ☞ e 4 cucchiaiate di soffritto di cipolle ☞. Alla fine frullate metà salsa e rimettete il tutto nella casseruola. Regolate di sale e pepe. Dopo aver saltato la pasta, servitela spolverizzata con 1 manciata di prezzemolo tritato.

SUGHI AL FORMAGGIO

✓ Se si condisce una pasta, ma lo stesso vale per tutte le preparazioni, con un sugo al formaggio, è bene legare alla fine, fuori dal fuoco, con tuorli.

Alfredo

Per 4. Cuocete in una casseruola 4 cucchiaiate di soffritto all'italiana ☞ con 80 g di fontina grattugiata, 80 g di groviera grattugiato, 80 g di grana grattugiato, 40 g di pecorino grattugiato e 40 g di panna. Regolate di sale, pepe e cannella. Dopo aver saltato la pasta, legate fuori dal fuoco con 1 tuorlo.

Al gorgonzola e pere

Per 4. Cuocete per 3' in una casseruola 4 cucchiaiate di soffritto all'italiana ☞, 200 g di gorgonzola a dadini, 80 g di groviera grattugiato, 40 g di panna, 4 gherigli di noci sminuzzati e 1 pera sbucciata e tagliata a spicchi piccoli. Regolate di sale, pepe e cannella. Dopo aver saltato la pasta, legate fuori dal fuoco con 1 tuorlo.

SUGHI DI CARNE

Al ragù di agnello, uvetta e pinoli

Per 4. Saltate la pasta in una casseruola in 1 noce di burro e 50 g a testa di ragù d'agnello ☞, unendo 1 manciata di uvetta messa a mollo ☞ in acqua tiepida per 30' e strizzata e 1 manciata di pinoli leggermente tostati. Servitela spolverizzata con prezzemolo tritato e grana grattugiato. Questa ricetta può essere fatta con ragù di un'infinità di carni, preparati seguendo le stesse procedure del ragù d'agnello. Particolarmente gustosi quelli di fegato, di fegatelli di pollo, di piccione, di lumache, di oca e d'anatra.

Con pomodoro e costine

Per 4. In una casseruola cuocete per 4 ore, coperto e a fuoco dolcissimo, 1 kg di pomodori sbollentati ☞, pelati privati dei semi e grossolanamente tritati con 4 cucchiaiate di soffritto di cipolle ☞, 8 costine di maiale e 1 manciata di foglie di basilico. Alla fine gli ossi delle costine dovranno staccarsi dalla carne senza problema. Regolate di sale e peperoncino.

Dopo aver saltato la pasta, servitela spolverizzata con pochissimo grana grattugiato.

Con pomodoro e salsiccia

Per 4. In una casseruola cuocete per 1 ora, a fuoco dolcissimo, 600 g di pomodori sbollentati ☞, pelati privati dei semi e grossolanamente tritati con 4 cucchiaiate di soffritto di cipolle ☞, 600 g di salsiccia spellata e sminuzzata e 1 manciata di foglie di basilico; unite poca acqua se asciugasse troppo. Regolate di sale e peperoncino. Dopo aver saltato la pasta, servitela spolverizzata con pochissimo grana grattugiato.

Con la trippa

Per 4. Frullate a crema 100 g di avanzi di trippa con poca acqua. In una casseruola unite 100 g di avanzi di trippa tagliati a striscioline, la crema, 60 g di salsa di pomodoro ☞ e cuocete per 10'. Alla fine regolate di sale e pepe. Dopo aver saltato la pasta, servitela spolverizzata con prezzemolo tritato e grana grattugiato.

Alla carbonara

Per 4. Rosolate per 2' in una casseruola antiaderente 200 g di guanciale tagliato a striscioline. Dopo aver saltato la pasta nella casseruola col guanciale con l'aggiunta di olio e acqua di cottura, mettetela in una ciotola dove avrete ben emulsionato ☞ 2 uova, 1 tuorlo e 80 g di pecorino grattugiato e sale quanto basta. Profumate con tanto pepe pestato.

Di cordone di filetto

Per 4. Rosolate per 1' in una casseruola in 1 noce di burro 250 g di cordone di filetto tagliato a dadini. Unite 4 cucchiaiate di soffritto di cipolle ☞, 1 bicchiere di vino rosso senz'alcol ☞, 12 pomodorini divisi in 4 e cuocete per 20'. Regolate di sale e pepe. Dopo aver saltato la pasta guarnite con prezzemolo tritato e poco grana grattugiato.

With meat balls

Per 4. È un piatto americano, lì non concepiscono un sugo senza proteine. Negli Stati Uniti sono convinti che sia la quintessenza delle paste nostrane. Con 300 g di carni miste tritate formate tante piccole palline che infarinerete leggermente. Rosolatele in una casseruola in 1 noce di burro per 2', unite 200 g di salsa di pomodoro ☞ e cuocete per 10'. Dopo aver saltato la pasta, servitela spolverizzata con prezzemolo tritato e grana grattugiato. State attenti quando mescolate a non rompere le polpette.

SUGHI DI PESCE

Col ragù di pesce

Per 4. Saltate in una casseruola in 1 filo di olio la pasta e 50 g a testa di ragù di pesce ☞. Servitela spolverizzata di basilico spezzettato e, a piacere, grana o pecorino grattugiato. Vanno bene tutti i pesci. Ottima l'anguilla, lo storione, il luccio, i calamari e le seppie.

Con le vongole

Per 4. Fate aprire in una casseruola 1 kg di vongole. Sgusciatene i 2 terzi e filtrate la loro acqua. Nella stessa casseruola fate saltare in 1 noce di burro 1 spicchio d'aglio, unite 120 g di sedano tagliato finissimo, cuocete per 2', unite le vongole con e senza gusci e regolate di sale e pepe. Dopo aver saltato la pasta, unendo 1 bicchiere della loro acqua, servitela spolverizzata con 1 manciata di prezzemolo e di basilico tritati e con poco grana grattugiato – sulle vongole?! Sì. Per questa preparazione meglio il burro dell'olio.

Con le cozze

Per 4. Stessa procedura della pasta con le vongole ☞. Dopo aver saltato la pasta, unendo 1 bicchiere della loro acqua, conditela con 1 vasetto di yogurt ed erba cipollina tritata.

Al tonno fresco e menta

Per 4. Saltate in una casseruola in 1 filo di olio 300 g di tonno a cubetti per 1', unite 4 cucchiaiate di soffritto di cipolle ☞ e 1 bicchierino di vino bianco secco senz'alcol ☞. Cuocete per 4'. Regolate di sale e pepe. Dopo aver saltato la pasta, servitela profumando con 1 manciatina di menta fresca. Una variante prevede l'aggiunta di 4 cucchiaiate di salsa di pomodoro ☞ e di 12 olive nere denocciolate.

Con mollica e acciughe

Per 4. Cuocete in una casseruola per 3' in 4 cucchiai di olio 16 filetti di acciuga a pezzi, 12 olive nere denocciolate, peperoncino a piacere e 2 spicchi d'aglio. Regolate eventualmente di sale. Dopo aver saltato la pasta, servitela spolverizzata con abbondante pangrattato leggermente tostato e prezzemolo tritato. Una variante prevede l'aggiunta, nel soffritto iniziale, di 4 cucchiaiate di pomodori pelati e 1 manciatina di capperi. Un'altra prevede l'aggiunta di 100 g di tonno in scatola ben sgocciolato e sminuzzato.

Con orata, sedano e yogurt

Per 4. Saltate in una casseruola in 1 noce di burro 300 g di bocconcini di filetti di orata e 50 g di sedano tagliato fine. Cuocete 2' e regolate di sale e pepe. Dopo aver saltato la pasta, unite 1 vasetto da 250 g di yogurt greco intero, grana grattugiato e 1 manciatina di giallo tritato di limone.

Con seppie e pomodori verdi

Per 4. Sbollentate ☞, pelate, private dei semi, frullate e passate al passaverdura 4 pomodori verdi. Pulite e tagliate a julienne 300 g di seppie. Rosolatele in una casseruola in 1 noce di burro o in 1 filo di olio per 3', unite i pomodori e 4 cucchiai di soffritto di scalogni ☞, cuocete 10' e regolate di sale e pepe. Dopo aver saltato la pasta, spolverizzatela con una manciata di basilico tritato.

Con uova di salmone, cime di rapa e arachidi

Per 4. Frullate con poca acqua e poco sale 150 g di arachidi. Saltate per 2' in una casseruola in 1 filo di olio 200 g di cime di rapa a pezzi con 1 spicchio d'aglio, unite 100 g di uova di salmone, regolate di sale e pepe e tenete da parte. Saltate la pasta con la crema di arachidi e poco brodo per 2', condite col sugo e servite.

Con scampi e cardi
Per 4. In una casseruola rosolate per 2' in 1 noce di burro 1 spicchio d'aglio e 200 g di cardi puliti e tagliati a julienne. Spruzzate con 1 bicchiere di vino bianco senz'alcol ☞ e cuocete coperto per 20'. Aggiungete 16 code di scampo private del budellino nero e tagliate a metà, peperoncino a piacere e cuocete per 3'. Regolate di sale. Dopo aver saltato la pasta, conditela con 1 manciata di parmigiano grattugiato.
✓ Come riciclare la pasta avanzata? Facile. Frullatela con poco brodo, legatela con poca panna acida ☞ o yogurt, eventualmente guarnitela secondo buon senso (tipo: qualche scampo in una vellutata di scampi e cardi) e avrete delle splendide vellutate. Tutte le altre soluzioni sono penalizzanti.

Con gamberi e curry
Per 4. Fate saltare in una casseruola in 1 noce di burro 300 g di gamberi sgusciati e privati del budellino nero per 1'. Unite 4 cucchiaiate di soffritto di cipolle ☞ e 4 di salsa al curry ☞, 1 bicchiere di fondo di crostacei ☞ (prevalentemente gamberi) e cuocete per 3'. Regolate di sale e pepe. Dopo aver saltato la pasta, unite 1 vasetto di yogurt o 4 cucchiai di panna acida ☞.

La pasta con i sughi a crudo più gustosi

Come indicato nel capitolo sulle cotture della pasta ☞ qui postulo che dopo essere stata scolata ben al dente questa venga fatta saltare in una casseruola per 2' in un'emulsione ☞ di 5 g di burro o olio e 4 cl di brodo o acqua di cottura a testa, salvo poche eccezioni – indicate in ricetta.

Al burro
Per 4. È magica se il burro è meraviglioso, il brodo di manzo ☞ saporito, il Parmigiano Reggiano stagionato almeno 3 anni e la pasta veramente super. Scolate la pasta e saltatela per 2' in una casseruola con 40 g di burro e 1,6 dl di brodo emulsionati ☞. In una zuppiera conditela con altrettanto burro a fiocchetti e abbondante formaggio grattugiato.

All'olio
Per 4. È magica se l'olio è extravergine d'oliva e veramente super e la pasta altrettanto super. Il brodo deve essere di vitello ☞ e saporito. Quanto al formaggio, va bene il Parmigiano Reggiano stagionato almeno 3 anni, ma anche un pecorino ben stagionato. Scolate la pasta e saltatela per 2' in una casseruola con 40 g di olio e 1,6 dl di brodo emulsionati ☞. In una zuppiera conditela con 20 g di olio e abbondante formaggio grattugiato. Variante: provate a farla con brodo di pesce ☞ o crostacei ☞ concentrati e sarà un incontro felice con i profumi del mare. In questo caso arricchitelo con basilico spezzettato o menta e unite pochissimo formaggio.

Aglio, olio e peperoncino
Per 4. Lasciate in infusione in luogo fresco per 2 ore, ma se è 1 giorno è meglio, 60 g di olio con 4 spicchi di aglio tagliato a fettine e peperoncino tritato a piacere. Filtrate. Scolate la pasta e saltatela in una casseruola per 2' con 40 g di olio aromatizzato e 1,6 dl di acqua di cottura o brodo universale emulsionati ☞. In una zuppiera conditela con il resto dell'olio e, a piacere, con poche gocce di Tabasco. Mai gettare la pasta nell'olio bollente, come fanno in molti, brucerebbe!!

Al pesto
Scolate la pasta e saltatela per 2' in una casseruola in una emulsione ☞ con olio. Conditela in una zuppiera con 10 cucchiaiate di pesto ☞, ancora 1 filo di olio e 40 g di Philadelphia a dadini. Se volete potete mettere nell'acqua di cottura 1 patata a dadi e 80 g di fagiolini, 1' prima di buttare la pasta.

Col pomodoro fresco e basilico
Per 4. Tagliate 400 g di pomodori (devono essere ottimi!) a fette sottili, metteteli in un colino per 1 ora per far perdere l'acqua di vegetazione e tagliateli a dadini. Scolate la pasta e saltatela per 2' in una casseruola in una emulsione ☞ con olio. Conditela in una zuppiera strofinata con 1 spicchio di aglio con il pomodoro, ancora 1 filo di olio, poco Tabasco e abbondante basilico spezzettato.

Col pomodoro alla Marinella
Per 4. Tagliate 400 g di pomodori (devono essere ottimi!) a fette sottili, mescolateli con 1 spicchio d'aglio, peperoncino a piacere, timo e origano freschi e lasciateli appassire in forno a 70° per 8 ore – in meno tempo proprio non viene. Eliminate l'aglio. Scolate la pasta e saltatela per 2' in una casseruola in una emulsione ☞ con olio. Conditela in una zuppiera con il sugo, 1 filo di olio e abbondante basilico spezzettato.

Con la bottarga
Per 4. Tagliate a fettine sottili o grattugiate 100 g di bottarga e lasciateli in infusione per almeno 1 ora con 100 g di sedano tritato finissimo e 3 cucchiai di olio. Scolate la pasta e saltatela per 2' in una casseruola in una emulsione ☞ con olio. Conditela in una zuppiera con il sugo.

Con il sugo di noci
Per 4. Scolate la pasta e saltatela per 2' in una casseruola in una emulsione ☞ con olio. Conditela in una zuppiera con 150 g di salsa di noci ☞ e ancora 1 filo d'olio e guarnitela con qualche gheriglio spezzettato.

Con i ricci
Per 4. Tagliate le calotte di 20 ricci e mettete la polpa in una ciotola – ma potete anche usare la polpa di ricci in scatola. Unite 2 pomodori sbollentati ☞, pelati, privati dei semi e tritati, 1 manciata di basilico tritato e 1 filo di olio. Scolate la pasta e saltatela per 2' in una casseruola in una emulsione ☞ con olio. Conditela in una zuppiera con il sugo.

Con la granseola o con il granciporro
Per 4. Lessate 1 granseola (o 1 granciporro) in acqua leggermente salata e aromatizzata con 2 foglie di alloro per 20', scolatela e lasciatela raffreddare. Con tanta pazienza rompetela (anche le zampe) e mettete in una ciotola la polpa. Sminuzzatela e controllate bene passandola fra le dita che non ci sia traccia di gusci. Unite 2 pomodori sbollentati ☞, pelati, privati dei semi e tritati, 2 spicchi di aglio e 1 manciata di basilico tritati e 1 filo di olio. Scolate la pasta e saltatela per 2' in una casseruola in una emulsione ☞ con olio. Conditela in una zuppiera con il sugo.

Mania dell'autore 14:
la pasta a risotto

Per me è un atto di fede o un postulato: tutti i sughi cotti ☞ vengono esaltati alla grande dalla cottura a risotto ☞ ed esaltano la pasta. Ecco comunque le quattro più interessanti ricette che nella cottura a risotto raggiungono il culmine della umana bontà.

Va bene usare tutti i tipi di pasta, sia secca sia all'uovo. Però il succitato culmine lo si raggiunge con una pasta secca, piccola e corta come maccheroncini, penne e tubetti.

Cacio e pepe

Per 4. Qui un po' di amido ci sta benissimo, è inutile precuocere ☞ per 3' la pasta. Pestate tanto pepe in un mortaio o col batticarne. Mettete in una casseruola 1 noce di burro e unite 2 bicchieri di brodo di vitello ☞ o universale ☞ caldi. Emulsionate ☞. Gettate la pasta e portatela a cottura mescolando e unendo il brodo a mestoli, il successivo solo dopo che quello precedente sarà stato assorbito. 1' prima che sia cotta a puntino unite 150 g di pecorino stagionato grattugiato, ancora poco brodo e mescolate. Regolate eventualmente di sale. Alla fine, fuori dal fuoco, mantecate con 1 noce di burro e unite il pepe pestato.

Con la zucca

Per 4. Tagliate a dadini 400 g di polpa di zucca. Fateli rosolare in una casseruola in poco burro per 3', unite 4 cucchiaiate di soffritto all'italiana ☞, 1 bicchiere di vino bianco senz'alcol ☞ e 1 amaretto sbriciolato. Coprite a filo di brodo di verdure ☞ e cuocete per 10'. Unite la pasta sbollentata per 3' e portatela a cottura mescolando e unendo il brodo a mestoli, il successivo solo dopo che quello precedente sarà stato assorbito. Alla fine regolate di cannella, sale e pepe e, fuori dal fuoco, mantecate con 1 noce di burro e abbondante grana grattugiato.

Con patate e provola
Per 4. In una casseruola rosolate 200 g di patate a cubetti con 50 g di pancetta affumicata a dadini. Aggiungete 1 bicchiere di vino bianco secco senz'alcol ☞ e 4 cucchiaiate di soffritto all'italiana ☞ e cuocete per 2'. Coprite a filo di brodo di verdure ☞ o universale ☞, aggiungete 100 g di provola affumicata a dadini, 8 pomodorini divisi a metà e la pasta sbollentata per 3'. Portatela a cottura mescolando e unendo il brodo a mestoli, il successivo solo dopo che quello precedente sarà stato assorbito. Alla fine regolate di sale e pepe e mantecate fuori dal fuoco con 1 filo di olio e grana grattugiato.

Con cozze e pomodorini
Per 4. Fate aprire in una casseruola 1 kg di cozze. Sgusciatene i 2 terzi e filtrate il fondo. Rimettete nella casseruola il fondo, unite 1 bicchiere di vino bianco secco senz'alcol ☞, 4 cucchiaiate di soffritto di cipolle ☞, 10 pomodorini divisi a metà, 1 punta di concentrato di pomodoro e la pasta sbollentata per 3'. Portatela a cottura mescolando e unendo il brodo a mestoli, il successivo solo dopo che quello precedente sarà stato assorbito. 2' prima che sia pronta unite le cozze, sgusciate e non. Alla fine regolate di sale e pepe e mantecate, fuori dal fuoco, con 1 filo di olio e basilico tritato.

La bontà della pasta all'uovo

Se la pasta secca non può che essere acquistata, stando solo ben accorti nella scelta della marca, quella all'uovo è meglio farla. È vero, qua e là ci sono produttori artigianali o industriali più che dignitosi, ma quella che si fa in casa è comunque migliore. Quindi armatevi di pazienza, di un matterello o di quella meravigliosa invenzione che è la macchina per tirare e tagliare, l'Imperia, di una spianatoia di legno e al lavoro. Ecco la ricetta.

Pasta all'uovo
Per tagliatelle o affini per 4: farina 00 g 400, 4 uova, 1 cucchiaio di olio

Disponete la farina a fontana sulla spianatoia, sgusciate al centro le uova e unite l'olio. Sbattete le uova con una forchetta o con le dita, incorporando man mano la farina circostante. Impastate energicamente per circa 15', fino a ottenere una pasta liscia e soda con qualche bollicina d'aria in superficie. Formate una palla, copritela con pellicola e fatela riposare per 30' a temperatura ambiente, perché le fibre del glutine si distendano e la pasta sopporti meglio la cottura. Stendetela sottile con il matterello infarinato o tagliatela in 8 porzioni, appiattitele e passatele, una per volta, tra i rulli della macchina per pasta, infarinandole durante i primi passaggi. Tagliatela quindi nella forma desiderata, a mano o a macchina. La larghezza darà il nome alla pasta e quindi avrete tagliolini, taglierini, tagliatelle e via con la fantasia. Sempre pasta all'uovo è. Per una pasta più consistente sostituite 1 quarto di farina 00 con semola di grano duro.

Per colorarla, gli ingredienti in polvere come zafferano, paprika dolce e verdure disidratate vanno mescolati alla farina, in quantitativi a piacere. Mentre i purè di verdure (circa 100 g), il concentrato di pomodoro (1 grossa punta sciolta in poca acqua calda), il nero di seppia e le erbe aromatiche tritate vanno mescolati alle uova sbattute prima di unirle alla farina. Quando all'impasto si uniscono ingredienti come i purè di verdure, che sono ricchi di umidità, occorre usare un uovo in meno e aggiungere, man mano che si lavora la pasta, un po' di farina in più.

Al momento della cottura, versate nell'acqua 1 cucchiaio d'olio: servirà a non farla attaccare.

La quantità "giusta" a testa di pasta all'uovo fatta in casa è leggermente superiore a quella della pasta secca, 100 g invece di 80 g.

Per quanto riguarda le tecniche di cottura, tutto quanto detto per la pasta vale anche per la pasta all'uovo. Un'unica avvertenza. Dipende da come è la pasta e se l'avete fatta o comprata, comunque tendenzialmente si unisce un po' meno di brodo o acqua di cottura quando la si salta, circa 3 cl a testa o anche meno.

Quanto ai sughi, certo un ricco ragù ☞ muore sulle tagliatelle, ma anche gli altri indicati per le paste secche, sia quelli cotti sia quelli a crudo sia quelli della cottura a risotto ☞, vanno benissimo.

Ecco qui di seguito alcune preparazioni particolarmente ottimali per la pasta all'uovo. Potete usarle – è ovvio – anche con la pasta secca.

Tagliatelle al ragù di carne
Per 4. Saltate la pasta scolata al dente in una casseruola a fuoco vivo per 2' con 50 g a testa di ragù di carne ☞, 1 noce di ottimo burro e 1 dl di buon brodo di manzo ☞. Unite fuo-

137

ri dal fuoco ancora un po' di prezzemolo tritato, un altro po' c'è già nel ragù. Evitate del tutto l'aggiunta di salsa di pomodoro.

Tagliatelle gratinate al prosciutto

Per 4. Rosolate in una casseruola 1 noce di burro con 120 g di prosciutto crudo tagliato a julienne per 3'. Gettate la pasta scolata al dente, unite 1 dl di acqua di cottura e cuocete per 1,5', condite fuori dal fuoco con grana grattugiato e 1 punta di cannella. Versatela in una pirofila unta con poco burro, cospargete con abbondanti fiocchetti di burro, 8 cucchiaiate di besciamella ☞ e ancora del grana grattugiato. Passate al grill per 2' e servite. Per questa preparazione vanno benissimo le tagliatelle verdi, con spinaci, o rosse, con passata di pomodoro ☞ o un opulento tris di tagliatelle bianche, rosse e verdi per quando gioca la Nazionale di calcio.

Tagliolini all'astice

Per 4. In una casseruola saltate 300 g di bocconcini di astice per 2' con 1 noce di burro. Flambate ☞ con 1 bicchiere di Cognac. Quando la fiamma è spenta, unite 1 dl di fondo di crostacei ☞ fatto con gli scarti dell'astice e qualche gamberetto e 80 g di salsa di pomodoro ☞. Regolate di sale e peperoncino. Gettate la pasta scolata al dente, unite 1 noce di burro e poca acqua di cottura, dipende da quanto sono liquidi fondo e salsa, e cuocete per 2'. Alla fine spolverizzate con prezzemolo tritato.

Taglierini al sugo d'arrosto

Per 4. Scaldate in una casseruola 100 g di fondo di cottura dell'arrosto con 4 cucchiaiate di soffritto di cipolle ☞ e 1 punta di concentrato di pomodoro. Regolate di sale. Gettate i taglierini scolati al dente e saltateli per 2', unendo 1 noce di burro e 1 dl di acqua di cottura. Serviteli con abbondante grana grattugiato.

Taglierini al sugo d'arrosto e caviale
Per 4. Scaldate in una casseruola 100 g di fondo di cottura dell'arrosto con 4 cucchiaiate di soffritto di cipolle ☞. Regolate di sale. Gettate i taglierini scolati al dente e saltateli per 2' in una emulsione ☞ di 30 g di panna e 1 dl di brodo di manzo ☞. Unite fuori dal fuoco ancora 30 g di panna e 100 g di uova di lompo o di altro pesce – è una preparazione deliziosa, ma non vale la pena sprecare il caviale per questo piatto. O no?

Taglierini con i tartufi
Per 4. Gettate i taglierini scolati al dente e saltateli per 2' in una emulsione ☞ di 1 noce di burro al tartufo e 1 dl di brodo di manzo ☞. Conditeli fuori dal fuoco con tanto tartufo tagliato sottilissimo, possibilmente con un tagliatartufo, quanto il vostro portafoglio lo permette. Spolverizzate con poco ottimo Parmigiano Reggiano grattugiato e servite.

Taglierini con rigaglie di pollo e fegato
Per 4. In un padellino rosolate in poco olio 4 scalogni affettati con 1 foglia di alloro e la scorza di mezzo limone per 3', bagnate con poco brodo universale ☞ e cuocete per 10'. Eliminate alloro e limone e frullate il fondo. Pulite 320 g di duroni di pollo eliminando la pellicina bianca, tagliateli a fettine e rosolateli in poco olio e 1 porro tagliato a julienne per 2'. Aggiungete 100 g di cuori di pollo tagliati a metà e continuate a rosolare dolcemente per 2'. Unite 100 g di fegatini di pollo e 100 g di fegato di vitello tagliati a listarelle e continuate la cottura per 10'. Regolate di sale, pepe e noce moscata. Gettate i taglierini scolati al dente e saltateli in padella con la salsa e con gli scalogni frullati. Cospargete di parmigiano grattugiato e servite.

La gloria della pasta ripiena

Agnolotti, anolini, cappelletti, ravioli, tortelli, tortellini, tortelloni ecc., quanti sono i nomi che prende la pasta ripiena. Suggerisco di utilizzare il termine onnicomprensivo di ravioli. Comunque si chiamino sono uno dei culmini del mangiare bene all'italiana. In questo capitolo vi do alcuni ripieni e alcuni sughi classici, poi voi chiudete la pasta come desiderate.

La pasta è la classica pasta all'uovo ☞. Deve essere particolarmente sottile in modo che risulti una preparazione morbida.

Il ripieno deve essere fine, molto fine. Non c'è quindi nessun motivo al mondo per non frullarlo.

Per la chiusura, le soluzioni sono infinite. Il mio consiglio è di tagliare la pasta in quadrati di circa 7 x 7 cm, mettere 1 cucchiaino di ripieno e chiuderli a triangolo, premendo bene i bordi. Ma ognuno ha la sua chiusura prediletta.

Al momento della cottura, versate nell'acqua 1 cucchiaio d'olio: servirà a non farla attaccare. Fate attenzione che l'acqua sia a un'ebollizione leggera e sgocciolate i ravioli con un mestolo forato nella padella del sugo: così non si romperanno.

Anche per la pasta ripiena vale quanto detto per la cottura della pasta secca ☞: è bene ripassare (saltare è eccessivo, si romperebbero) ravioli e affini per 1,5'-2' in padella unendo il sugo, poco burro o olio e brodo o acqua di cottura bollenti, circa 30 cl a testa. Però, contrariamente alla pasta, sopravvivono all'essere anche conditi direttamente col sugo.

Se avete preparato troppi ravioli, metteteli su un vassoio

140

coperto con carta da forno leggermente infarinata, appena distanziati uno dall'altro, non devono toccarsi, coprite con pellicola trasparente e mettete in freezer per 24 ore. Dopo questo tempo saranno duri, potrete trasferirli in un sacchetto senza problemi. Per cuocerli, gettateli in acqua salata bollente ancora congelati e lessateli per il tempo regolamentare + 1', scolateli e ripassateli con il sugo prescelto.

I RIPIENI

Il ripieno di carne straclassico
Per 4. Tagliate a dadi 50 g di polpa di manzo, altrettanta di maiale e altrettanta di vitello. Rosolatela in una casseruola in 1 noce di burro per 4'. Unite 4 cucchiaiate di soffritto all'italiana ☞, 50 g di prosciutto cotto tritato, 1 bicchiere di vino bianco secco senz'alcol ☞, 1 foglia di alloro, 50 g di funghi secchi messi a mollo ☞ per 15' e strizzati e 1 rametto di rosmarino e cuocete coperto per 30', unendo poca acqua se asciugasse troppo. Lasciate raffreddare, eliminate alloro e rosmarino e frullate bene. In una ciotola mescolate questo ripieno con 100 g di grana grattugiato e 50 g di pangrattato leggermente tostato. Regolate di sale e pepe.

Il ripieno di carne al curry
Per 4. Tritate 350 g di polpa di maiale. Rosolatela in una casseruola in 1 noce di burro o 1 filo di olio per 4', unite 4 cucchiaiate di soffritto di cipolle ☞, 1 bicchiere di vino bianco secco senz'alcol ☞ e 1 manciatina di uvetta messa a mollo ☞ per 15' e strizzata e cuocete coperto per 30', unendo poca acqua se asciugasse troppo. Lasciate raffreddare e frullate bene. In una ciotola mescolate questo ripieno con 1 cucchiaio di zucchero, 2 di fecola di patate, 1 cucchiaino di salsa di soia e salsa al curry ☞ densa a piacere.

Il ripieno di ciccioli e speck
Per 4. In una casseruola rosolate per 4' con 1 noce di bur-

ro 250 g di ciccioli di maiale tagliati fini. Unite 1 bicchiere di vino bianco senz'alcol ☞, 50 g di speck a dadini, 50 g di prosciutto cotto a dadini, 4 cucchiaiate di soffritto di cipolle ☞ e 1 punta di cumino e cuocete coperto per 30', unendo poca acqua se asciugasse troppo. Lasciate raffreddare, unite 1 panino messo a mollo ☞ nel latte e strizzato e 1 manciata di foglie di prezzemolo e frullate bene. Legate con 1 tuorlo, regolate di sale e pepe e addensate, se necessario, con pangrattato leggermente tostato.

Il ripieno di branzino e gamberi
Per 4. In una casseruola rosolate per 2' con 1 filo di olio 200 g di code di gamberi (piccole) a pezzi e 200 g di polpa di branzino a dadini. Unite 4 cucchiaiate di soffritto di cipolle ☞ e 1 bicchierino di vino bianco secco senz'alcol ☞ e cuocete per 2'. Lasciate raffreddare e mescolate in una ciotola con 2 cucchiai di panna, 50 g di mozzarella a dadini, 50 g di grana grattugiato e poco basilico. Frullate bene. Legate con 1 tuorlo, regolate di sale e pepe e addensate, se necessario, con pangrattato leggermente tostato. Ovviamente questo ripieno si può fare con qualsiasi pesce.

Il ripieno di spinaci e ricotta
Per 4. Cuocete per 10' in acqua bollente salata 300 g di spinaci, strizzateli e tagliateli grossolanamente. In una ciotola impastateli con 100 g di ricotta, 50 g di groviera a dadini e 50 g di grana grattugiato. Frullate bene. Legate con 1 tuorlo, regolate di sale e pepe e addensate, se necessario, con pangrattato leggermente tostato.

Il ripieno di ortiche e nocciole
Per 4. Cuocete per 10' in acqua bollente salata 400 g di ortiche, strizzatele e tagliatele grossolanamente. In una ciotola impastatele con 4 cucchiaiate di soffritto di cipolle ☞, 1 spicchio d'aglio tritato e 50 g di nocciole pestate. Frullate bene. Legate alla fine con 1 tuorlo, regolate di sale e pepe e addensate, se necessario, con pangrattato leggermente tostato.

Il ripieno di riso e funghi
Per 4. In una casseruola rosolate per 2' in 1 noce di burro, 1 spicchio d'aglio e 200 g di funghi a fette. Aggiungete 200 g di riso bollito, 4 cucchiai di soffritto all'italiana ☞ 1 bicchiere di vino bianco senz'alcol ☞ e cuocete coperto per 15'. Lasciate raffreddare, frullate bene e legate con 1 tuorlo e 2 cucchiai di fecola di patate.

I SUGHI PIÙ CLASSICI

Ci sono alcuni superclassici condimenti (abbastanza) neutri, che rispettano il ripieno. Eccoli e abbinateli *con judicio*. Comunque, tutti i sughi descritti per pasta secca e pasta all'uovo possono essere usati per ravioli e affini. Va da sé che se il ripieno è di gamberi e branzino non si può condirlo con un sugo d'arrosto ☞...

Burro e salvia
Per 4. In una casseruola rosolate per 5' in 40 g di burro 16 foglie di salvia tritate e 4 intere. Unite 1 dl di brodo (vedete voi quale, dipende dal ripieno, quello universale ☞ va sempre bene) ed emulsionate ☞ bene. Scolate nell'emulsione i ravioli e fateli ripassare per 2'. Fuori dal fuoco unite qualche fiocchetto di burro e abbondante grana grattugiato. Classico per ravioli con ripieni di carne, va bene un po' su tutti.

Sugo di carne
Per 4. In una casseruola riunite 1 bicchiere di fondo di carne ☞, 50 g di funghi tritati, 20 g di roux ☞, 4 cucchiai di soffritto all'italiana con pancetta ☞ e 1 bicchierino di vino rosso senz'alcol ☞. Cuocete per 10', passate al passaverdura e regolate di sale e pepe. Scolate i ravioli e fateli ripassare nel sugo per 2' unendo 20 g di burro e 1 dl di brodo di manzo ☞. Fuori dal fuoco condite con qualche fiocchetto di burro, abbondante grana grattugiato e prezzemolo tritato. L'aggiunta

143

di tartufo nero tagliato a julienne fine e cotto nel sugo passato per 2' è ideale. Va bene per ravioli con ripieni di carne.

Sugo d'arrosto

Per 4. Mettete in una casseruola 100 g di fondo di cottura dell'arrosto, 4 cucchiai di soffritto di cipolle ☞, 20 g di roux ☞, 1 bicchiere di vino bianco senz'alcol ☞ e 1 rametto di rosmarino. Cuocete per 10', eliminate il rosmarino, passate al passaverdura e regolate di sale e pepe. Scolate i ravioli e fateli ripassare nel sugo per 2' unendo 1 dl di brodo universale ☞. Fuori dal fuoco condite con abbondante grana grattugiato e prezzemolo tritato. Va bene per ravioli con ripieni di carne.

Sugo di crostacei

Per 4. In una casseruola unite 1 bicchiere di fondo di crostacei ☞, 50 g di funghi tritati, 20 g di roux ☞, 4 cucchiai di soffritto di cipolle ☞ e 1 bicchierino di vino bianco senz'alcol ☞. Cuocete per 10', passate al passaverdura e regolate di sale e pepe. Scolate i ravioli e fateli ripassare nel sugo per 2' unendo 1 filo di olio e 1 dl di brodo di verdure ☞, di crostacei ☞ o universale ☞. Fuori dal fuoco condite con abbondante prezzemolo o menta tritati. Potete anche legare con 1 vasetto di yogurt o panna acida ☞. Ideale se il ripieno è di crostacei o pesci.

Sugo di asparagi

Per 4. In una casseruola rosolate per 3' in 1 filo di olio 1 spicchio di aglio e 8 asparagi a rondelle, dopo aver tolto le punte. Unite 20 g di roux ☞, 4 cucchiai di soffritto di cipolle ☞, 1 bicchiere di vino bianco senz'alcol ☞ e cuocete per 10'. Passate al passaverdura e regolate di sale e pepe. Unite le punte divise per il lungo in 4 e rosolate in 1 filo di olio per 1'. Scolate i ravioli e fateli ripassare nel sugo per 2' unendo 1 filo di olio e 1 dl di brodo di verdure ☞. Fuori dal fuoco condite con abbondante prezzemolo o menta tritati. Ideale se il ripieno è di verdure. Si può fare con carciofi o altre verdure.

PASTA FRESCA NON ALL'UOVO

Esiste anche la possibilità di fare la pasta senza uova. Io la chiamo "alla cinese" perché così usa nell'Impero di Mezzo. Ecco la procedura.

Per 4. Disponete a fontana sulla spianatoia 400 g di farina 00 setacciata, unite 1 pizzico di sale e impastate per almeno 15' unendo poco per volta acqua tiepida a 30° quanto basta, fino a ottenere un impasto sodo e omogeneo. Mettetelo in una ciotola, copritelo con uno strofinaccio e lasciatelo riposare in luogo fresco per almeno 12 ore. Alla fine lavoratelo ancora per 5'. Col matterello o con la macchina tiratelo fine, molto fine, spolverando ancora con poca farina. Dovrà essere quasi trasparente.

I ravioli fatti con questo impasto hanno una virtù particolare. Possono (anche) essere cotti a vapore, cosa che con quelli fatti con la pasta all'uovo non è possibile. Con questa cottura risulteranno delicati e leggeri, non chiederanno ancora acqua e quindi non sarà necessario ripassarli in padella. Per condirli basterà 1 filo d'olio o 1 noce di burro emulsionati ☞ a piacere. È un impasto del futuro. Provatelo.

Insalate di pasta e di riso

Nessuno stravede per loro, ma d'estate sono una grande risorsa. L'unico problema è come raffreddarle. La tradizione per la pasta, secca o all'uovo, dice di fermare la cottura mettendo nella pentola un bicchiere di acqua, scolarla e sciacquarla sotto acqua corrente. È una soluzione fattibile, ma non mi ha mai convinto. Lo sbalzo subitaneo di temperatura, da quasi 100° a 20° è come una sauna a rovescio che stressa la pasta e la rende collosa. Sono convinto che sia molto meglio scolarla ben al dente e condirla con poco olio. Poi versarla su una superficie fredda, coperta se si vuole con carta da forno, distribuirla uniformemente e muoverla di tanto in tanto delicatamente con una forchetta perché non si incolli durante il raffreddamento. Per evitare che si asciughi troppo, tenetela coperta con pellicola trasparente o quant'altro mentre si raffredda, pellicola che toglierete solo quando la muovete. La soluzione ottimale sarebbe quella di avere a disposizione un abbattitore di temperatura. Uno strumento utilissimo che oggi solo pochi ristoranti utilizzano ma che, sono certo, un giorno entrerà nelle case di tutti noi.

Quanto al riso, non sono mai riuscito a farlo raffreddare decentemente. Comunque seguite la stessa procedura della pasta ☞. Meglio usare quello orientale a grana lunga, tipo patna o basmati, ben sciacquato, o il parboiled, tenendo però conto che sa di cellulosa, a chi piace... Un grande sostituto del riso, molto consigliabile, è quella pasta a forma di riso che si chiama risone. Si raffredda senza problemi e nessuno nota la differenza.

Se l'avete preparata anzitempo, non mettetela in frigo perché con il freddo l'olio si compatta sulla pasta o sul riso e diventa oltremodo indigesto. Cercate di tenerla nel luogo più fresco della casa.

Insalata di penne con mozzarella e arancia
Per 6. Cuocete 500 g di penne, scolatele al dente e fatele raffreddare (☞ sopra). Sminuzzate 12 filetti di acciughe. Tostate in un pentolino 1 manciatina di pinoli. Pelate al vivo 1 arancia e tagliatela a fettine. In una zuppiera unite le acciughe, i pinoli, l'arancia, 150 g di mozzarella (o feta greca) a dadini, 1 manciata di capperini, 1 manciata di uvetta messa a mollo ☞ in acqua tiepida per 30' e strizzata, basilico sminuzzato, menta sminuzzata, qualche filo di erba cipollina tagliato a pezzetti e solo alla fine la pasta. Mescolate con cura. Emulsionate ☞ sale, poco aceto, una giusta quantità di olio, poca senape e 3 cucchiaiate di yogurt e condite la pasta.

Insalata di tagliolini con cozze e sogliola
Per 6. Tagliate 500 g di filetti di sogliola (o altro pesce bianco) a striscioline, irroratele con il succo filtrato di mezzo limone, aggiungete un pizzico di peperoncino e 3 cucchiai d'olio e lasciate marinare per 30'. Cuocete 350 g di tagliolini, scolateli al dente e fateli raffreddare (☞ sopra). Sbollentate, pelate e private dei semi 5 pomodori, tagliateli a dadini. Unite ai pomodori 1 scalogno tritato, 2 cucchiai di capperi e 50 g di olive taggiasche denocciolate e tritate e condite con 1 filo d'olio, sale, 1 pizzico di curry e poche foglioline di timo. Lavate 1 kg di cozze, fatele aprire in una casseruola coperta a fuoco vivo con 1 filo di vino bianco secco e sgusciatele. In una zuppiera unite le cozze, i filetti di pesce sgocciolati dalla marinata, 1 manciata di prezzemolo tritato, i pomodori e solo alla fine la pasta. Mescolate con cura e servite.

Insalata di risone alla maionese verde
Per 6. Lessate 400 g di pasta risone, scolatela al dente e

fatela raffreddare (☞ sopra). Scottate 1 manciata di foglie di spinaci e 1 di crescione in acqua bollente per 2', scolatele, raffreddatele sotto un getto d'acqua corrente e strizzatele. Pestatele fino a ridurle in una poltiglia molto fine e amalgamatele a 100 g di maionese ☞. Cuocete 300 g di punte di asparagi a vapore per 6' e tagliatele a metà. Lessate 300 g di favette in acqua bollente salata per 4', scolatele ed eliminate la pellicina. Pulite 6 fiori di zucca, togliete il pistillo e tagliuzzateli. Fate insaporire asparagi, favette e fiori in una casseruola con 1 filo d'olio per 2' e lasciate raffreddare. Condite la pasta in una zuppiera con la maionese verde, unite le verdure e mescolate con cura.

Insalata di riso ai frutti di mare
Per 6. Sciacquate e lessate 350 g di riso patna o basmati, scolatelo al dente e fatelo raffreddare (☞ sopra). Pulite 200 g di seppioline e 200 g di calamaretti, immergeteli in un *court-bouillon* ☞ freddo, lessateli per 6' dall'ebollizione e scolateli. Nello stesso *court-bouillon* bollente, cuocete prima 400 g di pescatrice per 10' e poi 200 g di canocchie e 200 g di code di gamberi sgusciati e privati del budellino nero per 2'. Tagliate i molluschi a pezzetti di circa 2 cm e la pescatrice e la polpa delle canocchie a dadini. Metteteli in una zuppiera e aggiungete i gamberi, 1 manciatina di capperini sott'aceto, sale, pepe, 4 cucchiai d'olio, 2 spicchi d'aglio schiacciati, che alla fine eliminerete, e prezzemolo tritato fine; lasciate insaporire per 15'. Unite nella zuppiera il riso e lasciate riposare al fresco per 2 ore. Schiacciate 2 tuorli di uova sode e incorporate 2 cucchiaini di senape, 4 cucchiai di aceto bianco e 1 pizzico di sale e pepe fino a ottenere una crema omogenea; emulsionatevi ☞ 1,5 dl d'olio versandolo a filo e profumate con 2 cucchiai di basilico spezzettato. Condite l'insalata di riso con questo sugo, spolverate con pepe e servite.

Sua maestà il risotto.
Cos'è e come si cuoce

Il riso lo producono in tanti, soprattutto in Asia orientale. Ne nascono dei piatti sempre buoni e accattivanti. Ma il risotto, il culmine del riso senza dubbi o esitazioni, lo abbiamo solo noi italiani. Non amo i proclami di primogenitura culinaria, le diatribe su chi abbia inventato un piatto o una tecnica. Questo però è un merito storico del nostro paese che è giusto rimarcare. *Chapeau* ai nostri avi!

Cos'è un risotto, in che cosa si differenzia da un riso cotto in un brodo? La differenza sta in un piccolo grande segreto: la tostatura iniziale. Questa tostatura si fa gettando il riso nella pentola leggermente unta e rimestandolo a fuoco vivo con un cucchiaio di legno per 2' o poco più. Quando i chicchi sono così caldi che a toccarli vi bruciate, si aggiunge brodo bollente, 1 mestolo dopo l'altro, e al momento giusto i vari ingredienti. Alla fine si manteca. Questo è il risotto. Se cuocete il riso nel brodo senza tostarlo, come fanno i veneziani con risi e bisi ☞ avrete un ottimo piatto ma non un risotto.

Accanto alla fondamentale tostatura iniziale, soffermiamoci su quattro procedure che, fatte a puntino, permettono di avere un risotto veramente esemplare: il soffritto, il vino, il brodo e la mantecatura.

IL SOFFRITTO

Praticamente tutte le ricette di risotto che ho letto in vita mia iniziano con: prendete 1 cipolla, tritatela, rosolatela, uni-

149

te il riso, tostatelo, poi... Alt! Dato che tutti sanno che la cipolla si rosola a fuoco dolcissimo e che la tostatura avviene a fuoco elevato, come diavolo si riesce a fare contemporaneamente questi due processi? Di fatto succede che o la fiamma è bassa, e allora niente tostatura, o è alta, e allora la cipolla brucia e diventa indigesta. O la padella o la brace. La soluzione? Facile. Si rosola la cipolla a fuoco dolcissimo, la si toglie e la si trita. Nella casseruola si tosta a fuoco vivo il riso per 2', si smorza il gas, seguono i primi mestoli di brodo bollente che portano la temperatura del riso a meno di 100° e solo allora si rimette la cipolla. Meglio ancora, come spiegato nel soffritto perfetto ☞, fare ben prima il soffritto e aggiungerlo a cucchiaiate dopo aver messo il primo mestolo.

IL VINO

Anche questo ingrediente, in genere è sempre bianco secco, compare in (quasi) tutte le ricette. L'origine storica dell'aggiunta nasce dall'esigenza di smorzare il sapido dei grassi del maiale, sempre presenti una volta nel risotto, con l'acido del vino. Ma oggi? Ha senso mettere il vino se questi grassi non ci sono? Io dico che se unite midollo, lardo, cotenne e affini, sotto col vino. Ma se per caso non li usate, allora evitate l'aggiunta di vino o unite un vino senz'alcol ☞, tenendo conto che è la parte alcolica a essere acida. Altrimenti il vostro risotto sarà inevitabilmente un po' acido e non esiste alcun motivo per volerlo così. Questo vale per tutte le preparazioni dove si unisce il vino, per il risotto ancor di più.

IL BRODO

Il riso è un amido di per sé neutro. L'ingrediente veramente determinante nel successo di questo piatto resta la bontà e la forza del brodo utilizzato. Usare un dado è una barbarie che non ammette perdono. Qui, più che in tutti gli altri piatti, occorre un buon brodo, anzi il brodo "giusto". Preparate il risotto con pollo? Che sia di pollo. O piuttosto con i gamberi? Che sia di gamberi. Con le rane? Brodo di rane. E via elencando. La regola generale è: si deve aggiungere un brodo fatto con gli stessi ingredienti che compariranno nel piatto o meglio con i loro scarti. Un'eccezione è il brodo universale ☞ detto anche "puttana", che più o meno concentrato si abbina benino, non benissimo, un po' con tutto, sia con la carne sia con le verdure sia con il pesce – sissignore, anche con il pesce, soprattutto se misto, provatelo. E quello di verdure ☞, che accompagna i risotti di verdure – ma gli scarti delle verdure previste nel risotto è bene che siano prevalenti. Per completare le eccezioni, pochi risotti semplici e mitici non hanno ingredienti di riferimento. Sono il risotto alla milanese ☞, che chiede un poderoso e concentrato brodo di manzo ☞. Quello alla piemontese ☞ detto anche alla parmigiana, praticamente alla milanese senza midollo e zafferano, che essendo nato quale accompagnamento di preparazioni di carne accetta sia un brodo di manzo ☞ ma non troppo concentrato, sia uno saporito di vitello ☞. E pochi altri.

LA MANTECATURA

Mantecare, per i risotti, vuol dire unire a fine cottura, a fuoco spento, un grasso, mescolare con cura, coprire col coperchio e lasciar riposare nella pentola per 3'. Serve a rendere omogeneo il risotto, va sempre fatto, è parte integrante di questa preparazione. Tradizionalmente si usa il burro, ma in realtà anche l'olio extravergine d'oliva va benissimo, basta che sia leggero, ligure o del Garda, e qualcuno dice che l'olio di nocciole sia il massimo, peccato sia introvabile. Utilizzate il grasso più coerente con la ricetta, circa 10 g a testa ma anche il doppio, dipende dai gusti e dai piatti. L'aggiunta di formaggio, prezzemolo o quant'altro, se la ricetta lo prevede, deve avvenire alla fine, sempre a fuoco spento, ma, tecnicamente parlando, non è mantecatura.

151

IL RISO DA USARE

Quanto al riso da usare, il mio consiglio è netto. Carnaroli per i grandi risotti densi della tradizione piemontese e lombarda e Vialone Nano per quelli più brodosi della tradizione veneta. Ma se lo tostate in maniera acconcia, se unite bene il soffritto, se il brodo è giusto e la mantecatura a regola d'arte, molti altri risi che incontrano il vostro gusto andranno bene. Nomi non ne faccio: il gusto è vostro. Le dosi ideali sono 80 g a testa per i risi ricchi e 90 g per quelli più semplici e meno ricchi.

LA COTTURA

Quanto alla cottura del riso con i vari ingredienti la sequenza in teoria è chiara: bisogna unire gli ingredienti, riso compreso, uno dopo l'altro, in modo che alla fine siano tutti cotti a puntino. In pratica è un po' difficile. Il dubbio è se aggiungere ingredienti crudi e allora cuocerli per più tempo, o cotti a parte e allora uniti all'ultimo momento. Personalmente sono convinto che sia meglio cuocerli a parte a puntino prima, e prima vuol dire 10' prima o 2 ore o anche 1 giorno, e unirli al risotto 1' prima che sia pronto. È una soluzione che esalta al meglio i sapori, e di certo è la più comoda. Per i tempi di cottura, *passim*, dipendono dal riso, assaggiate e seguite il vostro gusto.

IN SINTESI, LA COTTURA BASE

Ricapitolando, ecco la procedura consigliata – salvo eccezioni che ahimè, no, per fortuna, è sbagliato dire ahimè, perché queste eccezioni esistono sempre e sono il bello della cucina. In una casseruola unta con poco grasso tostate a fuoco vivo il riso per 2'. Sfumate con il vino, con o senza alcol ☞, dipende dalla presenza dei sapidi grassi animali, ma potete anche evitarlo, raramente è indispensabile. Abbassate il gas a livello medio/basso, unite un primo mestolo di brodo "giusto", se previsto il soffritto preparato a parte, poi ancora brodo bollente mestolo dopo mestolo, unendo quello successivo solo dopo che quello precedente sarà stato assorbito. Portate a cottura, rimestando con garbo. 1' prima che sia pronto unite gli ingredienti previsti dalla ricetta precotti a puntino. Spegnete, mantecate con 10 g a testa di grassi e condite con il formaggio grattugiato o quanto previsto. Lasciate riposare coperto per 3' e servite.

I più amati risotti

Il riso è un amido, come la pasta. Si sposa anche lui con più di mille sughi. Scegliete a piacere un sugo per pasta, secca e all'uovo, con l'eccezione di quelli a crudo che a mio parere mal si sposano. Cuocete un risotto come da cottura base ☞, unendo il brodo universale ☞ o quello coerente col sugo scelto. 1' prima che sia pronto il risotto aggiungete 5 cucchiaiate di sugo cotto a puntino. Mantecate ☞ e servite. Vedrete come si unisce benissimo al risotto.

Qui di seguito vi do delle ricette tipiche per il risotto – anche se, a ben vedere, questi sughi vanno benissimo anche per la pasta! Anche qui il riferimento è la cottura base ☞.

✓ Come riciclare il risotto avanzato? Facile. Frullatelo con poco brodo, legatelo con poca panna acida ☞ o yogurt, eventualmente guarnitelo secondo buon senso (tipo: qualche fagiolo lessato in una vellutata di fagioli e cotenne) e avrete delle splendide vellutate. Tutte le altre soluzioni sono penalizzanti.

Alla milanese

Per 4. Seguendo la procedura base ☞, tostate 360 g di riso Carnaroli e sfumatelo con 1 bicchiere di vino bianco secco, con l'alcol, che smorzerà il sapido del midollo. Portate a cottura con brodo di manzo ☞, particolarmente poderoso, unendo fin da subito 4 cucchiaiate di soffritto di cipolle ☞ e 40 g di midollo finemente tritato e rosolato per 2' in un pentolino antiaderente. Quando manca 1', regolate di sale e unite abbondante ottimo zafferano in polvere (non amo quelli in pistilli, non si scioglie mai bene) stemperato ☞ in 1 mestolino di brodo. Mantecate ☞ con 60 g di ottimo burro e condite con 40 g di un grande Parmigiano Reggiano di almeno 3 anni grattugiato. Deve essere piuttosto asciutto, un cucchiaio messo nel risotto deve restare sull'attenti.

Al salto

Per 4. Si prepara sempre in dosi individuali, se lo proponete ai vostri amici dovrete farlo per uno dopo l'altro fino a quando avrete esaurito gli amici. Non è, come dicono tutti, un modo per riciclare il risotto avanzato: se lo fate avrete un piatto particolarmente scotto. Procedete come per il risotto alla milanese ☞, con 240 g di riso, senza midollo e vino, in cui avrete messo fin da subito lo zafferano sciolto in poco brodo. Dopo 9' regolate di sale, spegnete e fermate la cottura gettando il risotto su una superficie fredda, rimestandolo con una forchetta fino a quando i chicchi saranno freddi e ben sgranati. Al momento della preparazione, scaldate 1 noce di burro in un padellino antiaderente, unite 1 quarto del riso, compattate e schiacciate i grani con una forchetta fino ad avere un tortino sottile. Cuocete per 3' a fuoco allegro, giratelo con attenzione per evitare di rompere il tortino e cuocetelo per altri 2'. È squisito e il riso non risulterà affatto stracotto. Spolverate con tanto pepe.

Alla piemontese

Per 4. Seguendo la procedura base ☞, tostate 360 g di riso Carnaroli e sfumatelo con 1 bicchiere di vino bianco secco senz'alcol ☞. Portate a cottura con brodo di manzo ☞ leggero o di vitello ☞ unendo fin da subito 4 cucchiaiate di soffritto di cipolle ☞. Regolate di sale, mantecate ☞ con 60 g di ottimo burro e condite con 40 g di un buon Parmigiano Reggiano grattugiato. Deve essere piuttosto asciutto. Nasce per accompagnare infiniti piatti di carne. Però, se volete godervi alla grande un tartufo, tagliatelo con un tagliatartufo su questo risotto poco prima di servirlo. Per le dosi di tartufo, dipende dal portafoglio, ma meno di 10 g a testa non ha senso.

Primavera

Per 4. Sbollentate ☞ per 2' in abbondante acqua salata 400 g (peso netto) di verdure fresche miste di stagione ridotte a dadini, senza altro limite che il mercato e la provvidenza. Seguendo la procedura base ☞, tostate 320 g di riso Vialone Nano e portatelo a cottura con brodo universale ☞ unendo fin da subito 4 cucchiaiate di soffritto all'italiana ☞. 3' prima che sia pronto unite le verdure. Alla fine regolate di sale, mantecatelo ☞ con olio extravergine d'oliva leggero, ligure o del Garda, e condite con poco grana grattugiato e abbondante prezzemolo e basilico finemente tritati. Deve risultare leggermente brodoso.

Ai porcini

Per 4. Seguendo la procedura base ☞, tostate 320 g di riso e portatelo a cottura con brodo di vitello ☞ unendo fin da subito 4 cucchiaiate di soffritto all'italiana ☞. Alla fine regolate di sale, mantecate ☞ con abbondante burro e unite 120 g di teste di porcini crudi tagliati sottilissimi, possibilmente con il tagliatartufo. Mescolate e condite con grana grattugiato.

Con scampi e funghi

Per 4. Mettete a mollo ☞ 100 g di funghi secchi in acqua tiepida per 20', scolateli, strizzateli, tritateli e rosolateli in poco olio per 3'. Fate un brodo ☞ con i gusci di 20 scampi e 100 g di piccolissimi gamberetti. Seguendo la procedura base ☞, tostate 320 g di riso e portatelo a cottura col brodo di scampi, unendo fin da subito 4 cucchiaiate di soffritto di cipolle ☞ e i funghi. 1' prima che sia pronto aggiungete gli scampi, privati del budellino nero e rosolati in poco olio per 1'. Alla fine regolate di sale, mantecate ☞ con olio extravergine d'oliva leggero, ligure o del Garda, e condite con poco grana e abbondante prezzemolo finemente tritato.

Ai frutti di mare

Per 4. Preparate i frutti di mare come indicato per gli spaghettini ai frutti di mare ☞ dimezzando le dosi. Seguendo la procedura base ☞, tostate 320 g di riso, sfumate col fondo di vongole e cozze ☞ e portatelo a cottura con brodo di verdure ☞ o universale ☞ unendo fin da subito 4 cucchiaiate di soffritto di cipolle ☞. 1' prima che sia pronto, unite i frutti di mare a pezzi. Alla fine regolate eventualmente di sale e mantecate ☞ con olio extravergine d'oliva leggero, ligure o del Garda. Condite con abbondante prezzemolo finemente tritato. Variante: legate alla fine con 2 cucchiaiate di salsa di pomodoro ☞.

Con i ricci

Per 4. O con la granseola o con il granciporro. Sono l'eccezione fra i sughi da pasta a crudo ☞, questi vanno bene anche per il risotto. Seguendo la procedura base ☞, tostate 320 g di riso e portatelo a cottura con brodo di verdure ☞ o universale ☞ unendo fin da subito 4 cucchiaiate di soffritto di cipolle ☞. Alla fine regolate di sale. Fuori dal fuoco, unite i ricci o la granseola, come da procedura indicata nel capitolo della pasta con i sughi a crudo e mantecate ☞ con olio extravergine d'oliva leggero, ligure o del Garda. Spolverizzate con abbondante prezzemolo tritato.

Con l'aragosta

Per 4. Con gli scarti dell'aragosta, va benissimo quella decongelata, preparate 1 bicchiere di fondo ☞. In una casseruola sciogliete 1 noce di burro e fate saltare 200 g di bocconcini di aragosta per 2'. Flambate ☞ con 1 bicchiere di Cognac. Seguendo la procedura base ☞ tostate 320 g di riso e portatelo a cottura con brodo di verdure ☞ o universale ☞ unendo fin da subito 4 cucchiaiate di soffritto di cipolle ☞. 4' prima che sia pronto unite l'aragosta e 1 bicchiere di fondo e regolate di sale. Mantecate ☞ con burro e unite 1 manciata di prezzemolo tritato.

Con le seppie

Per 4. Tagliate a striscioline 320 g di seppie pulite. Rosolatele con 2 spicchi d'aglio in 1 filo d'olio per 3', unite 1 bicchiere di vino bianco secco senz'alcol ☞ e cuocetele coperte per 40' o più, dipende da quanto sono adulte (vecchie suona politicamente scorretto), unendo poca acqua se asciugassero troppo. Eliminate l'aglio. Seguendo la procedura base ☞ tostate 320 g di riso e portatelo a cottura con brodo universale ☞ unendo fin da subito 4 cucchiaiate di soffritto all'italiana ☞. 2' prima che sia pronto, regolate di sale e aggiungete le seppie. Mantecate ☞ con olio extravergine d'oliva leggero, ligure o del Garda, e profumate con 1 manciata di prezzemolo tritato. Variante: unite all'ultimo momento il nero delle seppie.

Con spugne di mare e asparagi

Per 4. Sbollentate ☞ 100 g di acetosella, strizzatela e frullatela. Aprite 8 spugne di mare, cuocetele in una padellina con poca acqua per 1' e tritatele. Sbollentate per 1' 16 punte di asparagi e dividetele per il lungo in 4. Seguendo la procedura base ☞, tostate 320 g di riso e portatelo a cottura con brodo di verdure ☞, unendo fin da subito 4 cucchiaiate di soffritto di scalogni ☞ e l'acetosella. Alla fine regolate di sale e pepe, mantecate ☞ con burro e condite con le spugne di mare, gli asparagi e poca menta tritata.

Con le rane

Per 4. Staccate le cosce a 800 g di rane spellate. Con i corpi delle rane fate un brodo, seguendo la procedura di quello di vitello ☞. Rosolate le cosce in poco burro per 2', bagnate con 1 bicchiere di vino bianco senz'alcol ☞ e cuocete a fuoco dolce coperto per 20', unendo poco brodo se asciugasse troppo. Seguendo la procedura base ☞, tostate 320 g di riso e portatelo a cottura con brodo di rane unendo fin da subito 4 cucchiaiate di soffritto all'italiana ☞. 1' prima che sia pronte regolate di sale e unite le cosce. Mantecate ☞ con burro e profumate con 1 manciata di prezzemolo tritato.

Con la cervellata

Per 4. Una mitica tradizione milanese. La cervellata era

una salsiccia fatta con carne magra di maiale e vitello (non con cervella...), formaggio stagionato e grasso, zafferano e spezie varie. Dato che i salumai non la fanno più (se qualcuno di loro legge questo capitolo, intervenga) procedete così. Rosolate 200 g di buona salsiccia pelata e sgranata per 5'. Seguendo la procedura base ☞, tostate 320 g di riso, sfumate con 1 bicchiere di vino bianco secco senz'alcol ☞ e portatelo a cottura con brodo di manzo ☞ non troppo saporito unendo fin da subito 4 cucchiaiate di soffritto all'italiana con pancetta ☞. 2' prima che sia pronto unite la salsiccia, poca noce moscata, 2 chiodi di garofano pestati e 1 punta di cannella in polvere. Regolate di sale, mantecate ☞ con abbondante burro e condite con poco grana grattugiato e abbondante stracchino.

Con fagioli e cotenne
Per 4. Mettete 150 g di fagioli secchi a mollo ☞ in acqua tiepida per 1 notte. Scolateli, metteteli in una pentola con abbondante acqua, 1 cipolla picchettata con 2 chiodi di garofano, 1 carota, 1 gambo di sedano e 2 foglie di alloro e lessateli per 2 ore. Regolate di sale, spegnete ma lasciateli nella loro acqua di cottura; eliminate l'alloro e le verdure. Raschiate, sciacquate e sbollentate ☞ 100 g di cotenne per 5', scolatele, tagliatele a striscioline sottili e rosolatele per 20' in 1 noce di burro. Seguendo la procedura base ☞, tostate 320 g di riso, sfumate con 1 bicchiere di vino bianco secco con l'alcol, che smorzerà il sapido delle cotenne, aggiungete le cotenne e portatelo a cottura col brodo dei fagioli, unito insieme ai fagioli e aggiungendo fin da subito 4 cucchiaiate di soffritto all'italiana ☞. Regolate di sale, mantecate ☞ con burro e condite con 1 caprino fresco – quelli industriali di puro latte vaccino.

I risi più gustosi

In questo capitolo si parla di tutte le cotture del riso che non sono risotto.

Ci sono nel mondo due grandi famiglie di riso. Il *japonica*, quello di Cina e Giappone, a grano tondo, introvabile in Italia – ma curiosamente quello italiano, per vicissitudini storiche mai chiarite, è del tipo *japonica*. E l'*indica*, coltivato in India, Thailandia, Birmania e un po' dovunque, a grana lunga, i più famosi sono il patna e il basmati.

In linea di massima quelli italiani muoiono nei risotti e nelle minestre mentre quelli *indica* servono da accompagnamento ai *ragoût* ☞, sempre cotti pilaf ☞. In Italia esistono tanti tipi di riso, tutti diversi e tutti interessanti. I chicchi sono più o meno vetrosi, diversi per forma e grandezza, a seconda che rientrino in quattro grandi famiglie: comune o originario, semifino, fino e superfino. Fermo restando che per il risotto i re sono il Carnaroli, un superfino, e il Vialone Nano, un semifino, per i risi vanno più o meno bene tutti, scegliete quello che più vi aggrada.

Va da sé che la cottura base, in bianco, non è difficile, ma per sbagliare c'è sempre tempo. Intanto il riso deve essere "buono" – qualunque cosa voglia dire, nel dubbio guardate il prezzo, tanto costa così poco che anche se si spende qualcosa in più non è necessario fare un mutuo. Se è sottovuoto, meglio aprirlo una mezz'ora prima in modo che si ossigeni. Quello avanzato, ma non ancora cotto, si conserva anche 2 mesi, ma lontano dall'umido e, come dicono tutti i libri di cucina, in luogo fresco, mitico spazio che non esiste più nelle nostre case; cercate comunque quello più lontano dalle fonti di calore. Se l'avete comprato sfuso, controllate che non ci sia il famoso sassolino spezzadenti di cui tanto ci hanno raccontato le nostre nonne – sono anni che non ne trovo. Si sciacqua o non si sciacqua? Ardua questione. Consiglio di no. L'amido, che la sciacquatura riduce, nella cottura diventa una cremina che a mio parere lega i chicchi in maniera interessante. Se però amate i chicchi ben separati l'uno dall'altro allora sciacquatelo fino a che l'acqua sarà bella chiara. Sciacquatelo sempre, invece, se il riso è integrale.

Nella cottura bisogna usare tanta acqua, almeno 1 litro per ogni 100 g di riso – se è di più è meglio. L'acqua va salata, come per la pasta, con 10 g di sale grosso a litro. Quando l'acqua bolle, si sala e si getta il riso. I tempi di cottura dipendono dal tipo di riso usato, variano da 15' a 25', controllate sempre sulla scatola ma, meglio, assaggiate: ognuno di noi ha i suoi gusti, solo l'assaggio continuo risolve il problema. Quando la cottura è a punto, scolatelo. I risi integrali chiedono cotture di 1 ora e oltre, ma se amate i risi bolliti, sono più saporiti quelli integrali.

Esiste sul mercato un riso che si chiama parboiled. Questa tecnica consiste in una precottura del riso, fatta negli impianti di produzione. Questa permette al riso una cottura "rapida", si risparmiano almeno 8', mica poco!, e soprattutto non scuoce. Ottima cosa, comodo da usare. C'è solo un particolare: il riso parboiled non sa proprio di niente, al limite c'è un vago sentore di cellulosa. Per quanto comodo, sconsiglio di usarlo, meglio buttare via 8' della vostra vita ma gustarne uno buono.

Esiste sul mercato un riso detto selvatico, lungo e nero, caro e pressoché introvabile ma ottimo. È di origine americana. Ma non è un riso, è la famosa zizzania, quella che "non va mai messa fra...". Se lo trovate, assaggiatelo, lo gusterete.

In bianco
Come è difficile scrivere questa ricetta senza essere banali – e questo è un grandissimo *understatement* inglese.

Per 4. Mettete a bollire l'acqua con 2 foglie di alloro e 1 piccola cipolla steccata con 2 chiodi di garofano. Quando bolle, salate con 10 g a litro di acqua, cuocete per 1', gettate 320 g di riso e cuocete, rimestando di tanto in tanto. A fine cottura eliminate la cipolla e l'alloro, scolate il riso leggermente brodoso e conditelo con 20 g a testa di ottimo burro e altrettanto ottimo grana grattugiato. Sconsiglio vivamente di condirlo con l'olio di oliva, il riso muore col burro.

In cagnone
Per 4. Un nome veramente curioso. Si tratta di riso cotto in bianco ☞ e condito non con burro crudo, ma con 100 g di burro rosolato con 4 foglie di salvia e 2 spicchi d'aglio fino a che il burro sarà di un bel color nocciola. Prima di unirlo al riso scolato si elimina l'aglio. Questa è la ricetta lombarda, altrove aggiungono anche salsiccia rosolata, salsa di pomodoro ☞ e addirittura fontina a dadini. Non c'è più religione.

Pilaf
Per 4. Lavate benissimo 320 g di riso a grana lunga orientale (basmati, patna o quello che volete, ma il basmati è il migliore) in acqua corrente e scolatelo. Mettete in una casseruola pesante 50 g di burro, unite il riso e 4 cucchiai di soffritto di cipolle ☞, cuocete rimestando per 5', aggiungete 6 dl di brodo universale ☞ bollente e salato al giusto, mescolate, mettete il coperchio, anche lui pesante, e fate cuocere in forno a 200° senza mai alzarlo. Ci vorranno dai 16' ai 20', dipende dal tipo di riso, la prima volta andate a fiuto poi non cambiate più il tipo di riso. A cottura ultimata il brodo sarà stato tutto assorbito. Lasciate riposare 3' fuori dal forno, unite ancora 50 g di burro a fiocchetti e rimestate con una forchetta, per sgranare bene i chicchi. Si può anche colorare con 1 cucchiaiata di curcuma, da unire al brodo.

In brodo
Per 4. Serve un buon brodo di manzo ☞, saporito ma non

troppo poderoso. Sciacquate 250 g di riso italiano per 1'. Mettete in 6 dl di brodo ☞ 2 foglie di alloro e 1 cipolla picchettata con 2 chiodi di garofano. Portatelo a bollore, fatelo cuocere per 10', gettate il riso e cuocetelo per il tempo necessario, che sarà circa 1' meno dell'equivalente in bianco – tanto tolto dal fuoco continuerà a cuocere ancora per un po' nel brodo. Regolate di sale ed eliminate cipolla e alloro. Mettetelo nelle fondine e conditelo con abbondante ottimo grana grattugiato e con prezzemolo tritato.

Risi e bisi

Per 4. Serve un buon brodo di vitello ☞, saporito, ma non troppo carico. Portate a bollore 4 dl di brodo, unite 250 g di riso italiano sciacquato e 4 cucchiaiate di soffritto all'italiana ☞ e portate a cottura, unendo poco brodo se asciugasse troppo. 2' prima che sia pronto, unite 250 g di piselli, peso netto, piccoli e freschi, sbollentati ☞ per 1'. Alla fine regolate di sale e pepe e condite con burro, grana grattugiato e 1 ricca manciata di prezzemolo tritato. È un piatto semplice e perfetto.

Al latte

Per 4. Scaldate 8 dl di latte con 1 bicchiere d'acqua. Quando inizia a sobbollire, aggiungete 250 g di riso e portate a cottura, a fuoco dolce e rimestando, ci vorranno 6' circa di più rispetto alla cottura in acqua o brodo, non ho mai capito il perché. Alla fine regolate di sale e condite con burro, grana grattugiato, cannella e noce moscata a piacere. È un piatto mitico. Esiste anche una versione dolce, con zucchero a piacere al posto del sale, condito con burro, cannella e noce moscata e profumato con un po' di buccia di limone grattugiata. È ancor più mitico.

Tiella

Per 4. Un succulento piatto (quasi) unico. Spazzolate e lavate bene 800 g di cozze, apritele a crudo, eliminate i gusci e recuperate e filtrate la loro acqua. Cuocete 300 g di patate per

20' e fatele raffreddare. Fate a pezzi 300 g di pomodori. In una teglia fate uno strato con 1 cipolla tagliata a fette, coprite con aglio a piacere e prezzemolo tritati, con metà pomodori, condite con 20 g di pecorino e unite metà patate tagliate a fette. Spargete 300 g di riso e le cozze e coprite con l'altra metà dei pomodori e delle patate e con altri 20 g di pecorino. Spolverizzate con prezzemolo e aglio tritati. Coprite a filo con l'acqua delle cozze e con altra acqua, salate con attenzione (l'acqua delle cozze è salata), pepate a piacere e cuocete in forno a 180° per 20' o poco più. Si mangia calda, ma anche tiepida. Qualcuno lascia qualche guscio di cozza a mo' di guarnizione.

Alla sbirraglia
Per 4. Dividete in 10 pezzi 1 piccolo pollo, fatelo rosolare in una casseruola con poco olio, unite 6 cucchiaiate di soffritto all'italiana con pancetta ☞, 6 di salsa di pomodoro ☞, 1 bicchiere di vino bianco secco senz'alcol ☞ e cuocete coperto a fuoco dolce per 40', unendo poca acqua se asciugasse troppo. Unite 250 g di riso e brodo universale ☞ mestolo a mestolo e portate a cottura. Alla fine regolate di sale e pepe e spolverizzate con prezzemolo tritato. Dovrà essere abbastanza brodoso, da mangiare col cucchiaio. Variante: si possono aggiungere al pollo anche 100 g di vitello tagliato a dadini.

Panissa
Per 4. Mettete in una pentola 300 g di fagioli borlotti (ma sarebbero meglio i saluggini, introvabili...) freschi, sgranati con altrettanto cavolo verza a striscioline, 2 pezzi di cotenna, 1 carota e 1 gambo di sedano. Coprite a filo d'acqua e cuocete per 2 ore. Eliminate carota e sedano e tagliate a strisci oline la cotenna. Pelate, sminuzzate e rosolate 100 g di salame fresco, se possibile conservato sotto strutto, per 4'. Mettete in una casseruola 1 bicchiere di vino rosso, portate a bollore, unite 2 bicchieri di brodo dei fagioli, il salame, la cotenna, 4 cucchiaiate di soffritto all'italiana con pancetta ☞, 2 di salsa di pomodoro ☞ e 250 g di riso. Portate a cottura unendo

il brodo mestolo a mestolo, fagioli e verza compresi, alla fine
dovrà risultare abbastanza asciutto. Regolate di sale e pepe e
servite.

Mantecato di Bergese

Per 8. Per finire, il piatto che più amo in assoluto, forse
– ma questo l'ho detto di troppi piatti. È di Nino Bergese, mitico cuoco del '900. Come si vede, non è un risotto ma un riso mantecato ☞.

È un piatto da dividere con tanti amici, quindi la ricetta è
per 8. In una casseruola fate stufare 1 grossa cipolla affettata
finemente con 50 g di olio, altrettanti di burro e 2 foglie di alloro per 1 ora abbondante unendo poca acqua se asciugasse
troppo – ma se sono 6 ore, come faceva il Maestro, è meglio.
Alla fine eliminate l'alloro, passatela al setaccio, sarà mar-
roncina ma non importa, e rimettetela nella casseruola. Unite a questo punto 1 bicchiere di vino bianco secco – il Maestro non dice senz'alcol ☞ ma è meglio –, e 3 mestoli di brodo di manzo ☞ piuttosto saporito. Portate a bollore e gettate 500 g di riso Vialone Nano. Cuocete per circa 15' a calore
medio, aggiungendo altro brodo man mano che quello precedente sarà stato assorbito. Regolate di sale e pepe. Ritirate
dal fuoco e mantecate con 250 g di burro – sì, l'uso dei grassi allora era proprio un'altra cosa, me se riducete questa dose il piatto non viene per nulla bene... e con 100 g di ottimo
parmigiano grattugiato. Accomodate il riso in piatti individuali caldi e guarnitelo con 2 cucchiaiate ciascuno di fondo
di carne ☞.

Gli amati gnocchi

Ce ne sono tanti tipi. In Italia quelli più famosi sono di patate. Ma possono essere fatti con zucchine, fagioli, castagne, ricotta, semolino, pane e polenta. Chissà perché per tradizione si mangiano di giovedì. La quantità "giusta" di gnocchi è di 200 g a testa.

Gnocchi di patate

Per 4. Patate vecchie a pasta bianca o della varietà Bintje, a pasta gialla ma adatta a tutte le preparazioni kg 1, farina 0 g 300, 1 uovo, parmigiano grattugiato g 50, 1 pizzico di noce moscata, sale

Lessate le patate, sbucciatele e passatele ancora calde allo schiacciapatate direttamente sulla spianatoia; fate intiepidire il purè che così assorbirà meno farina. Spolverizzatelo con la farina, il parmigiano e 1 pizzico di sale, formate una fontana, sgusciate al centro l'uovo e profumate con la noce moscata. Impastate fino a ottenere un impasto consistente ma morbido, non va lavorato molto a lungo altrimenti diventa molle. Formate dei rotolini del diametro di circa 1,5 cm e tagliateli a pezzetti di 2,5 cm; passateli, uno per volta, sul rigagnocchi di legno o sui rebbi di una forchetta infarinati, schiacciandoli leggermente, e disponeteli man mano su un vassoio infarinato. Devono essere cotti quasi subito, altrimenti diventano molli e appiccicosi. Lessateli in abbondante acqua salata a leggero bollore, sgocciolateli appena vengono a galla

166

con un mestolo forato e conditeli. Si possono anche rosolare in padella come indicato per i ravioli ☞.

Esiste anche una versione ridotta con 1 kg di patate vecchie a pasta bianca e 250 g di farina 0. Si procede come per la versione base.

I sughi più adatti
Ragù di carne, di pollo, di volatili, di coniglio o di salsiccia. Sugo di pomodoro fresco con basilico e mozzarella. Sugo di funghi o di altre verdure. Pesto. Burro fuso, salvia e parmigiano. Crema di gorgonzola o di ricotta. Gratinati con la besciamella. E poi come più vi piace, dalla carbonara al ragù di pesce, insomma tutti quelli delle paste.

✓ Per evitare che si incollino, mescolateli al sugo con il dorso di 2 cucchiai.

Alla bava
Per 4. Scaldate 5 dl di panna a bagnomaria. Unite 100 g di toma e 100 g di fontina tagliati a dadini e mescolate sino a quando non saranno sciolti. Lessate gli gnocchi di patate ☞ e conditeli con questa salsa, spolverizzando con poca noce moscata. Non dovrebbe essere necessario salare, nel dubbio verificate.

Con la finanziera
Una proposta mitica, sontuosa e accattivante. Praticamente, un piatto unico. Rileggendola, mi accorgo di essermi dimenticato delle creste di gallo. Scottatele, spellatele e unitele. Ma potete aggiungere anche il cuore, i testicoli e lo stomaco dei pennuti. Fate voi.

Per 4. Tagliate a cubetti 200 g di animelle di vitello sbollentate ☞ e spellate, 300 g di fegatini di pollo, 100 g di fesa di vitello e 100 g di filetto di manzo e infarinateli leggermente. In una casseruola rosolate per 2' fesa e filetto in poco olio e burro con 2 foglie d'alloro e 4 di salvia, unite 2 cucchiai di soffritto di cipolle ☞, i fegatini e le animelle e 1 bicchiere di

Marsala. Lasciate evaporare a fuoco vivo, salate, pepate, aggiungete 100 g di funghi porcini freschi o sott'olio a pezzetti e 1 mestolino di brodo universale ☞ caldo e cuocete coperto per 15'. Lessate gli gnocchi di patate ☞, scolateli e conditeli con il ragù.

ALTRI GNOCCHI

Alla parigina
Soffici e delicati, sono fatti con un impasto simile a quello per bignè e si chiamano anche *soufflé* perché si gonfiano in cottura.

Per 4. Portate a ebollizione 2,5 dl di latte in una casseruola con 1 pizzico di sale, 1 di noce moscata e 70 g di burro a pezzetti. Togliete dal fuoco e unite, in un solo colpo, 130 g di farina 0 setacciata, mescolando subito ed energicamente con un cucchiaio di legno. Quando la farina è ben amalgamata, rimettete sul fuoco e cuocete a fuoco dolce, mescolando sempre, finché l'impasto sarà liscio, omogeneo e si staccherà dalle pareti della pentola. Fate intiepidire e incorporate 3 uova, una per volta, sbattendo con le fruste elettriche a gancio; se il composto è troppo denso, aggiungete un altro uovo. Quando avrete ottenuto un composto soffice, unite 70 g di groviera grattugiato e lavorate la pasta per 10' finché sarà liscia. Portate a ebollizione in una pentola ampia, ma non troppo alta, abbondante acqua salata. Trasferite l'impasto in una tasca da pasticciere con bocchetta liscia e larga circa 1,5 cm e fatelo cadere nell'acqua a leggero bollore, tagliandolo man mano con un coltello bagnato a pezzetti di circa 2,5 cm. Se non avete la tasca, prelevate il composto con un cucchiaino bagnato e spingetelo nell'acqua con un altro cucchiaio. Lasciate cuocere gli gnocchi per 4' e man mano che affiorano in superficie scolateli con un mestolo forato e adagiateli in una grande pirofila ben imburrata. Conditeli a strati, ma senza ammassarli troppo, con 5 dl di salsa *mornay* ☞. Terminate con la salsa, 2 cucchiai di grana grattugiato e 30 g di burro fuso a bagnomaria. Gratinate in forno a 200° per 20': dovranno risultare gonfi e dorati.

Strangolapreti verdi
Si chiamano anche malfatti.

Per 4. Private 400 g di pane raffermo della crosta, tagliatelo a dadini e fatelo ammorbidire in 3 dl di latte per circa 3 ore. Lessate 500 g di spinaci o di erbette, scolateli, strizzateli e tritateli; saltateli in 1 noce di burro con 1 pizzico di sale, pepe e noce moscata per 3'. Scolate il pane, strizzatelo e impastatelo in una ciotola con gli spinaci o le erbette, 4 cucchiai di soffritto di cipolle ☞, 1 cucchiaio di farina, 4 cucchiai di grana, 2 uova, sale e pepe. Incorporate tanto pangrattato quanto basta ad avere un composto abbastanza sodo, ma ancora soffice. Con le mani infarinate formate tante palline grosse come una noce e lessatele in abbondante acqua salata a leggera ebollizione per 6'; scolatele man mano che vengono a galla con un mestolo forato e conditele con abbondante grana grattugiato e 100 g di burro fuso con 6 foglie di salvia.

Di zucca
Per 4. Pulite 800 g di zucca, tagliatela a fettine e cuocetele in forno caldo a 200° per 30'. Passatele al passaverdura con il disco a fori grossi. Amalgamatevi 2 uova, salate e impastate il composto con 350 g di farina 0 e 100 g di burro morbido a pezzetti, aggiungendo un po' di latte se l'impasto fosse troppo compatto o un po' di farina se troppo morbido: dipende dalla consistenza della zucca. Formate tanti rotolini e procedete come per gli gnocchi di patate ☞. Lessateli e conditeli con burro fuso e ricotta affumicata grattugiata o come vi piace.

La molto onorevole polenta

Col bollito misto, piatto ricco, è l'*ur* piatto povero più *ur* che ci sia. Nasce con l'invenzione della pentola, quando i pastori diventano agricoltori. Per decine di migliaia di anni è stato il piatto base, giorno dopo giorno, dell'alimentazione di noi ominidi. Scusate se è poco. Oggi non è più un piatto povero, è solo buonissimo.

Farla richiede tempo, pazienza e un paiolo di rame non stagnato (l'alternativa di una pentola a fondo spesso è un palliativo che funziona abbastanza bene, ma sempre palliativo è). Si prepara con farina di mais a grana grossa (che dà una polenta più soda, diffusa nel Nord) o a grana fine (per una polenta più morbida e cremosa, diffusa nel Centro-Sud), ma anche con farina di mais bianca, ottenuta da una particolare varietà di granturco o con farina di grano saraceno.

Per l'acqua, in genere la proporzione è di 1 a 4: per 500 g di farina di mais, 2 litri d'acqua. Eccezione per quella bianca, che richiede una proporzione di 1 a 6, cioè 3 litri d'acqua per 500 g di farina. Se la farina è a grana grossa aumentate la proporzione dell'acqua di 2 dl, se è fine diminuitela leggermente. Se volete una polenta morbida usate circa 2,5 litri d'acqua, se la preferite molto soda basteranno 1,5 litri d'acqua. Che guazzabuglio! Ma più facile da gestire di quanto sembri. Basta essere parchi all'inizio e aggiungere altra acqua bollente durante la cottura. Calcolate 10 g di sale per ogni litro d'acqua e 100 g di farina a porzione.

Come si fa. Versate la farina a pioggia nel paiolo o nella pentola con l'acqua salata a leggera ebollizione e cuocete mescolando prima con una frusta e poi, in continuazione, con il cucchiaio di legno o con il tradizionale bastone per circa 45': sarà pronta quando si stacca dalle pareti del paiolo in una massa compatta. Tolta dal fuoco, di solito si versa sul tagliere. Si conserva in frigo 2 giorni, avvolta nell'alluminio e messa in un contenitore ermetico. 45' si riferiscono a una polenta di grana "normale" qualunque cosa voglia dire. Se la grana è grossa e il prodotto artigianale si arriva anche a 1 ora e mezzo di cottura.

✓ Se siete pigri, comprate quella di farina gialla precotta a cottura rapida, pronta in soli 10'. Ma allora avete sbagliato ad acquistare questo libro. Se siete pigri e furbi, comprate la polentiera elettrica.

Con cosa si abbina al meglio

Con tutti i *ragoût* ☞ e i ragù di carne ☞, segnatamente quelli di anatra e oca. Col gulasch ☞. Con gli umidi e gli spezzatini sugosi. Con brasato ☞ al vino o al pomodoro. Con sughi di funghi, di salsiccia, di fagioli o di pancetta e pomodori. Col lard pistà, un battuto cremoso di lardo, aglio, prezzemolo e pepe. Con la casoeûla, le lumache in umido, gli osei, il fegato alla veneziana e l'aringa affumicata conciata in olio e aromi. Tagliata a fette o a triangolini e fritta o grigliata, è ottima per accompagnare salumi e formaggi. Quella bianca, dal gusto delicato, si sposa felicemente con le seppie al nero e tutti i *ragoût* di pesce, molluschi e crostacei.

Polenta al formaggio

Mettete nei piatti una fetta di gorgonzola cremoso o piccante e versatevi sopra qualche cucchiaio di polenta ☞ morbida caldissima preparata con metà acqua e metà latte. Oppure mescolate alla polenta, a fine cottura, dadini di fontina e di toma fresca, cospargendo con grana e pepe.

Polenta taragna

Dalla Valtellina con amore. Preparate una polenta ☞ con 300 g di farina di grano saraceno, o metà di questa e metà di farina gialla, cuocendola per circa 1 ora e unendo dopo 45' 150 g di burro a pezzetti. Togliete dal fuoco, mescolatevi 150 g di bitto fresco a fettine e servite subito, finché il formaggio non è del tutto sciolto. Oddio, una ricetta datami una volta da un bravo ristoratore valtellinese di grande successo, di cui per tutelarne l'immagine non voglio fare il nome, prevedeva queste dosi: 300 g di farina di grano saraceno, 300 g di burro, 300 g di bitto. Vedete voi...

Polenta pasticciata

Per 4. Rosolate 200 g di carne di manzo tagliata a piccoli pezzi e 200 g di salsiccia sbriciolata in una casseruola con 1 noce di burro e 4 cucchiai di soffritto all'italiana ☞. Bagnate con 1 dl di vino rosso senz'alcol ☞, fate sfumare e aggiungete 200 g di pomodori sbollentati ☞, pelati e privati dei semi a pezzetti. Mettete il coperchio e cuocete a fuoco dolce per 30', aggiungete 50 g di funghi messi a mollo ☞ in acqua tiepida per 20', strizzati e tritati, e proseguite la cottura per 30'. Preparate la polenta ☞ con 300 g di farina gialla in metà acqua e metà latte e conditela a strati in una teglia ben imburrata con il ragù di carne ☞, 5 dl di besciamella ☞, 50 g di grana a scaglie e fiocchetti di burro. Passate in forno a 200° per 15'.

Polenta con baccalà

Per 4. Spinate e spellate 800 g di baccalà messo a mollo ☞ e tagliatelo a pezzi. Soffriggete 2 cipolle affettate sottili, 2 spicchi di aglio tritati e 2 filetti d'acciuga spezzettati in una teglia con 2 cucchiai d'olio. Rosolatevi i pezzi di baccalà leggermente infarinati, bagnate con 1 dl di vino bianco secco senz'alcol ☞ e unite 2 foglie di alloro, 4 dl di latte e 2 dl d'olio. Salate, pepate, mettete il coperchio e cuocete a fuoco dolcissimo per circa 2 ore: si formerà un sughino cremoso. Con 300 g di farina gialla preparate la polenta ☞ e servitela calda con il baccalà spolverizzato con prezzemolo tritato.

Le crespelle

Quelle che i francesi, che tanto le amano, chiamano *crêpes*. Si possono farcire con gli ingredienti più disparati, o farne dei tortini condendole a strati come una lasagna. Una volta farcite, arrotolatele a cannolo o ripiegatele a fazzoletto, completate con un velo di besciamella ☞ e gratinate in forno a 200° per 10'. Il ripieno può essere di ricotta e spinaci, funghi trifolati, porri stufati e formaggi, ragù di carne, gorgonzola e mascarpone, salsiccia rosolata, intingoli di frutti di mare eccetera eccetera eccetera.

Per 4. Sbattete 3 uova in una ciotola e, mescolando con la frusta, ma senza sbattere, incorporate 130 g di farina 0 setacciata, mezzo cucchiaino di sale e 1 dl di latte. Quando avrete un composto omogeneo, unite 2 dl di latte e 20 g di burro sciolto e tiepido. Coprite la pastella con un piatto o con pellicola e lasciatela riposare a temperatura ambiente per 1 ora. Imburrate una padella antiaderente di 15 cm circa di diametro, versate 1 mestolino di pastella e ruotate la padella su se stessa per distribuirla sul fondo in modo uniforme. Cuocete a fuoco medio per 1', giratela e cuocetela per 30''. Fatela scivolare su un piatto e continuate così, ungendo di burro la padella ogni 2 o 3 crespelle, fino a terminare la pastella.

Potete aromatizzare le crespelle stemperando ☞ nel latte 1 punta di zafferano, di zenzero in polvere o di noce moscata. Oppure usare farina integrale o farina bianca mista a farina di grano saraceno. Potete preparare le crespelle anche con 150 g di farina 0, 2 uova, 2 dl di birra chiara, 3 cucchiai di olio e sale. Risulteranno più delicate e soprattutto più curiose.

La cottura del pesce

In Italia il pesce è di moda... al ristorante – moda, si fa per dire, l'offerta è abbastanza vasta, anche se in valore assoluto sempre limitata. In casa lo si consuma pochissimo, vuoi perché non si sa come pulirlo, vuoi perché non si sa come cucinarlo, vuoi perché "puzza" (non tutti amano l'odore del pesce crudo). Sono anni che il mondo del pesce sta cercando di rompere questo circuito vizioso, ma invano.

Ciò detto, quello che mi dà veramente fastidio è che il 90 per cento del mercato è monopolio della banda dei cinque: branzini, orate, sogliole, pesci spada e salmoni. Per carità sono buoni. Ma tutti gli altri? Il pesce azzurro, gloria dei nostri mari, con sgombri, sarde, acciughe? Le infinite varietà di aringhe? Il baccalà, che vanta ben oltre 360 ricette, una per ogni giorno dell'anno? E il merluzzo? Ma anche cernia, coda di rospo, triglie, gallinelle, razza, rombo, che pure si trovano nelle nostre pescherie, nelle migliori, sono assenti nei menù di troppi ristoranti. Per non parlare dei pesci d'acqua dolce, come anguilla, luccio, lavarelli e carpe: di questi si è perso persino il ricordo. Non sono ottimista sul futuro del consumo di pesce nello Stivale: occorrerebbe un salto culturale, ma in natura e nella società i salti sono rari, molto rari.

Bando alle lamentele. Iniziamo da tre problemi delicati, dove l'empirismo domina sovrano.

Il primo: come si riconosce un pesce fresco. La tradizione parla di occhio vivo, carni sode e quant'altro, ma sono veramente pochi quelli che sanno riconoscere la freschezza.

Non c'è alternativa: fidatevi di chi li vende. Che è un mercante e il pesce comunque deve venderlo, ma alternativa non c'è. Unico consiglio: se a intuito un pesce non vi convince, giusta o sbagliata che sia la vostra analisi, compratene un altro. Non è un gran consiglio, ma...

Il secondo: come si pulisce il pesce. Anche qui domina l'empirismo. Per esempio, quasi sempre è giusto squamarlo ma se lo preparate al forno o ai ferri le squame potete anche tenerle. Nel dubbio, chiedete a chi ve lo vende, precisando come volete cuocerlo. Lui vi darà un consiglio da professionista. E poi chiedetegli di compiere le operazioni previste, come la squamatura, il taglio di pinne e code, l'eliminazione dell'intestino o la sfilettatura. Lui, che è un professionista, ci metterà un attimo a farvi contenti. E ogni serio professionista vuole sempre far contento il cliente.

Il terzo: quanto deve cuocere. I tempi di cottura sono la variabile più empirica di tutte. Dipendono dallo spessore del pesce, non dal peso. E un pesce pescato nelle fredde acque atlantiche, dove ci ha messo tanto tempo a raggiungere un certo peso, è altra cosa rispetto a un equivalente arrivato a quel peso in meno tempo nelle calde acque del Mediterraneo. Nelle varie ricette vi darò delle indicazioni sommarie. Anche in questo caso, continuate a chiedere al bravo venditore. Dipendere dagli altri non è mai piacevole, ma non c'è alternativa.

LE PRINCIPALI TECNICHE TRADIZIONALI

Lessare

Questa tecnica di cottura è adatta praticamente a tutti i tipi di pesce. Devono essere interi, squamati ed eviscerati. Il pesce si lessa in una specie di brodo aromatico che si chiama *court-bouillon* ☞. È un trucco vincente, richiede un po' di tempo ma profuma il pesce alla grande. Durante la cottura del pesce, questo brodo non deve mai bollire ma sobbollire, non deve cioè superare il punto di ebollizione. Il pesce va messo in un *court-bouillon* freddo. Si porta a bollore, e intanto comincia a cuocere, si cuoce come da ricetta, si spegne e si lascia riposare in questo brodo per almeno 5'.

Il *court-bouillon*

Per circa 2 litri, adatti a lessare un pesce da 1 kg. Unite in una pentola 2 litri d'acqua, mezza bottiglia di vino bianco secco, 1 bicchiere di aceto bianco, 2 carote a fette, 2 cipolle a fette, 2 foglie di alloro, 1 mazzetto legato di gambi di prezzemolo e pepe bianco in grani. Portate a ebollizione e lasciate sobbollire per 1 ora, schiumando ☞. Alla fine regolate con poco sale e filtrate. Lasciate raffreddare. Tempi di cottura: calcolate per un pesce da 1 kg 5' da quando il brodo inizia a sobbollire, lasciandolo i canonici 5' nel brodo che si sta raffreddando.

✓ Il pesce, come pure le seppie e i calamari, vanno messi in un *court-bouillon* freddo. I crostacei come gamberi, aragoste e astici in un *court-bouillon* bollente. Sono i misteri della cucina.

A vapore

Cottura adatta a tutti i tipi di pesce non troppo grossi, sia interi, squamati ed eviscerati, sia tagliati a filetti o tranci sia crostacei ma sgusciati. Si usa una vaporiera con 1 dito di acqua – è inutile aromatizzarla, i profumi non vaporizzano. Consiglio di aromatizzare dopo il pesce. Cuocete a pentola coperta. Calcolate circa 15' per un pesce da 1 kg.

All'acqua pazza

Cottura adatta a tutti i tipi di pesce non troppo grossi, interi, squamati ed eviscerati. Portate a ebollizione in una casseruola 1 bicchiere di vino bianco secco, 1 di acqua, 4 cucchiaiate di soffritto di cipolle ☞, 4 pomodori sbollentati ☞, pelati e privati dei semi. Abbassate la fiamma al minimo, unite il pesce, salate leggermente, aggiungete basilico spezzettato e cuocete per circa 12'.

Al forno

Cottura adatta a tutti i tipi di pesce, sia di mare sia d'acqua dolce. Questa preparazione va bene sia per pesci grossi, interi, squamati, ma qui le squame potreste anche lasciarle, ed eviscerati, sia tagliati in grossi tranci. Sciacquate e asciugate il pesce. Salatelo e pepatelo dentro e fuori, se volete farcitelo con odori. Mettetelo su una placca, guarnitelo a piacere, irroratelo con 1 filo d'olio e cuocete in forno a 220° per 5' per portarlo a 180° per il resto del tempo previsto. Giratelo a metà cottura. Calcolate per un pesce da 2 kg circa 30' di cottura.

Al cartoccio

Amo molto questa cottura. È adatta a tutti i tipi di pesce non troppo grossi, squamati ed eviscerati. Chiudeteli in un cartoccio di alluminio, farciti a piacere e guarniti con odori a piacere. Cuocete in forno a 200°. Tempo di cottura: circa 25' per un pesce da 1 kg.

Al sale

Ideale per tutti i tipi di pesce di mare, meglio per quelli un po' grassi. In un recipiente mettete uno strato di sale marino grosso, adagiate il pesce eviscerato ma non squamato, coprite bene di sale e cuocete in forno a 200°. In linea di massima, per un pesce da 1 kg occorrono 30'. Servitelo nella crosta di sale che spaccherete con un secco colpo di martello, davanti ai commensali.

Brasatura

Ideale per pesci grossi, interi, squamati ed eviscerati o a tranci. Rosolate in una casseruola cipolle, carote e sedano tagliati sottili. Mettete il pesce sopra le verdure, coprite fino a metà pesce di acqua e vino o brodo di verdure ☞ e vino, unite odori a piacere, fate prendere il bollore e cuocete dolcemente coperto per il tempo previsto. Alla fine togliete il pesce, frullate il fondo, emulsionatelo ☞ con olio o burro e condite il pesce con questo fondo. Tempo di cottura: 30' circa per un pesce da 2 kg.

177

Ai ferri

Ideale per pesci medi, interi, squamati, ma in questo caso potete tenere le squame, ed eviscerati o per pesci in tranci. Infarinateli, scuoteteli per eliminare l'eccesso di farina e passateli in olio freddo: serve a rendere più resistente il pesce, si disferà di meno durante la cottura. Cuoceteli su una griglia rovente, pennellandoli sempre con olio. Salateli alla fine. Tempi di cottura: 5' da un lato e 3 dall'altro, ma dipende dallo spessore.

Frittura

Ideale per pesci piccoli, squamati ed eviscerati, e tagliati a filetti. Per questa cottura bisogna usare olio di semi di arachide, che racchiude in sé due pregi: è praticamente insapore e ha una struttura chimica tale da renderlo il più stabile, tra gli oli di semi, alle temperature elevate della frittura. Deve essere abbondante, caldissimo e non bisogna mettere troppi pesci insieme. Quanto alla preparazione del pesce, ci sono varie opzioni. Passarli nella farina e scuoterli per eliminarne l'eccesso. Passarli prima nel latte e poi nella farina. Passarli prima nella farina poi nell'uovo sbattuto e nel pangrattato. Tempo di cottura: massimo 2'.

Frittura in pastella

Una variante della frittura poco utilizzata ma gustosa. Emulsionate ☞ 500 g di farina con 3 dl di latte, 1 dl di acqua, 20 g di lievito di birra e 5 tuorli fino a che avrete una pastella semiliquida. Lasciate riposare per 2 ore la pastella prima di passarci i pesci e friggerli ☞.

In padella

Cottura ideale per pesci piccoli, squamati, aperti e diliscati, o tagliati a tranci. Scaldate in una padella olio con aromi a piacere, ma l'aglio e il rosmarino sono canonici. Quando l'olio è ben caldo, togliete gli aromi e unite il pesce. Cocendo a fuoco medio basso, agitate la padella per evitare che attacchi. Più è piccolo il pesce, più la cottura è rapida: si va da 1' a 4' al massimo.

Alla mugnaia

Cottura ideale per pesci piatti squamati ed eviscerati e per filetti e tranci di pesce. Passate il pesce salato e pepato nel latte e infarinatelo. Cuocete in abbondante burro caldo ma non troppo e girateli, quando avrà fatto una crosticina, una sola volta. Servitelo con prezzemolo tritato guarnito con 1 fettina di burro *maître d'hôtel* ☞. Tempi di cottura: 5' da un lato e 3' dall'altro.

LA COTTURA SEMIMODERNA

A microonde

La amo e la utilizzo moltissimo e la consiglio sempre. In questa cottura il pesce, squamato ed eviscerato, va messo in un cartoccio di carta da forno, ben chiuso, farcito a piacere e guarnito con odori a piacere. Cuocete in funzione del peso per il tempo previsto dal manuale del forno a microonde e alla fine lasciate riposare nel forno per 5'. Nella cottura a microonde l'ingrediente inizia a cuocere dal suo centro: il rischio che attorno alla lisca la carne sia poco cotta in questo caso non esiste.

LA COTTURA MODERNA

Chiudiamo con due tecniche molto moderne. Per tutti i ghiotti, pigri e furbi, che non hanno voglia di cimentarsi nella cottura tradizionale di un pesce, ecco un suggerimento che rende il lavoro facile, molto facile, ottenendo delle preparazioni appaganti e vincenti.

A filetti

Dal solito negoziante di fiducia, fatevi sfilettare il pesce e fatevi consegnare anche tutti gli scarti. Con gli scarti fate un fondo ☞ denso. Sciacquate, asciugate bene e rosolate i filetti in una padella antiaderente appena unta di olio o burro per

2', girate, unite il fondo e cuocete ancora per 1'. Togliete i filetti, teneteli al caldo ed emulsionate ☞ il fondo con poco
olio o burro. Servite i filetti conditi con la salsa emulsionata
e guarniti a piacere. Sbagliare è impossibile.

✓ Se il pesce lo comprate già sfilettato in un supermercato, comprate anche qualche pesce intero poco pregiato e fate il fondo ☞.

A crudo
È un'altra tecnica ancor più stilizzata.

Cioè non lo cuocete del tutto, una non-cottura. Cioè un
carpaccio di pesce ☞, marinato o meno, o una *tartare* ☞. Più
essenziale di così. Ma il pesce deve essere veramente freschissimo!

Mania dell'autore 15:
le zuppe di pesce

Una mania condivisa da tutti gli italiani. Che qualcuno cerca di rovinare. Quel qualcuno è chi, cuoco o appassionato che sia, la prepara con i pesci interi, con tanto di lische e spine. Trovarsi una triglia siffatta getta nello sconforto più assoluto. È impossibile mangiarla con un briciolo di serenità, dovendo lottare con le spine senza sosta e senza tregua. Un piatto del genere fa saltare le amicizie. No, chi prepara così una zuppa di pesce non merita né pietà né commiserazione. Non c'è tradizione che tenga. Va combattuto e basta.

Ricetta base
Calcolate 4 kg per 8 persone, minimo, con una scelta la più ampia possibile di pesci e crostacei, ma escludendo i pesci azzurri. I pesci sfilettateli con attenzione, tenendo lische, teste e gli altri scarti salvo le interiora – naturalmente qualunque bravo pescivendolo vi farà più o meno volentieri questo lavoro. I molluschi con guscio apriteli in padella o a crudo, tenendo la loro acqua. Sgusciate i crostacei, tenendo teste e gusci. Sciacquate tutti gli scarti, scolateli e spezzettateli. Fateli rosolare per 5' in una capace casseruola con poco burro o olio, unite g 500 di soffritto di cipolle ☞ o all'italiana ☞, l'acqua dei molluschi filtrata, 1,5 litri d'acqua, pepe in grani e odori a piacere e cuocete a fuoco dolce, schiumando ☞, per 1 ora. Alla fine filtrate. Fate a pezzi medi, che non siano troppo piccoli, tutti i pesci, molluschi e crostacei e uniteli nel brodo. Cuocete al massimo per 10', regolate di sale e pepe e ser-

vite la zuppa, accompagnata da dadi di pane fritti o tostati e spolverizzata con l'onnipresente prezzemolo. Se qualche pesce o mollusco richiedesse tempi di cottura più lunghi, cuocetelo a parte per il tempo necessario.

Zuppa gialla
Una versione personale e ridotta della celebre *bouillabaisse*, per pudore non ne utilizzo il nome.

Per 8. 4 kg di pesce misto come scorfano, grongo, cernia, triglie, san pietro; 16 scampi, zafferano, concentrato di pomodoro, scorza d'arancia, aglio, alloro, timo, gambi di prezzemolo, finocchietto selvatico, soffritto di cipolle ☞, burro, sale e pepe

Procedete come da ricetta base ☞. Dopo aver rosolato in 50 g di burro tutti gli scarti dei pesci e teste e gusci dei gamberi, unite 2 cucchiaiate di concentrato stemperato ☞ in poca acqua, la scorza di mezza arancia, solo la parte gialla, 8 cucchiai di soffritto, 4 spicchi d'aglio, 3 foglie di alloro, 3 rametti di timo, 5 gambi di prezzemolo e 1 ciuffo di finocchio. Coprite con 1,5 litri d'acqua e cuocete a fuoco dolcissimo per 1 ora, schiumando ☞. Alla fine filtrate, aromatizzate con zafferano e pepe nero, unite tutti i pesci e gli scampi tagliati in pezzi e cuocete per 6'-8'. Regolate di sale, spolverizzate con prezzemolo tritato. Accompagnate con fette di pane casereccio tostate e strofinate con aglio.

Zuppa di crostacei
Per 8. Uno dei piatti più sontuosi del mondo. Sbollentate ☞ per 2', scolateli, lasciateli raffreddare e sgusciate 4 kg di aragoste, astici, scampi e gamberi. Poi procedete come per la zuppa gialla ☞.

Zuppa napoletana
Per 8. Cozze kg 1,5, vongole kg 1,5, polipetti g 500, calamaretti g 500, gamberetti sgusciati g 500, pomodori, soffritto all'italiana ☞, brodo di verdure ☞, peperoncino, aglio, prezzemolo, sale

Aprite in una casseruola a fuoco vivo cozze e vongole, sgusciatele e filtrate il fondo. Riunite in una pentola 1 litro di brodo di verdure ☞, l'acqua di cozze e vongole, 8 pomodori spellati, privati dei semi e tritati grossolanamente, 8 cucchiaiate di soffritto, 4 spicchi d'aglio e cuocete per 10'. Unite i polipetti e i calamaretti puliti e tagliati a pezzi e cuocete per 30', schiumando ☞ se necessario. Aggiungete gamberetti, cozze e vongole e cuocete ancora per 5'. Regolate di sale e peperoncino e spolverizzate con basilico spezzettato. Accompagnate con fette di pane casereccio tostate.

Zuppa di seppie, vongole e cozze

Per 8. Seppie kg 2, cozze kg 1, vongole kg 1, soffritto di cipolle ☞, fagioli cannellini lessi g 500, prezzemolo, olio, aglio, sale e pepe

Aprite in una casseruola a fuoco vivo cozze e vongole, sgusciatele e filtrate il fondo. Pulite le seppie, tagliatele a julienne e cuocetele in poco olio per 20' con 3 spicchi d'aglio, unendo poca acqua se asciugasse troppo. Eliminate l'aglio. Riunite in una pentola 1 litro d'acqua, l'acqua di cozze e vongole e 8 cucchiaiate di soffritto e cuocete per 10'. Aggiungete le seppie e cuocete per 30'. Unite i cannellini, le cozze e le vongole e cuocete ancora per 5'. Regolate di sale e pepe e spolverizzate con prezzemolo tritato. Accompagnate con fette di pane casereccio tostate.

Zuppa di acciughe

Per 8. Acciughe fresche kg 3, soffritto all'italiana ☞, aglio, peperoncino, salsa di pomodoro ☞ vino bianco senz'alcol ☞, brodo di verdure ☞, prezzemolo, olio, sale

Sfilettate le acciughe. Scaldate 1 litro d'acqua, unite 1 bicchierino di olio, 1 di vino, 2 spicchi di aglio, 8 cucchiaiate di soffritto e altrettante di salsa di pomodoro. Cuocete per 10' e aggiungete le acciughe. Cuocete per 10', regolate di sale e peperoncino e spolverizzate con prezzemolo tritato.

I pesci di mare

Nella speranza che il pesce sia sempre di più una proposta casalinga e non da ristorante, vi suggerisco una serie di preparazioni semplici, gustose e accattivanti che, ne sono certo, non troverete facilmente nei ristoranti. Evito, perché troppo scontate, le proposte ai ferri, lessate e alla griglia. Tutti le conoscono.
✓ Pulire vuol dire squamare, tagliare pinne e code ed eviscerare.

Acciughe in tortiera
Per 4. Aprite in una padella a fuoco vivo e col coperchio 600 g di cozze con 1 spicchio d'aglio, sgusciatele e filtrate il fondo. Tenendo ogni acciuga con indice e pollice, apritene 1 kg utilizzando il pollice dell'altra mano. Staccate la testa e l'intestino, che è contiguo, apritela a libro e togliete la lisca. Sciacquatele e asciugatele bene. Affettate 5 patate e cuocetele a vapore per 2'. Coprite una pirofila con carta da forno, mettete a strati le patate, 300 g di salsa di pomodoro ☞, le acciughe, le cozze, qualche foglia di menta e pepe pestato. Coprite con 1 bicchiere di fondo ☞ delle cozze e 1 filo d'olio e cuocete in forno a 200° per 20'.

Aringhe alla panna
Le aringhe fresche sono strepitose. Purtroppo difficili da trovare. Potete fare questo piatto anche con le aringhe affumicate: in questo caso lasciatele a mollo ☞ coperte a filo di

latte per 6 ore, scolatele e asciugatele bene – restano comunque salate, quindi è inutile salare la preparazione.

Per 4. Tagliate a fettine sottili 4 cipolle e rosolatele con poco burro per 15' con un po' di aneto. Sciacquate e asciugate 600 g di filetti di aringhe fresche. Sciogliete 1 noce di burro in una padella e cuocete i filetti per 3', girateli, unite le cipolle e 2 mele sbucciate e tagliate a dadini e proseguite la cottura per 5'. Alla fine unite 200 g di panna, cuocete per 1', regolate di sale e pepe e servite. Accompagnate con patate a vapore.

Bianchetti aglio, olio e peperoncino
I bianchetti, noti anche col nome di gianchetti, il termine dialettale ligure, sono i pesci piccolissimi, appena nati, massimo 2 cm di lunghezza. Possono essere legalmente pescati da dicembre a aprile. Il rossetto invece è una specie di pesce che resta comunque piccolissimo: confonderli è inevitabile. Qualcuno li mangia bolliti per 30", conditi con olio, pepe e prezzemolo, ma la loro morte è questa.

Per 4. Comprate 600 g di bianchetti e non sciacquateli, assorbirebbero troppa acqua. Metteteli ad asciugare al meglio distribuiti su un canovaccio e raccoglieteli in una ciotola. In una padella fate dorare 2 spicchi d'aglio in 5 cl di olio e unite peperoncino a piacere. Quando l'aglio è ben rosolato, eliminatelo e gettate i pesciolini, mescolando subito e stando ben attenti che non si attacchino, fra loro e alla pentola. Cuocete per 30", trasferiteli nei piatti individuali e gustateli non appena non vi ustionerete più. Salare, non essendo stati lavati, non sembra necessario.

Cernia ripiena
Per 4. Lavate e asciugate bene una cernia da 1,2 kg pulita e privata della lisca. Mettete a bagno nel latte 4 fette di pancarré, strizzatele e frullatele con 100 g di gamberetti sgusciati e 50 g di funghi secchi messi a mollo ☞ in acqua tiepida per 15' e strizzati. Legate quest'impasto con 1 uovo e 2 cuc-

185

chiaiate di grana grattugiato, regolate di sale, noce moscata e pepe e farcite il pesce. Mettetelo in una pirofila unta d'olio, unite 20 cipolline sbollentate ☞ per 5', 1 bicchiere di vino bianco secco senz'alcol ☞, spolverizzate di pangrattato, irrorate di olio e cuocete in forno a 200° per 25'.

Coda di rospo all'americana
Detta anche rana pescatrice. La testa è orrenda, ma si trova sul mercato il solo tronco – peccato: con la testa si fanno strepitosi brodi e fumetti.

Per 4. Tagliate a bocconi 800 g di polpa di coda di rospo e saltateli a fuoco vivo in 1 noce di burro con 2 spicchi d'aglio per 2'. Toglieteli e teneteli in caldo. Nella stessa padella, dove è rimasto l'aglio, unite 1 bicchiere di vino bianco secco senz'alcol ☞, 4 cucchiaiate di soffritto di cipolle ☞, 4 pomodori sbollentati ☞, pelati, privati dei semi e grossolanamente tritati, poco succo filtrato di limone, prezzemolo tritato e pepe di Cayenna a piacere. Cuocete 10', eliminate l'aglio, unite 2 noci di burro ed emulsionate ☞ bene con una frusta. Aggiungete il pesce e cuocete ancora 5', unendo poca acqua se asciugasse troppo. Regolate di sale e servite.

Coda di rospo brasata
Per 4. Infarinate una coda di rospo da 1,2 kg pulita e rosolatela con poco burro per 3'. Sfumatela col succo filtrato di 1 limone, 1 noce di burro e 1 bicchierino di vino bianco secco senz'alcol ☞. Coprite e portate a cottura, ci vorranno circa 30', unendo poca acqua se asciugasse troppo. Regolate di sale e pepe. Servitela con 4 patate rosse lessate, pelate, schiacciate con una forchetta e condite con 4 cucchiai di fondo di cottura, 4 pomodori secchi tritati, 1 mela verde a dadini, 1 costa di sedano a dadini, sale e pepe.

Merluzzo con sedano di Verona
Per 4. Cuocete 2' per lato 800 g filetti di merluzzo in 1 filo di olio aromatizzato con 1 spicchio d'aglio. In una pirofila

unta con 1 filo di olio mettete i filetti, 4 pomodori sbollentati ☞, pelati, privati dei semi e grossolanamente tritati, 200 g di sedano di Verona tagliato a fettine e sbollentate ☞ per 5' e 200 g di funghi freschi tagliati a fettine e saltati in padella per 5' con 1 filo di olio e abbondante prezzemolo tritato. Innaffiate con 1 bicchiere di vino bianco secco senz'alcol ☞, salate e pepate, spolverizzate con pangrattato leggermente tostato e cuocete in forno a 200° per 10'.

Merluzzo con spinaci e formaggio
Per 4. Sbollentate ☞ 1 kg di spinaci per 2', strizzateli, saltateli al burro per 8' e tritateli. Cuocete 2' per lato i filetti in 1 filo di olio aromatizzato con 1 spicchio d'aglio. In una pirofila unta con poco burro distribuite gli spinaci. Coprite con i filetti e con 5 dl salsa *mornay* ☞. Spolverizzate di sale e pepe, unite qualche fiocchetto di burro e 100 g di grana grattugiato e cuocete in forno a 200° per 10'.

Nasello alle verdure
Splendido, se lo trovate selvaggio. In questo caso godetelo in carpaccio o riducetelo a filetti e friggeteli ☞ oppure cuoceteli sotto il grill del forno 4' per lato. Guarnite con la salsa che prediligete. Altrimenti scegliete preparazioni un po' complesse come questa.

Per 4. Cuocete 2' per lato 600 g di filetti di nasello in 1 filo di olio aromatizzato con 1 spicchio d'aglio. Sbollentate ☞ per 2' le punte di 200 g di asparagi mondati e per 1' 200 g di piselli e altrettante fave sgranate. Tagliate a rondelle gli asparagi e rosolateli con poco olio e 1 spicchio d'aglio per 10'. Frullate. In una casseruola unite i filetti, i piselli, le fave, le punte e la crema degli asparagi, 1 bicchierino di vino bianco senz'alcol ☞ e cuocete per 10'. Regolate di sale e pepe.

Orata al sale
Per 4. Lavate e asciugate un'orata da 1,2 kg pulita, farcitela con rosmarino, salvia e timo e spolverizzatela con pepe

nero pestato. In una pirofila fate uno strato di sale marino grosso, adagiate il pesce e coprite con abbondante sale. Cuocete in forno al massimo per 30'. Servitela condita con *chutney* ☞, salsa alla menta ☞ o salsa di mele ☞. L'ultima volta però l'ho gustata con una salsa pochissimo ortodossa, la salsa alle pere e cioccolato ☞: era perfetta.

Orata ai topinambur

Per 4. Pelate e affettate sottili 10 topinambur. Mettetene metà in una pirofila unta di olio, spolverate con 50 g di grana grattugiato e prezzemolo tritato, adagiate un'orata da 1,2 kg pulita e copritela col resto dei topinambur, 50 g di grana grattugiato e ancora prezzemolo. Irrorate con olio, spolverizzate di sale e pepe e cuocete in forno a 200° per 25'.

Palombo al latte

Mettete un palombo da 1,2 kg pulito in una casseruola e copritelo con 5 dl di latte e 1 dl di panna. Unite 50 g di gherigli di noci pestati, 50 g di mandorle sgusciate, sbucciate e pestate, 4 cucchiai di farina di riso e 4 cucchiai di soffritto di cipolle ☞. Cuocete in forno a 200° per 20', scolate il pesce e tenetelo al caldo. Passate il fondo al passaverdura ed emulsionatelo ☞ con 1 noce di burro a fuoco dolcissimo fino ad avere una consistenza cremosa. Regolate di sale e pepe. Servite il palombo irrorato con la salsa.

Rombo con le mele

Cuocete 2' per parte 4 tranci di rombo in una padella unta con poco olio con 1 spicchio d'aglio. Scolateli e teneteli in caldo. Nella stessa padella unite 1 bicchiere di vino bianco secco senz'alcol ☞, 4 cucchiaiate di soffritto di cipolle ☞, 2 mele sbucciate e tagliate a fettine, il succo filtrato di mezzo limone, 1 manciata di uvetta messa a mollo ☞ in acqua tiepida per 20' e strizzata e cuocete per 10'. Aggiungete il pesce e portate a termine la cottura per 5'. Regolate di sale e pepe e servite.

Fricassea di rombo

Per 4. Saltate 16 funghi champignon divisi a metà con poco olio finché avranno buttato fuori la loro acqua. In una casseruola unite le 16 cipolline glassate ☞, i funghi, 4 cucchiaiate di soffritto di cipolle ☞, 1 bicchiere di vino bianco dolce senz'alcol ☞ e cuocete per 2'. Aggiungete 1 dl di panna e 20 g di roux ☞ e cuocete ancora per 4'. Rosolate 600 g di polpa di rombo tagliato a dadi in poco olio e 1 spicchio d'aglio per 2' e unitelo alla fricassea. Fate lo stesso con 16 code di gambero, rosolate per 1'. Cuocete per 3', spolverizzate con abbondante prezzemolo tritato e regolate di sale e paprika. Fuori dal fuoco legate con 1 tuorlo e 1 cucchiaio di succo filtrato di limone.

Gattò di sarde e carciofi

Per 4. Pulite 4 carciofi, passandoli man mano in acqua fresca acidulata con il succo di 1 limone per evitare che anneriscano. Scolateli e tagliateli a fettine sottili. Pulite 800 g di sarde fresche eliminando la testa e le lische, sciacquatele e asciugatele bene. Spolverizzatele con pangrattato condito con olio, poco sale e origano. In una teglia da forno unta di olio e spolverizzata con poco pangrattato, mettete a strati i carciofi, le sarde, 200 g di formaggio fresco tagliato a pezzetti e terminate con pangrattato. Condite con 1 filo di olio, spolverizzate di sale e pepe e cuocete in forno a 180° per 25'. Lasciate intiepidire prima di servirlo.

Sogliole alle ostriche

Per 4. Rosolate 800 g di filetti di sogliola in poco burro 2'-3' per parte e teneteli al caldo. Aprite 12 ostriche a caldo ☞. Unite a 30 g di roux ☞ l'acqua delle ostriche e poco vino bianco secco senz'alcol ☞ e cuocete per 5'. Emulsionate ☞ con 1 dl di panna, aggiungete le ostriche spezzettate e regolate di sale e pepe. Coprite con questa salsa le sogliole e servite.

Sogliole allo Champagne

Per 4. Rosolate 800 g di filetti di sogliola in poco burro 2'-

3' per parte e teneteli al caldo. Nella stessa padella deglassate ☞ con 1 bicchiere di Champagne (non scherziamo, meglio lo spumante!) per 3', unite 4 cucchiaiate di soffritto di cipolle ☞, 1 bicchiere di fondo di pesce ☞, 30 g di roux ☞ e cuocete per 5'. Emulsionate ☞ con 2 noci di burro, regolate di sale e pepe. Servite le sogliole coperte con questa salsa.

Filetto di tonno in padella

Per 4. Tirate fuori dal frigo 4 filettoni di tonno alti 4 cm almeno 3 ore prima di cucinarli – se no restano troppo freddi. Legateli con filo da cucina perché non perdano la forma. Fateli rosolare in una padella con poco burro per il tempo che più vi aggrada, come si fa per i filetti di carne, da 2' a 5' per lato. Toglieteli e passateli in forno a 90°. Deglassate ☞ il fondo della padella, cioè unite 1 bicchiere di brandy, fiammeggiate ☞ e fate ridurre, grattando il fondo con un cucchiaio di legno. Versate 1 bicchiere di brodo ristretto o fondo di pesce ☞ e 40 g di roux ☞. Cuocete per 6' e regolate di sale e pepe. Emulsionate ☞ con 1 noce di burro e rimettete per 1' i filetti nella padella. Varianti. Al posto del brodo di pesce si può usare salsa di pomodoro ☞, alla senape ☞ o al curry ☞ piuttosto che una salsa frullata di asparagi, carciofi, fave e altre verdure.

Triglie in foglie di vite

Per 4. Sbollentate ☞ 8 foglie di vite per 1', scolatele e asciugatele tamponandole con carta da cucina. Lavate e asciugate 16 filetti di triglie. In ogni foglia mettete 1 filetto, coprite con 1 fetta di pancetta affumicata, 1 foglia di alloro e completate con 1 altro filetto. Irrorate con poco olio, regolate di sale (poco) e pepe e arrotolate le foglie, chiudendo al meglio, caso mai utilizzando uno stuzzicadenti. Cuocetele in una teglia unta in forno a 180° per 15', poi, se l'avete messo, eliminate lo stuzzicadenti. Se non trovate le foglie di vite, potete usare fogli di alluminio. L'alloro non si mangia.

Mania dell'autore 16:
il baccalà

Baratto tutti i pesci per il baccalà... In Italia per fortuna arrivano dalla Norvegia, ma anche da altri paesi, il baccalà e lo stoccafisso migliori del mondo. Costano ma valgono. Il baccalà è il merluzzo salato e seccato, lo stoccafisso, più prezioso e raro, quello solo seccato. Ma non dovunque; in Veneto chiamano baccalà lo stoccafisso, cose che capitano. I negozianti seri il baccalà lo propongono già bagnato, dissalato, pulito e pronto per la cottura – a casa ci si mette 1 settimana a renderlo pronto per la cottura, mai lo farò. Se non lo fanno, cambiate negoziante.

Per quanto dissalato, il baccalà resta sempre salato. Ricordatevelo quando regolate di sale.

Baccalà alla milanese
Per 4. Infarinate 8 fette di baccalà pronte per la cottura e ben asciutte, eliminatene l'eccesso, poi passatele nell'uovo leggermente sbattuto con 1 cucchiaio di latte, di nuovo nella farina e nell'uovo e infine nel pangrattato mescolato a 2 cucchiai di grana grattugiato. Cuocetele in abbondante olio d'oliva ma non extravergine e burro ben caldi 4' per lato e spolverizzateli con sale, poco che sempre salato resta, e pepe. Servitelo, va da sé, con risotto alla milanese ☞.

Baccalà alla spagnola
Per 4. Tagliate a dadi 800 g di baccalà pronto per la cottura e fateli saltare in poco olio bollente per 3'. Teneteli da

parte in caldo. Nella padella unite 4 pomodori sbollentati ☞, pelati, privati dei semi e tritati grossolanamente, 3 peperoni, possibilmente 1 giallo, 1 verde e 1 rosso, mondati e tagliati a julienne, 4 cucchiaiate di soffritto all'italiana ☞ e cuocete per 15', unendo poca acqua se asciugasse troppo. Aggiungete il baccalà e 1 bicchierino di vino dolce senz'alcol ☞, cuocete per 10', regolate di sale e pepe e servite.

Baccalà con i fagioli

Per 4. In una casseruola, coprite a filo d'acqua fredda 800 g di baccalà pronto per la cottura e aromatizzate con 1 cipolla, 1 carota, 1 costa di sedano, tutti tagliati a fettine, 1 foglia di alloro, 2 chiodi di garofano e pepe in grani. Mettete sul fuoco e appena sta per accennare al bollore spegnete e lasciatelo riposare per 20'. In una casseruola cuocete 400 g di fagioli già bolliti al dente con 4 cucchiaiate di soffritto di cipolle ☞ e 1 bicchierino di vino bianco senz'alcol ☞ per 5', unite il baccalà scolato e tagliato a pezzetti e completate la cottura per 2'. Regolate di sale e pepe, condite con un filo d'olio e servite. Potete in alternativa utilizzare ceci o tutti i legumi prediletti.

Stoccafisso alla vicentina

Detto baccalà alla vicentina. È una mia versione assolutamente poco ortodossa, chiedo da subito scusa ai vicentini ortodossi.

Per 4. Fate un soffritto ☞ con 3 cipolle, poco prezzemolo e 4 filetti di acciuga. In una pentola di terracotta mettete 600 g di stoccafisso pronto per la cottura e tagliato a fette, alternandolo con il soffritto, poca farina bianca da polenta e poco grana. Unite 2 bicchieri di latte e 2 bicchieri di olio extravergine d'oliva leggero, ligure o del Garda. Cuocete coperto a fuoco dolcissimo, muovendo di tanto in tanto la pentola, per 4 ore, unendo poca acqua se asciugasse troppo. Regolate di sale e pepe e servitelo con polenta bianca.

I pesci d'acqua dolce

Se i pesci di mare latitano sulle tavole delle nostre case, quelli di acqua dolce ancor di più. Peccato. Ecco una serie di proposte, coerenti con la mia crociata in difesa dei pesci d'acqua dolce. Continuo a evitare, perché troppo scontate, le proposte ai ferri, lessate e alla griglia. Tutti le conoscono.

Anguilla alle albicocche
Per 4. Rosolate 1 kg di anguille pulite, spellate e tagliate a tocchi di 4 cm con 1 filo di olio e 1 spicchio d'aglio per 4'. Unite 1 bicchierino di vino bianco dolce (con l'alcol: grasso dell'anguilla picchia), 4 cucchiaiate di soffritto di cipolle ☞, 1 cucchiaio di zucchero, 2 foglie d'alloro e 4 foglie di salvia e cuocete per 12' a fuoco dolce, unendo poca acqua se asciugasse troppo. Eliminate aglio e alloro, unite 200 g di albicocche secche messe a mollo ☞ nel rum per 20', strizzate e divise in 4 parti, 60 g di uvetta messa sempre a mollo nel rum per 20' e strizzata e 2 cucchiaiate di aceto di mele e cuocete per 4', sempre a fuoco dolce e rimestando. Regolate di sale e pepe, spolverizzate con foglie di menta tritate e servite.

Ragoût di anguilla al vino rosso
Per 4. Rosolate 1 kg di anguille pulite, spellate e tagliate a tocchi di 2 cm con 1 filo di olio e 1 spicchio d'aglio per 2'. Unite 1 bicchierino di vino rosso secco, 4 cucchiaiate di soffritto di cipolle ☞ e 1 mazzetto guarnito ☞ e cuocete per 12' a fuoco dolce, unendo poca acqua se asciugasse troppo. Eli-

minate aglio e mazzetto. Tagliate a fette 200 g di funghi freschi a piacere e saltateli a fuoco vivo con 1 filo di olio e 1 spicchio di aglio finché la loro acqua sarà evaporata. Eliminate l'aglio. Mescolate 200 g di cipolline glassate ☞ e i funghi con l'anguilla e cuocete per 4', unendo 1 bicchierino di brodo di verdure ☞ e 20 g di roux ☞. Regolate di sale e pepe e profumate con prezzemolo tritato.

Carpa alla birra
Lungo i secoli, la carpa, allevata negli stagni di tutta Europa, è stata la prima fonte di proteine nel nostro continente. D'accordo, non è saporitissima, ma per il rispetto del suo ruolo storico ogni tanto è giusto gustarla.

Per 4. Foderate una pesciera con 2 cipolle, 1 gambo di sedano e 2 carote tagliate a fette e brasate per 10' nel burro. Accomodate una carpa pulita da 1,2 kg, coprite con mezzo litro di birra scura, unite 1 mazzetto guarnito ☞ e 80 g di pane sbriciolato e cuocete a fuoco dolcissimo per 25'. Sgocciolate il pesce e tenetelo in caldo. Eliminate il mazzetto, passate il fondo al passaverdura ed emulsionatelo ☞ con poco burro. Regolate di sale e pepe. Servite la carpa con questa salsa.

Carpa all'ebraica
Per 4. Fate un brodo con 1 litro d'acqua e 1 cipolla a fette, 1 carota a fette, 1 limone sbucciato e tagliato a fette, 2 foglie di alloro, 4 chiodi di garofano e qualche grano di pepe. Cuocete a fuoco dolce per 1 ora e filtrate. Unite al brodo una carpa pulita da 1,2 kg tagliata a tranci, 1 cucchiaio di miele, 100 g di uvetta messa a mollo ☞ per 20' e strizzata, 100 g di mandorle sgusciate, sbucciate e pestate, 80 g di pane nero sbriciolato e cuocete per 25'. Sgocciolate il pesce e tenetelo in caldo. Emulsionate ☞ il fondo con poco burro e regolate di sale e pepe. Servite la carpa calda o fredda con questa salsa.

Carpione in carpione
Il carpione è un pregiato pesce d'acqua dolce. È anche il

nome di una millenaria tecnica di conservazione che, nelle varie tradizioni, prende diversi nomi come scapece, escabece, saor e altri. Si tratta di pesce fritto e conservato in una marinata di aceto. Si può fare con tutti i pesci. Così marinati, durano 1 settimana se conservati in luogo fresco.

Per 4. Infarinate leggermente 800 g di filetti di carpione (o di qualunque pesce d'acqua dolce o salata) e friggeteli in abbondante olio di semi di arachide. Metteteli in una ciotola e aggiungete abbondante pepe in grani. Rosolate per 15' in una casseruola in 1 filo di olio, 1 cipolla, 1 carota e 1 gambo di sedano tagliati a fette e 2 foglie di alloro. Unite 2 dl di acqua e 3 dl di aceto bianco e portate a bollore, mescolando. Versate questa marinata bollente nella ciotola, in modo da coprire tutto il pesce. Lasciate marinare almeno 1 giorno in luogo fresco.

Ragoût di luccio con gli asparagi
Per 4. Staccate le punte di 16 asparagi e sbollentatele ☞ per 1'. I gambi pelateli, cuoceteli a vapore per 15' e frullateli. Rosolate 1 kg di polpa di luccio tagliata a bocconcini con 1 filo di olio e 1 spicchio d'aglio per 1'. Unite 1 bicchierino di vino bianco secco senz'alcol ☞, 4 cucchiaiate di soffritto di cipolle ☞ e cuocete per 4' a fuoco dolce, unendo poca acqua se asciugasse troppo. Eliminate l'aglio. Mettete a mollo ☞ 20 spugnole secche in acqua tiepida per 30', asciugatele e rosolatele con 1 spicchio di aglio per 1'. Eliminate l'aglio. Unite le punte e la crema di asparagi e le spugnole e cuocete per 4'. Regolate di sale e pepe e profumate con basilico spezzettato.

Luccio alla panna
Per 4. Sciogliete 50 g di burro in una casseruola antiaderente, unite un luccio pulito da 1,5 kg e rosolatelo per 15', muovendolo con delicatezza, continuando a pennellare il lato superiore con il burro della padella. Aggiungete 4 cucchiaiate di soffritto di cipolle ☞, coprite con 5 dl di panna e 1 cucchiaio di succo filtrato di limone e proseguite la cottura per 10', sempre pennellandolo e a fuoco dolcissimo. Alla fine re-

golate di sale e pepe. Disponete il pesce su un piatto di portata e nappatelo ☞ con il fondo emulsionato ☞, profumato con prezzemolo tritato. Servitelo con purè di castagne ☞.

Pesce persico all'arancia

Per 4. Marinate 800 g di filetti di pesce persico nel succo di 1 arancia per 30', girandoli di tanto in tanto. Scolateli, asciugateli, spolverizzateli di farina e cuoceteli in 1 noce di burro ben caldo 2' per lato; sgocciolateli su carta assorbente e teneteli in caldo. Nella padella emulsionate ☞ il fondo con 1 noce di burro, il succo della marinata e la scorza dell'arancia tagliata a julienne. Regolate di sale e pepe. Guarnite i filetti con la salsa e servite con risotto alla piemontese ☞.

Pesce persico con cipollotto e peperoncino

Per 4. Rosolate in 1 filo di olio 400 g di cipollotto tritato per 20', unite 2 cucchiai di salsa di pomodoro ☞, 1 bicchierino di vino bianco dolce senz'alcol ☞, peperoncino, 1 foglia di alloro, timo fresco e basilico a piacere e cuocete per 10'. Regolate di sale ed eliminate l'alloro. Spolverizzate 800 g di filetti di pesce persico di farina e cuoceteli in 1 filo di olio d'oliva non extravergine e 1 noce di burro ben caldi 2' per lato. Guarnite con la salsa e servite con purè di sedano di Verona ☞.

Salmone con melanzane

Il re dei pesci d'acqua dolce, anche se la sua fama è leggermente usurpata (a mio parere luccio, lucioperca – peraltro introvabile in Italia – e storione lo battono). Comunque lo si trova con grande facilità e le carni rosate sono sempre accattivanti. È grasso.

Per 4. Tagliate a julienne 2 melanzane e fatele rosolare in poco olio e 1 spicchio d'aglio per 2', unite 4 cucchiaiate di soffritto di cipolle ☞ e 1 bicchierino di vino bianco secco senz'alcol ☞ e cuocete per 6'. Regolate di sale e pepe, eliminate l'aglio e legate con 2 cucchiaiate di salsa di pomodoro ☞ e qualche foglia sminuzzata di menta. Infarinate leggermente 800 g di scaloppe di salmone e cuocetele in 1 filo di olio per 3', giratele, unite le melanzane e cuocete per 3'.

Polpette di salmone
Delicate e ottime – sono un piatto della grande cucina internazionale! Chiamatele *pojarsky*, il vero nome, che è sempre una polpetta, ma il nome esotico dà un profumo tutto particolare. Farete un figurone.

Per 4. Tritate con un coltellaccio 800 g di salmone pulito più fine che potete. In una ciotola lavoratelo con 4 fette di pancarré private del bordo, ammorbidite nel latte e strizzate, 1 uovo, 1 noce di burro, prezzemolo tritato, sale e pepe. Formate 4 grosse polpette che appiattirete allo spessore di 2 cm. Infarinatele e cuocetele 3' per parte in olio d'oliva non extravergine e burro ben caldi. Nappatele ☞ con salsa alla menta ☞ e servitele con caponata ☞.

Storione
Grande pesce che, essendo allevato, è sempre disponibile, tutto l'anno. La carne è soda, delicata, non troppo saporita e ricorda quella del vitello; piace a grandi e piccini. E tutte le preparazioni del vitello ☞ vanno bene – non è una mia mania ma una regola della cucina classica. Anche i tempi di cottura sono gli stessi.

Trota al vino rosso
Trovarla di torrente è come vincere un terno al lotto. Auguri!

Per 4. Rosolate 4 trote pulite in 1 filo di olio (o 1 noce di burro) per 2', unite 4 dl di vino rosso senz'alcol ☞ e 4 cucchiaiate di soffritto all'italiana ☞ e cuocete a fuoco dolce per 10'. Toglietele e tenetele in caldo. Nella casseruola emulsionate ☞ il fondo con poco olio (o burro), unite 30 g di roux ☞ e cuocete per 6', fino ad avere una salsa densa. Regolate di sale e pepe e profumate con un po' di prezzemolo tritato. Nappate ☞ le trote con questa salsa.

197

I preziosi crostacei

Poche, ghiotte e preziose ricette per questi grandi ingredienti. Tutte un po' truculente, ma così va il mondo.

Aragosta lessata
Per 2. Legate 2 aragoste vive da 600 g l'una a due assicelle, così che non si piegheranno durante la cottura. Mettetele, immergendo prima la testa, in un *court-bouillon* ☞ bollente e lessatele per 15'. Scolatele e lasciatele intiepidire. Dividete ciascuna in 2 per il lungo, staccate la polpa dalla carcassa e tagliatela a dadi. Mettete qualche foglia di insalata tagliata a julienne in ogni mezza carcassa, coprite con poche fettine di pomodoro, condite con maionese ☞, disponetevi la polpa a dadi, nappate ☞ con salsa cocktail ☞, irrorate con 1 filo d'olio e servite.

Astice all'americana
Se avete deciso di investire in astici, non potete che regalarvi questa classica preparazione, qui in versione semplificata.

Per 2. Sbollentate ☞ 2 astici vivi da 600 g per 1', scolateli, lasciateli intiepidire, sgusciateli, spezzate le chele per estrarre la polpa e separate corallo e parti cremose. Pestate gusci e chele. Uniteli in una casseruola a 1 bicchiere di vino bianco senz'alcol ☞, 4 cucchiaiate di soffritto di cipolle ☞, 3 pomodori sbollentati, pelati, privati dei semi e grossolanamente tritati, poco succo filtrato di limone e pepe di Cayenna a piacere. Coprite a filo di brodo di verdure ☞, cuocete per 40' unendo poco brodo se asciugasse troppo; passate al passaverdura. Scaldate la crema ed emulsionatela ☞ col corallo tritato, le parti cremose e 1 noce di burro. Regolate di sale e guarnite con prezzemolo e dragoncello. Tagliate a bocconi gli astici, fateli saltare in padella con poco burro e 1 spicchio di aglio per 4', eliminate l'aglio e serviteli nappati ☞ con la crema.

Gamberi alla busera
Tradizionalmente i gamberi si mettono interi, con i gusci, a cuocere nel pomodoro. Ma una volta cotti, quando si cerca di aprirli, zeppi di pomodoro come sono, si schizza dovunque, fino al soffitto. Questa è la mia versione.

Per 2. Fate aprire a fuoco vivo 500 g di cozze, sgusciatele e filtrate il fondo. Immergete 12 gamberi (o più, dipende dai gusti e dal portafoglio), possibilmente vivi, in acqua bollente leggermente salata per 1'. Sgocciolateli, lasciateli intiepidire, togliete le teste e i gusci e pestateli. Metteteli in una padella, unite le cozze tritate, la loro acqua, 300 g di salsa di pomodoro ☞, 2 cucchiaiate di soffritto di cipolle ☞, 1 bicchierino di vino bianco secco senz'alcol ☞ e cuocete per 40', unendo poca acqua se asciugasse troppo. Passate al passaverdura. Scaldate la crema, regolate di sale e peperoncino e unite i gamberi privati del budellino nero. Cuocete per 4' e servite spolverizzato con prezzemolo tritato.

Scampi alla crudele
Tenete lontane le persone sensibili da questa ricetta.

Per 2. Mettete in una ciotola 1 bicchiere di vino bianco, 1 di vermut dry e 1 di gin. Mescolate. Unite 12 (o più, dipende dai gusti e dal portafoglio) scampi vivi, coprite con un coperchio e lasciateli in questa marinata per 1 ora, mescolando di tanto in tanto: alla fine saranno ubriachi fradici. Scolateli, sgusciateli, eliminate il budellino nero e gustateli con salsa *ponzu* all'italiana ☞ o una salsa a piacere.

Le tecniche di cottura delle carni

Confesso: sono un carnivoro impenitente. Sono nato carnivoro, lo sono sempre stato e sempre lo sarò. Un bel muscolo di un bue molto anziano mi dà più emozioni di qualunque ostrica, aragosta o torta di mele. Anche più di un risotto – che è tutto dire. Parliamo, per cominciare, dei modi di cuocere la carne. Sono poco meno di una dozzina. Raramente ci si sofferma sul loro esatto significato. Proviamo a rimediare.

Rosolare
È una precottura. Consiste nel cuocere un pezzo di carne in un velo di grasso, girandolo, per creare sulla carne una uniforme crosticina marrone. Ne parleremo di più nella mania del brasato ☞.

Arrostire
È la più difficile di tutte le cotture, la più arcaica, la prima che l'uomo ha messo a punto quando la pentola era ancora una cosa del futuro. Una bestia cacciata, uno spiedo, il fuoco e via. Brillat Savarin diceva che cuochi si diventa mentre arrostatori o rosticcieri che dir si voglia (ma in francese *rôtisseurs* ha un suono più nobile) si nasce. Arrostire vuol dire cuocere ad alto calore diretto, cioè è l'aria scaldata che cuoce la carne. Può avvenire in un forno o allo spiedo. Si possono aggiungere solo dei grassi più o meno aromatizzati, in genere spennellando. Nella cottura, si parte a calore vivace e poi

si smorza (nello spiedo, si allontana dalla fonte di calore) dopo che si è formata una specie di crosta scura attorno all'ingrediente. Anche arrostendo, una rapida rosolatura ☞ in una casseruola, che sostituisce la prima cottura a calore vivace, è un trucco che non tradisce mai. Poi si prosegue con l'arrostitura: poco ortodosso ma vincente. Se l'arrostire avviene invece in una pentola su una fonte di calore, diventa:

Cuocere in casseruola

Cioè cuocere a fuoco dolcissimo, in una casseruola pesante, chiusa da un pesante coperchio per eliminare al meglio la fuoriuscita del vapore, senza aggiungere liquidi di sorta ma solo grassi. Molti chiamano questo arrostire ma è un errore. Il vantaggio di questa tecnica è duplice: cuocendo in una casseruola non si sporca il forno di grasso, sempre rognoso da pulire, mentre per la casseruola ci penserà la lavastoviglie. Poi il fondo di cottura è facilmente recuperabile, diventa un buon sughino per la carne. Questi due motivi bastano e avanzano per consigliarvi di non arrostire mai, salvo che su uno spiedo all'aperto, e di cuocere sempre in casseruola.

Cuocere alla griglia

Cioè il barbecue. Per questa cottura occorre che l'ingrediente sia stato passato più o meno a lungo in una marinata ☞ altrimenti resterà alla fine troppo asciutto e stopposo. Si asciuga bene, si unge e si cuoce su una griglia, in genere di ferro, che viene messa su del carbone di legna, elementi elettrici o a gas e possibilmente all'aria aperta, che altrimenti l'odore di barbecue persisterà a lungo in casa. Meglio poter variare la distanza della griglia, che può essere piena o a grata, liscia o zigrinata, dalla fonte di calore. È una splendida cottura, rispetta moltissimo gli ingredienti, certo non è facile, ma quando si fa la mano i risultati saranno esaltanti.

Lessare

Vuol dire cuocere in acqua bollente. Dopo l'arrostitura, la più arcaica di tutte le cotture, di certo la più nobile. È grande perché esalta qualsiasi pezzo di carne, potrà essere tenace e stopposo ma prima o poi diventa commestibile e sempre buono – la stopposità iniziale è in questo caso una virtù, mentre i tagli cosiddetti nobili e magri come il filetto mal si sposano all'acqua bollente. La distinzione con bollire è sottile. In linea di massima, lessare vuol dire cuocere qualcosa in un liquido, indipendentemente dalla temperatura di partenza del liquido. Bollire di contro vuol dire che l'ingrediente è stato messo in un liquido già caldo – più sottile di così! Si lessa scoperto e sempre si schiuma ☞.

Cuocere a vapore

Altro cugino nobile della lessatura, splendido, emergente, del futuro. In questo caso l'ingrediente, posto in una gratella, viene cotto non dall'acqua ma dal vapore generato. L'alimento viene rispettato al massimo. Benché molti non siano d'accordo, è inutile aromatizzare l'acqua, il vapore non trasporta i profumi! Occorre aromatizzare l'ingrediente. Chi ha inventato quella gratella a raggiera che si adatta a tutte le pentole tonde è un vero genio.

Saltare

Vuol dire cuocere in casseruola con pochi grassi, a fuoco vivo. Si salta in una casseruola di ghisa, d'acciaio o di alluminio – anche di rame o argento, se si vuole. Gli ingredienti sono in genere ridotti a bocconcini più o meno piccoli o a filetti. Dato che cuoce solo il lato a contatto del grasso, bisogna muovere i bocconcini, appunto farli saltare, in modo che la cottura diventi uniforme.

Cuocere in teflon

Vuol dire mettere bocconcini o filetti in una casseruola di teflon appena unta e cuocere a fuoco dolce. È un'altra cottura del futuro. Oggi si usa più per i filetti di pesce che per la carne ma si userà sempre di più.

Friggere

Il saltare diventa friggere se si cuoce ad alta temperatura

una gran quantità di grassi dove si immergono del tutto gli ingredienti. Il grasso di cottura deve reggere le alte temperature al meglio e non deve prevaricare sull'ingrediente. Ciò detto, i migliori sono lo strutto, l'olio di semi di arachide e il burro chiarificato ☞. Non l'olio d'oliva, non il burro.

Gratinare

Vuol dire mettere una preparazione già cotta sotto una fonte di calore perché si formi una crosticina, appena prima che venga servita. Non si fa mai, ma non guasterebbe.

Stufare

Si cuoce la carne in una casseruola con l'aggiunta di grassi e liquidi come vino e brodo. Sempre in una casseruola pesante ben chiusa con un coperchio pesante. C'è un quasi sinonimo, cuocere in umido, con la sottilissima differenza che mentre si stufa coperto si può anche cuocere in umido scoperto: non è solo la Chiesa cattolica apostolica romana ad avere i gesuiti.

La carne stufata, per essere tale, non deve aver subito una rosolatura ☞ iniziale. Se l'ha subita, allora stufare diventa brasare ☞. Ma questa è una mania, merita un capitolo a parte, il prossimo.

Mania dell'autore 17:
l'amatissimo brasato

Il brasato, che a mio del tutto personale parere condivide con il bollito misto il culmine dell'umano piacere, merita un capitolo a sé.

Tutto si può brasare, dal pesce alle verdure. Ma "il brasato" è un bel pezzo di carne di bue – deve essere un muscolo con tutte le sue belle striature di grasso (evitate la carne troppo magra). Si cuoce intero. Certo, si può brasare anche carne tagliata a dadoni, ma il brasato è cotto intero.

✓ E se la carne è troppo magra? Allora lardellatela, cioè picchettatela: con un attrezzo speciale introducete nella carne bastoncini di lardo o di pancetta grassa. Non lo fa mai nessuno, ma rende il brasato più tenero e saporito.

✓ In Italia esiste il termine arrosto morto, che è carne ben rosolata e stufata ☞. Neanche il più raffinato gesuita è in grado di distinguere un arrosto morto da un brasato.

Brasare vuol dire compiere due operazioni successive. La prima consiste nel rosolare ☞, termine che abbiamo incontrato già tante volte in questo libro. Vuol dire creare una crosta di buona consistenza per, come tutti dicono, "impedire alle sostanze interne di fuoriuscire". Molti studiosi di biochimica dicono che la storia di questa crosta che impedisce l'uscita delle sostanze è una leggenda. Ciononostante questa crosta, anche se non trattiene i liquidi, rende buona la carne che stiamo cucinando: e a noi interessa solo che sia buona e quindi tiriamo avanti. Aggiungo che per creare questa crosta i grassi devono essere caldissimi quando si unisce la carne, che null'altro deve essere ancora stato aggiunto, solo grassi, e che va più che bene utilizzare metà olio d'oliva, ma non extravergine, e metà burro.

La seconda operazione prevede l'aggiunta di liquidi caldi, che coprano la carne poco meno che a filo. Va bene brodo, vino, latte, anche acqua, si fa per dire. Si uniscono gli altri ingredienti previsti dalla ricetta, verdure e odori. Si cuoce dolcemente e coperto con un coperchio pesante, il liquido deve appena sobbollire, se evaporasse troppo se ne aggiunge ancora un po', sempre ben caldo. Si gira la carne di tanto in tanto. Alla fine il fondo si passa o meno e lo si lega con poco roux ☞ se necessario. Passare la carne nella farina prima della rosolatura iniziale lo fanno tutti, funziona ma è più prudente aggiungere il roux ☞ alla fine.

I tempi di cottura variano secondo il taglio e la qualità della carne. Nel dubbio abbondate, non si cuoce mai troppo un brasato.

Le pentole di ghisa purtroppo sono molto care. Comunque, se amate i brasati fate l'investimento, vi durerà tutta la vita. Il brasato muore con la ghisa.

Ecco due amatissime proposte, virtualmente perfette.

Brasato al Barolo
Per 6. Fate rosolare per 10' nel burro 1,5 kg di muscolo di un bel bovino molto adulto, di più di 36 mesi di età. Aggiungete 1 bottiglia di Barolo senz'alcol ☞, 6 cucchiaiate di soffritto all'italiana con pancetta ☞, 2 spicchi d'aglio, qualche cotenna sbollentata per 10' e tagliata a striscioline, 1 cucchiaio di concentrato di pomodoro e 1 di zucchero e 1 mazzetto guarnito ☞; cuocete coperto a fuoco dolcissimo per 4 ore, unendo poca acqua se asciugasse troppo. Alla fine togliete la carne, tenetela al caldo, eliminate il mazzetto e passate il fondo al passaverdura. Rimettetelo sul fuoco e cuocete con 30 g di roux ☞ per 5'. Regolate di sale e pepe e spolverizzate con prezzemolo tritato fine. Servite la carne tagliata a fette nappata ☞ con il fondo.

Brasato alla California

Che era ed è una ridente storica cascina della Brianza, non lo stato sulla costa occidentale degli Stati Uniti.

Per 6. Fate rosolare per 10' in olio d'oliva, ma non extra-vergine, e burro 1,5 kg di codone di bue (o di manzo), unite 1 bicchiere di aceto bianco e fate sfumare. Aggiungete 1 bicchiere di vino bianco secco senz'alcol ☞, 2 di brodo di manzo ☞, 6 cucchiaiate di soffritto all'italiana con pancetta ☞, 1 mazzetto guarnito ☞, qualche cotenna sbollentata ☞ per 10' e tagliata a striscioline, 1 cucchiaio di zucchero e 3 dl di panna. Cuocete coperto a fuoco dolcissimo per 4 ore, unendo poco brodo se asciugasse troppo. Alla fine eliminate il mazzetto, passate il fondo al passaverdura, regolate di sale e pepe e servite la carne tagliata a fette e nappata ☞ con il fondo emulsionato ☞ con poca panna e spolverizzato con prezzemolo tritato fine.

Sua maestà il bue

Se la carne mi fa impazzire, quella di bue mi fa perdere la testa più di tutte le altre. Ma cos'è un bue? È un bovino maschio di oltre 36 mesi. Il manzo invece ha un'età compresa fra i 18 e i 36 mesi. I piatti proposti in questo capitolo vanno bene per entrambi, ma il bue ha una marcia in più. È sempre più introvabile, tutti macellano prima che possono, lo capisco, è una dura legge di mercato, ma il bue ha proprio una marcia in più.

Carbonata
Per 6. Fate rosolare per 6' in olio di semi e burro 1,2 kg di bue (o di manzo) tagliato a dadoni 4 x 4. Unite 6 cucchiai di soffritto di cipolle ☞, 1 bottiglia da 33 cl di birra bionda o scura, 1 cucchiaio di zucchero, 1 di aceto di mele e 1 mazzetto guarnito ☞. Cuocete coperto a fuoco dolcissimo per 2 ore unendo poca acqua se asciugasse troppo. Alla fine eliminate il mazzetto, unite 2 cucchiaiate di salsa alla senape ☞ e regolate di sale. Accompagnate con patate lesse.

Chili con carne
Per 6. Fate rosolare per 5' in olio di semi caldo 1,2 kg di polpa di bue (o di manzo) tagliata a dadi 1 x 1. Unite 4 pomodori sbollentati ☞, pelati, privati dei semi e tritati grossolanamente, 1 punta di concentrato di pomodoro, 4 cucchiaiate di soffritto di cipolle ☞, 4 spicchi di aglio, 4 peperoncini verdi tritati e peperoncino rosso secco tritato a piacere, ma è do-

veroso abbondare, cumino a piacere, 1 cucchiaio di zucchero di canna e 2 bicchieri di brodo di manzo ☞. Cuocete coperto a fuoco dolcissimo per 1 ora e mezzo, unendo poco brodo se asciugasse troppo. Alla fine unite 600 g di fagioli neri o rossi lessati, regolate di sale e cuocete ancora per 10'.

Gulasch

Quello che gli ungheresi chiamano *pörkölt* e gli altri gulasch. Il *gulyàs* ☞ è una zuppa di carne in terra magiara.

Per 6. Fate appassire 600 g di cipolle tagliate in poco burro per 15'. Fate rosolare per 6' in olio di semi e burro 1,2 kg di bue (o di manzo) tagliato a dadoni 4 x 4. Unite 2 bicchieri di brodo di manzo ☞, 4 pomodori sbollentati ☞, pelati, privati dei semi e tritati grossolanamente, le cipolle appassite, 2 spicchi d'aglio, 1 cucchiaio di cumino, 2 peperoni puliti e tagliati a julienne e paprika a piacere – ma abbondate. Cuocete coperto a fuoco dolcissimo per 1 ora e mezzo circa unendo poco brodo se asciugasse troppo. Aggiungete 600 g di patate tagliate a dadi e completate la cottura per 30'. Regolate di sale.

Gulasch alla Bergese

Uno dei più succulenti piatti per chi è un vero duro. Il Maestro lo chiama gulasch di coda.

Per 8. Tagliate a pezzi 1,5 kg di coda di bue (o di manzo), a dadi 500 g di costata di manzo, a dadi 600 g di cuore di manzo e a quadretti 200 g di cotenne. Mescolate tutte le carni. Sciacquate 700 g di cipolline. In una casseruola di ghisa mettete sul fondo 100 g di lardo tagliato a piccoli pezzi e 50 g di burro a fiocchetti. Fate uno strato di carni, spolverizzate di sale e paprika, coprite con cipolline, spolverizzate, e così di seguito, spolverizzando sempre, fino a esaurimento degli ingredienti. Finite con le cipolline. Cuocete coperto a fuoco dolcissimo per 4 ore, mescolando e unendo di tanto in tanto 1 mestolino di acqua bollente. Servite con patate bollite.

Filetto al pepe verde
Per 2. Togliete 2 filetti di bue (o di manzo) da 200 g l'uno dal frigo almeno 2 ore prima. Saltate in padella in poco burro i filetti per il tempo che più vi aggrada, ma meno è cotto meglio è, perciò consiglio (auspico, chiedo, impetro) 1' per lato – e comunque non superate mai i 3'. Toglieteli e fateli riposare in forno a 80°. Flambate ☞ con 1 bicchierino di Cognac e deglassate ☞. Unite 150 g di panna e pepe verde a piacere e cuocete per 5', emulsionando ☞. Regolate di sale. Rimettete i 2 filetti nella padella per 15", girateli e cuocete ancora per 15". Serviteli su piatti individuali caldi, nappati ☞ con il fondo. Se volete, mettete sul piatto, sotto il filetto, una fetta di pancarré tostata.

✓ Per gustare appieno il filetto occorre che non diventi freddo troppo rapidamente. Per questo è fondamentale toglierlo anzitempo dal frigo e servirlo in piatti caldi. Mangiate di buona lena, è un piatto che non tollera attese.

Filetto al gorgonzola
Per 2. Emulsionate ☞ 50 g di panna con 100 g di gorgonzola e 2 cucchiaiate o poco più di vino bianco senz'alcol ☞ fino ad avere un composto omogeneo e filante. Procedete come per il filetto al pepe verde ☞ fino al riposo in forno. Deglassate ☞ con 1 bicchiere di vino bianco. Unite nella padella la crema di gorgonzola e cuocete per 5' emulsionando. Regolate di sale e pepe. Rimettete i 2 filetti nella padella per 15", girateli, cuocete ancora per 15" e servite su piatti individuali caldi, nappate ☞ con la salsa e spolverizzate con prezzemolo tritato. Se volete, mettete sul piatto, sotto il filetto, una fetta di pancarré tostata.

Filetto in salsa *tzatziki*
Per 2. Sbucciate 1 cetriolo, dividetelo a metà, togliete i semi, tagliatelo a pezzetti e metteteli per 30' in un colino spolverizzati di poco sale per eliminare l'acqua di vegetazione. Unite a 250 g di yogurt greco intero, scolato per 30' in un colino, 1 spicchio d'aglio pestato, 1 presa di sale, 1 cucchiaio di

aceto, il cetriolo sciacquato e asciugato, 1 ciuffetto di menta spezzettata e metà della buccia del cetriolo tritata. Emulsionate ☞ e fate riposare per 2 ore. Scaldate su fiamma viva una padella antiaderente e cuocete 2 filetti di bue (o di manzo) da 200 g l'uno unti d'olio per 1' per lato – o di più, se così vi piace. Salateli e passateli in forno alla massima temperatura per 4'. Serviteli guarniti con la salsa.

Filetto alla Stroganov
È una preparazione francese dedicata dal suo ignoto cuoco francese a un mitico crapulone, il conte Stroganov, genero dello zar Nicola I. È una preparazione francese, poco o nulla c'entra con la cucina russa, nonostante i cetrioli e la panna acida ☞.

Per 4. Sbucciate 300 g di cetrioli, divideteli a metà, togliete i semi, tagliateli a pezzetti e metteteli per 30' in un colino spolverizzati di poco sale per eliminare l'acqua di vegetazione. Tagliate a fettine piccole 600 g di filetto di bue (o di manzo). Sciogliete in una padella abbondante burro e fatele saltare a fuoco vivo per 1'. Toglietele dalla padella e tenetele al caldo. Unite al fondo di cottura 300 g di funghi champignon tagliati a fette sottili e i cetrioli sciacquati e asciugati e fateli saltare a fuoco vivo. Dopo 2' unite 1 bicchiere di panna acida ☞ e 1 bicchierino di salsa alla senape ☞. Fate addensare, rimettete la carne, regolate di sale e di pepe e servite spolverizzato con prezzemolo tritato. È un piatto molto buono che piace a tutti. I trucchi perché venga bene sono tre: la carne deve essere veramente sottile, la cottura veramente rapida e i cetrioli veramente piccoli e ben spurgati. Sembra niente, ma provate a ordinarlo nelle infinite trattorie toscane che l'hanno in menù: il più delle volte risulterà gommoso e greve, annegato nella panna da cucina.

Filetto in crosta alla Wellington
Ovvero, la più succulenta preparazione a base di filetto. È un piatto mitico e tutt'altro che difficile.

Per 6. Fate 400 g di soffritto all'italiana con pancetta ☞ unendo anche 100 g di funghi messi a mollo ☞ per 15' e strizzati. Regolate di sale e pepe. Rosolate a fuoco vivace 1 kg di filetto di bue (o di manzo) intero in olio di oliva non extravergine e burro per 10'. Lasciatelo raffreddare e spolverizzatelo con pochissimo sale. Stendete 200 g di pasta sfoglia, spalmate il soffritto, mettete il filetto e arrotolatelo, chiudendo bene. Spennellate con tuorlo e cuocete in forno a 200° per 15'. Una variante prevede di spalmare il filetto con fegato grasso, prima di adagiarlo sul soffritto.

Fiorentina

Mentre scrivo è ancora vietata causa mucca pazza, qualcuno se la ricorda? Per quando sarà di nuovo disponibile.

Per 1. Prendete 1 fiorentina, cioè un trancio di filetto e controfiletto di bue (o di manzo) con l'osso alto almeno 4 cm. Eliminate al meglio i grassi e le parti nervose e lasciatela riposare fuori dal frigo per 6 ore. Scaldate bene una griglia di ghisa. Cuocete la carne 3' per lato e servitela su un piatto ben caldo spolverata con poco sale e tanto pepe e condita con 1 filo di ottimo olio extravergine d'oliva toscano. 3' va bene per una cottura al sangue, potete arrivare, se così vi piace, fino a 5' per lato, non di più. Potete anche servirla con qualche rondella di burro *maître d'hôtel* ☞ al posto dell'olio.

Fiorentina a vapore

Una variante interessante. Invece di cuocere la fiorentina ☞ alla griglia, cuocetela a vapore per 15', girandola a metà cottura. Servitela su un piatto ben caldo spolverata con poco sale e tanto pepe e condita con 1 filo d'olio.

Rosbif

Per 8. Rosolate 2,5 kg di costata di bue (o di manzo) con l'osso in poco burro o strutto per 10' e cuocetela in forno a bassa temperatura. Per bassa si intende fra i 60°, al di sotto le proteine non coagulano, e i 90° – senza un termometro da forno questo piatto è impossibile da preparare. Cuocete per 4 ore. Alla fine raccogliete il fondo, emulsionatelo ☞ con poco burro e, a piacere, con senape e regolate di sale e pepe. Davanti ai commensali tagliate fette di rosbif e servitele guarnite col suo fondo – è lecito sgranocchiare le ossa. La carne sarà sempre più rosso-rosata dell'equivalente cotta in forno caldo, cosa che è un gran bene. I tempi di cottura sono aleatori: a questo rosbif 15' in più o in meno non fanno un baffo. Il risultato? Un piatto saporito, a mio parere nettamente superiore allo stesso cotto tradizionalmente a 200° e oltre. Ogni volta che si cuoce bue o manzo in forno si può optare per la cottura a bassa temperatura. 4 ore è il tempo di cottura ed è, per tagli grandi, più o meno indipendente dal peso della carne.

Spezzatino con carciofi

Per 4. Tagliate a bocconcini 800 g di muscolo di bue (o di manzo), infarinateli leggermente e rosolateli per 5' in poco olio. Unite 1 bicchiere di vino bianco secco senz'alcol ☞ e cuocete per 1 ora e 20', unendo poca acqua se asciugasse troppo. Intanto pulite 4 carciofi e tagliateli a spicchietti, mettendoli man mano in una ciotola piena d'acqua acidulata con il succo del limone; sgocciolateli bene, passateli in un velo di farina e fateli rosolare in una casseruola con 2 cucchiai d'olio per 3'. Sgocciolateli e teneteli da parte. Nella stessa casseruola mettete 2 cipolle e 2 spicchi d'aglio affettati sottili, 2 cucchiaiate di capperi, 100 g di olive denocciolate tagliate a metà e 2 cucchiai di pinoli leggermente tostati; lasciate insaporire per qualche istante, versate 1 mestolino di acqua calda salata e lasciate sobbollire per 10'. Aggiungete i carciofi e la carne e cuocete a fuoco basso per 10'. Alla fine regolate di sale e pepe e spolverizzate con menta tritata.

Stracotto al sedano e mele

Per 4. In una casseruola unite 1 kg di muscolo di bue (o di manzo) legato, 2 bicchieri di vino bianco aromatico senz'alcol ☞, 2 di brodo di manzo ☞ leggero, 4 cucchiai di soffritto all'italiana ☞, 1 di zucchero e 8 gambi di sedano a pezzi.

Cuocete a fuoco dolcissimo per 4 ore, girando la carne di tanto in tanto e unendo poco brodo se asciugasse troppo. 10' prima che sia pronta unite 2 mele tagliate a dadini. Togliete la carne e tenetela in caldo. Passate il fondo al passaverdura, regolate di sale e pepe ed emulsionatelo ☞ con poco burro. Servite la carne tagliata a fette e nappata ☞ col suo fondo.

Stufato con cipolle

Per 4. Mettete 1 kg di muscolo di bue (o di manzo) in una casseruola di ghisa e coprite con 1 kg di cipolle bianche tagliate sottili. Aggiungete 100 g di pancetta tritata e 1 foglia di alloro. Chiudete col coperchio e dimenticatela in forno a 160° per 4 ore o più, controllando saltuariamente e aggiungendo poca acqua se asciugasse troppo. Alla fine togliete la carne, eliminate l'alloro, passate il fondo al passaverdura, regolate di sale e pepe ed emulsionatelo ☞ con poco burro. Tagliate a fette la carne e servitela guarnita con il fondo.

Stufato con patate

Per 4. In una casseruola unite 1 kg di muscolo di bue (o di manzo) legato, 1 bicchiere di vino bianco secco senz'alcol ☞, 1 di brodo di manzo ☞ leggero, 4 cucchiai di soffritto all'italiana con pancetta ☞, 2 foglie d'alloro, 2 spicchi d'aglio, 2 chiodi di garofano, 1 grattatina di noce moscata e 1 stecca di cannella. Cuocete per 3 ore e mezzo, unendo poca acqua se asciugasse troppo. Togliete la carne, eliminate l'alloro e passate il fondo al passaverdura. Rimettete nella casseruola il fondo passato, aggiungete la carne e le patate tagliate a pezzi e completate la cottura per 30'. Regolate di sale e pepe.

Mania dell'autore 18:
il bollito misto

Nel libro di un grande antropologo, Marcel Detienne, *Dionisio e la pantera profumata* è scritto: "Tra l'arrosto e il bollito, entrambi modalità del cotto, corre la stessa distanza che tra il crudo e il cotto. Allo stesso modo in cui il cotto distingue l'uomo dall'animale che mangia cibi crudi, il bollito separa il vero 'civilizzato' dal villano, condannato alle pietanze alla griglia. Il bollito viene sempre dopo l'arrosto". Ben detto! E noi che civilizzati siamo, non possiamo che innalzare un monumento al più buono (si può, si deve tranquillamente dire) di tutti i piatti: il bollito misto.

Il bollito misto
Eccovi la ricetta canonica. Quelli indicati sono una scelta classica di ingredienti, ma in realtà qualsiasi pezzo di carne può essere bollito. A un patto: che la carne sia parzialmente grassa, quella troppo magra resta stopposa dopo la cottura, un po' di grasso è indispensabile per renderla succosa.

Per 8. Bue o manzo, kg 3 in tutto di: punta di petto, biancostato o scaramella o costata grassa, polpa di spalla o di coscia; punta di vitello g 500, 1 pezzo di testina di vitello raschiata e pulita, 1 pezzo di lingua di vitello, 1 gallina, 1 piccolo cotechino, 2 carote, 4 gambi di sedano, 3 cipolle, chiodi di garofano, 2 foglie di alloro, 2 piccole manciate di gambi di prezzemolo, pepe in grani, sale

In una grande pentola piena d'acqua mettete le carote intere, 2 gambi di sedano, 1 cipolla picchettata con 2 chiodi di garofano e le foglie d'alloro. Aggiungete poco sale e pepe in grani e portate a bollore. Aggiungete le carni di bue o manzo e aspettate che riprenda il bollore; poi abbassate la fiamma fino a che l'acqua sobbolla. Con un mestolo eliminate dalla superficie dell'acqua la schiuma e il grasso in eccesso che man mano si formano. Dopo mezz'ora circa aggiungete la punta di vitello e la gallina. Portate a cottura, ci vorranno circa 2 ore e mezzo, sempre schiumando ☞. A parte lessate la testina in acqua aromatizzata con 1 cipolla picchettata con 1 chiodo di garofano, 1 gambo di sedano e 1 piccola manciata di gambi di prezzemolo. La lingua va lessata da sola in acqua aromatizzata come per la testina. Per finire punzecchiate il cotechino con uno stecchino, mettetelo in acqua fredda, accendete il fuoco e lasciatelo sobbollire molto dolcemente fino a cottura. Per i tempi, chiedete al macellaio al momento dell'acquisto.

Si serve portando le pentole a tavola – tassativo! Tirate fuori i vari ingredienti dal loro brodo di cottura, metteteli su un tagliere e tagliate quanto necessario. Poi rimetteteli nel brodo: meglio evitare il rischio che asciughino troppo.

Come si mangia? I puristi dicono con un poco di sale grosso e basta. Al massimo accettano della buona mostarda industriale o artigianale di Cremona o di Voghera. Vi consiglio invece 4 salse che esaltano questo piatto. Due, salsa verde ☞ e mostarda d'uva ☞, sono tradizionali. Le altre due, *chutney* ☞ e salsa al cren ☞ sono più innovative. Vedete voi.

Qui bisogna parlare di abbinamento vini, il piatto è troppo importante per soprassedere. Cosa si beve? Per questo piatto importante si può dire che non va bene nessun vino importante, di gran corpo e carattere, meglio puntare su vini più beverini e leggeri quali una Bonarda o un Lambrusco. Un'eccezione c'è: un ottimo spumante o uno Champagne rosé – eterodosso ma va benissimo.

Si conserva in frigo coperto dal suo brodo per 3 giorni. Poi polpette.

La *marmite*

La *marmite*, detta in Italia piccola marmitta, è una magica tradizione francese, forse (forse) il culmine di quel magico piatto che risponde al nome di bollito misto. Come indicato più sotto, la carne va cotta in un brodo, non in acqua e, credetemi, cambia moltissimo.

Per 8. Spalla o culatta di manzo g 800, biancostato di manzo g 800, 1 osso con midollo, 1 gallina da 1 kg, colli, zampe e punte d'ali di pollo, 4 carote, 2 cipolle, 3 rape, 3 porri, 2 coste di sedano, 1 cavolo verza, 3 litri di brodo di manzo ☞ leggero o universale ☞, pane casereccio tostato, groviera, chiodi di garofano, sale

In una grossa pentola mettete l'osso nel brodo e portate a bollore. Aggiungete la carne, la gallina, i ritagli di pollo, 2 carote, le cipolle picchettate ciascuna con 2 chiodi di garofano e le coste di sedano. Cuocete a fuoco dolce per 3 ore, schiumando ☞ e sgrassando ☞. Dividete in 4 la verza, eliminate il torsolo, tagliatela a striscioline e sbollentatela ☞ per 4'. Togliete le carni ed eliminate l'osso (ma gustatevi a parte il midollo...), le verdure e i pezzi di pollo. Filtrate il brodo e regolate di sale. Fate a piccoli pezzi le carni eliminando le parti grasse, le ossa, la pelle della gallina e tutti gli altri scarti. Tornite in forma regolare le carote rimaste e le rape, tagliate a pezzi i porri. Mettete nella *marmite* con il brodo verze, carote, rape e porri. Dopo 15' aggiungete i pezzi di carne e cuocete ancora per 5'. Servitela con groviera grattugiato e crostini di pane.

Il garbato vitello

Il vitello è il fratellino piccolo del bue e del manzo. Si chiama vitello se ha meno di 6 mesi di età, vitellone fra 6 e 18 mesi. Le ricette proposte possono essere fatte con entrambi.

Noce di vitello alla panna
È quasi un brasato, forse è un arrosto morto, comunque è buona.

Per 4. Pulite bene dal grasso 1 kg di noce di vitello e infarinatela. Rosolatela in abbondante burro da tutti i lati per 5', bagnatela con 2 bicchieri di panna, unite 4 cucchiaiate di soffritto di cipolle ☞ e cuocete coperto per 1 ora e mezzo circa, unendo poco latte se asciugasse troppo. Alla fine la carne dovrà essere tenera e il fondo ben ristretto. Regolate di sale, pepe e cannella e servitela col suo fondo passato.

Piccata al limone
Classico, sempre appagante.

Per 4. Tagliate a fettine sottili 600 g di fesa di vitello e appiattitele con il batticarne. Incidete con 6 taglietti i bordi per evitare che si arriccino durante la cottura. Sciogliete in una padella abbondante burro e rosolate 2 spicchi d'aglio. Infarinate le fettine di carne, scuotetele per eliminare l'eccesso di farina e fatele saltare a fuoco vivo 30" per lato. Unite 1 bicchierino di brodo di vitello ☞ o universale ☞ e cuocete me-

217

scolando di tanto in tanto per 6' a fuoco dolce. 1' prima che siano pronte eliminate l'aglio e unite il succo filtrato di 1 limone. Regolate di sale e pepe, cospargete con prezzemolo tritato e servite.

Piccata al Marsala
Procedete come per la piccata al limone ☞ omettendo il succo di limone e sostituendo al brodo 1 bicchierino di Marsala senz'alcol ☞ e 1 punta di zucchero.

Rustin negàa
La tradizione lombarda. Vanno fatti con vitello, non con vitellone.

Per 4. Legate con filo da cucina 4 nodini di vitello alti 3 cm in modo che non si deformino durante la cottura, infarinateli e scrollateli per eliminare l'eccesso di farina. Rosolate 30 g di pancetta tritata in abbondante burro e aghi di rosmarino. Unite i nodini, fateli dorare 3' per lato, bagnateli con 1 bicchiere di vino bianco senz'alcol ☞ e cuocete per 30', a fuoco dolce e coperto, unendo poca acqua se asciugassero troppo. Alla fine regolate di sale e pepe e serviteli accompagnati con risotto alla milanese.

Sauté di vitello al curry
Per 4. Rosolate 1 kg di spalla o petto di vitello tagliata a cubotti in abbondante burro o olio d'oliva non extravergine per 5'. Unite 1 bicchiere di vino bianco secco senz'alcol ☞, 4 cucchiai di soffritto di cipolle ☞, 1 mazzetto guarnito ☞ e cuocete per 1 ora e 20', a fuoco dolce e coperto, unendo poca acqua se asciugasse troppo. Alla fine eliminate il mazzetto, unite 2 dl di salsa al curry ☞, poca polvere di curry se non fosse abbastanza piccante e cuocete ancora per 10'. Regolate di sale, legate con 1 vasetto di yogurt possibilmente greco e servite con riso pilaf ☞.

Sauté di vitello Marengo
Il piatto preferito di Napoleone, dicono. Si può fare anche col pollo.

Infarinate leggermente 1 kg di spalla o petto di vitello tagliati a cubotti e rosolateli in abbondante burro o olio d'oliva non extravergine per 5'. Unite 1 bicchiere di vino bianco secco senz'alcol ☞, 1 di brodo universale ☞, 2 spicchi di aglio, 4 cucchiai di soffritto all'italiana ☞, 1 mazzetto guarnito ☞, 16 cipolline, 4 pomodori sbollentati ☞, pelati, privati dei semi e tritati, una punta di concentrato di pomodoro e cuocete per 1 ora c 10', a fuoco dolce e coperto, unendo poca acqua se asciugasse troppo. Unite alla fine 200 g di funghi champignon divisi in 2 e cuocete ancora per 20'. Eliminate il mazzetto, regolate di sale e pepe e servite spolverizzato con abbondante prezzemolo tritato. Tradizionalmente questo piatto deve essere accompagnato da crostoni di pane tostati o fritti.

Sella all'Orlov
Probabilmente, il piatto più famoso del mondo. A differenza di quasi tutti i piatti che ci sono, ha un padre riconosciuto: il cuoco Urban Dubois, che lo mise a punto mentre era al servizio del conte Aleksej Orlov, diplomatico russo e grande gourmet – Orlov è la giusta traduzione del cognome, solo per i francesi che traducono nella loro maniera diventa Orloff. È il vero simbolo della grande cucina francese. La sella, la parte lombare della schiena del vitello, pesa circa 10 kg. La tradizione della grande cucina francese ne prevedeva la cottura tutta intera e pertanto veniva preparata esclusivamente nei ristoranti. Non vi do la ricetta canonica per 30 persone ma una variante da 6, molto classica e un po' laboriosa, ma il successo è celestiale.

Per 6. Fatevi scalzare dal macellaio 2 kg di sella di vitello dagli ossi. Foderate la carne con 300 g di pancetta tagliata sottile e ricomponetela sugli ossi legandola bene con filo da cucina – ma se lo chiedete con un sorriso al macellaio vi farà lui tutta l'operazione. In una casseruola fate rosolare in abbondante burro la sella per 6', aggiungete 2 bicchieri di brodo di vitello ☞ e 12 cucchiaiate di soffritto di cipolle ☞ e cuocete per 2 ore circa, unendo poco brodo se asciugasse troppo. Spegnete e lasciate raffreddare. Separate la carne dagli ossi e tagliatela a fette, dopo aver messo gli avanzi della pancetta nel fondo di cottura. Disponete le fette di sella in una pirofila parzialmente accavallate, spalmando tra fetta e fetta salsa *soubise* ☞ e unendo, a piacere, una fettina di tartufo nero. Coprite con salsa *mornay* ☞ e fate gratinare in forno caldo per 10'. A parte servite il fondo di cottura frullato, passato al passaverdura e regolato di sale e pepe. Tradizionalmente si serve accompagnata da cetrioli alla crema ☞. Meno tradizionalmente, consiglio di pasteggiare con vodka, fredda da frigo, non da freezer.

✓ Quelle degli animali si chiamano gli ossi. Le ossa sono solo umane.

Spezzatino con topinambur

Per 4. Rosolate 1 kg di spalla o petto di vitello tagliati a dadi in poco burro o olio e 2 spicchi d'aglio per 5'. Unite 4 cucchiai di soffritto di cipolle ☞, 1 bicchiere di vino bianco secco senz'alcol ☞ e cuocete per 1 ora e 10', unendo poca acqua se asciugasse troppo. Aggiungete 500 g di topinambur sbucciati e rosolati in poco burro o olio per 5', 2 cucchiai di salsa di pomodoro ☞ e completate la cottura per 20'. Regolate di sale e pepe e servite.

Stinco di vitello all'arancia

Per 6. Rosolate 1 stinco di vitello in una teglia in forno a 200° con poco burro per 1 ora, girandolo di tanto in tanto. Scolate il grasso e trasferitelo in una casseruola. Unite 6 cucchiaiate di soffritto di scalogni ☞, 2 bicchieri di succo filtrato d'arancia, la buccia di mezza arancia, 1 punta di zucchero e portate a cottura, a fuoco dolcissimo e coperto, per 1 ora, unendo poca acqua se asciugasse troppo. Alla fine regolate di sale e pepe. Servite lo stinco affettato, guarnito col suo fondo e accompagnato con tagliatelle al burro.

Vitello tonnato caldo

Per 4. Rosolate per 5' in poco burro 1 kg di codino di vitello con 2 spicchi d'aglio. Unite 1 bicchiere di vino bianco secco senz'alcol ☞, 4 cucchiaiate di soffritto all'italiana ☞, 1 foglia di alloro e cuocete a fuoco dolcissimo coperto per 1 ora e 40', unendo poca acqua se asciugasse troppo. Aggiungete 2 acciughe dissalate e 150 g di tonno sott'olio ben scolato e cuocete ancora per 10'. Togliete la carne e tenetela in caldo. Frullate e passate il fondo al passaverdura, regolate di sale e pepe, emulsionatelo ☞ con poco burro e profumatelo con 1 manciata di capperi. Servite la carne tagliata a fette nappata ☞ con la salsa.

Vitello tonnato freddo

Se fatto bene, è buono. Ma nei ristoranti non è mai fatto bene. La noce di vitello non è il massimo del sapore, a bollirla proprio non sa di niente: meglio cuocerla in forno.

Per 4. Pulite dalle parti grasse 800 g di noce di vitello. Mettete in una casseruola 1 cipolla e 1 carota tagliate a fette, adagiate la noce, unite 4 cucchiai di olio e cuocete in forno a 200° per un tempo compreso fra 30' e 1 ora, dipende da quanto volete la carne rosata, unendo poca acqua di tanto in tanto. Toglietela e lasciatela raffreddare. Tagliate a fette sottili la carne, mettetele a petalo su un piatto, guarnite con 200 g di salsa tonnata ☞ e servite.

Mania dell'autore 19:
la cotoletta alla milanese

È un piatto milanese o sono arrivati prima gli austriaci con la loro *Wienerschnitzel?* Gli spagnoli ne rivendicano la paternità, ma gli arabi dicono che passare nell'uovo e nel pangrattato e friggere è una specialità berbera portata dai loro antenati in Andalusia. Però in Sudamerica questa preparazione si chiama *milanesa*. I francesi non rivendicano questo piatto e chiamano questa preparazione *paner à l'anglaise* – e questo è strano perché nella gastronomia francese *à l'anglaise* ha sempre un tono riduttivo; dicono invece *paner à la milanaise* se insieme al pangrattato c'è anche del formaggio grattugiato. Resta il fatto che costruire una pellicola di pane attorno a un alimento e friggerlo è la cottura che permette, meglio di ogni altra, di mantenere inalterato il sapore – questa probabilmente è la ragione che spinge così tanti a vantare questi diritti di primogenitura.

Premessa: cotoletta o costoletta. Ci sono tanti dubbi. Io chiamo costoletta il taglio della carne, qualunque sia l'animale, e cotoletta il piatto a base di costolette di vitello di cui stiamo parlando.

Per fare una grande cotoletta ci vuole un buon vitello da latte, che si sia nutrito solo col latte materno, non con altri latti. Non deve essere stato ancora svezzato con altri cibi, se no la carne sarà leggermente fibrosa e un po' dura dopo la cottura. Nei fatti, gli allevatori nutrono fino a 4 o 5 mesi un vitello col latte materno solo per farne cotolette e ossobuco ☞, per tutti gli altri tagli il fatto di essere stato nutrito anche con mais o quant'altro incide meno. Purtroppo un cliente normale non riesce a verificare la qualità della carne prima di cuocerla, può solo contare sulla garanzia di un bravo macellaio. Fuori dalla Lombardia è difficile trovare vitello da latte.

La costoletta deve essere tagliata con l'osso nella lombata del vitello – guai a toglierlo! Onestamente non so bene perché, ma fidiamoci della tradizione che richiede l'osso.

La carne non va assolutamente battuta, deve essere alta come l'osso, circa 1,5 cm – questa è l'altezza della vera cotoletta, se è più sottile è un altro piatto.

Il pangrattato. Deve essere ricavato dalla sola mollica di pane bianco e ben secco, grattugiata poco prima della cottura – se si prepara troppo in anticipo rischia di assumere un leggero sapore di stantio.

Le uova. Freschissime, è inutile·dirlo. Vanno battute non eccessivamente in una terrina. Si pepano, ma non si salano.

Il burro. Questo è il punto più delicato della preparazione. Quello normale non regge le alte temperature di cottura. Deve essere chiarificato ☞.

Ed ecco la procedura. Prendete la costoletta e incidete i bordi esterni della carne con qualche taglietto, per impedire che si arricci durante la cottura: il grasso all'esterno si restringe infatti in modo diverso della carne all'interno. Passatela in uovo sbattuto e nel pangrattato facendo attenzione che il pane aderisca bene alla carne. Scrollatela leggermente per eliminare l'eccesso di pane. Mettetela in una capace padella con abbondante burro chiarificato caldissimo e cuocetela 6' per lato, girandola una volta sola. Toglietela dalla padella, asciugatela su carta assorbente, salatela e servitela. Anche se *de gustibus non disputandum est*, è meglio non mettere succo di limone sopra la cotoletta alla milanese.

Cotoletta a orecchio di elefante

A molti non piace la cotoletta alta, credo perché spesso il vitello non è da latte e quindi la carne risulta inevitabilmente un po' dura. Alternativa? La cotoletta di vitello a orecchia di elefante. Si elimina l'osso e si batte la carne alla disperata, sino a che abbia uno spessore di pochi millimetri. Si cuoce come la cotoletta ☞, in questo caso va bene anche il burro normale, 3'-4' per lato. Si può mangiare subito ma, soprattutto d'estate, va bene anche tiepida, guarnita all'ultimo momento con una dadolata di pomodori conditi.

Valdostana

Incidete orizzontalmente ogni costoletta, senza staccarla dall'osso, formando una specie di tasca. Farcitela con la fontina e prosciutto cotto tagliati a fettine sottili e chiudete la tasca con uno stecchino. Procedete come per la cotoletta ☞ e cuocete 6' per lato.

Wienerschnitzel

Anche se questa non è una variante. Infatti in Austria utilizzano vari tagli di carne di vitello e di maiale, sempre senza osso e ben battuta. La carne viene prima passata nella farina e poi nell'uovo sbattuto con un goccio di latte, poi ancora nella farina e nell'uovo. Alla fine si passa nel pangrattato: dovrà restarne attaccata un'abbondante quantità. Si frigge nello strutto, mai nel burro, 4' per lato: sulla superficie dovranno comparire le tradizionali bolle.

Mania dell'autore 20:
le frattaglie

Il mondo si divide fra chi stravede per frattaglie e rigaglie (sono le frattaglie dei volatili), pochi ma giusti, e tutti gli altri, tanti ma infami – la frase "mangio tutto salvo le frattaglie" è anche peggio di "io le ostriche le mangio solo crude". Questa mania è dedicata ai pochi ma giusti.

Animelle in fricassea
Per 4. Tagliate a fettine 600 g di animelle di vitello sbollentate ☞ per 30" e private della pellicina e rosolatele in poco burro per 15' con 4 cucchiai di soffritto di cipolle ☞. Regolate di sale e pepe, toglietele e tenetele in caldo. Nella padella unite 1 tuorlo sbattuto con il succo di 1 limone, 1 punta di senape, 2 cucchiaiate di brodo universale ☞ e cuocete senza far bollire per 2'. Servite le animelle nappate ☞ con la salsa e spolverizzate con prezzemolo tritato.

Fegato alla veneta
Per 4. In una padella stufate a fuoco dolcissimo per 20' in 1 noce di burro e 2 cucchiai di olio 4 cipolle bianche affettate e 2 foglie di alloro, aggiungendo un po' d'acqua se necessario. Eliminate l'alloro, togliete le cipolle e tenetele in caldo. Nella stessa padella fate saltare a fiamma alta 600 g di fegato di vitello tagliato a striscioline per 5' fino a farlo diventare ben dorato e croccante. Unite le cipolle, regolate di sale e pepe e profumate con prezzemolo finemente tritato. Accompagnate con polenta ☞ bianca morbida.

Midollo all'antica
   Per 4. Sbollentate ☞ 16 tranci di ossi con midollo per 2'
in acqua bollente leggermente salata e scolateli. Metteteli in
una padella, col buco verso l'alto, copriteli a filo di brodo di
manzo ☞ leggero, unite poco concentrato di pomodoro stemperato ☞ in poca acqua e cuocete scoperto a fuoco dolcissimo per 1 ora, unendo poco brodo se asciugasse troppo. Spolverizzate di pepe, tanto, e prezzemolo tritato e servite. Con
un coltellino estraete il midollo e spalmatelo su fette di pane
casereccio tostato. Non dimenticate di fare scarpetta col fondo che resta sulla pentola.

Rognone trifolato
   Per 4. Affettate 600 g di rognone pulito e fatelo saltare per
1' in abbondante burro. Unite 1 bicchierino di vino dolce
senz'alcol ☞, 2 spicchi d'aglio tritati e 20 g di roux ☞. Cuocete per 4', regolate di sale e pepe, profumate con prezzemolo
tritato e servite accompagnato con purè di patate ☞ o di sedano di Verona ☞.

Piedini alla milanese
   Fantastici, da condividere con un partner fidato.

   Per 2. Lessate 4 piedini di vitello (o di maiale) per 2 ore
in acqua leggermente salata con 1 cipolla picchettata con 2
chiodi di garofano, 1 carota, 1 gambo di sedano e 1 mazzetto guarnito ☞. Scolateli e lasciateli raffreddare. Disossateli
completamente, è meno arduo di quanto si possa pensare,
cercando di tenerli più interi possibile – ma anche se sono a
pezzetti il risultato non cambia. Infarinateli, passateli in uovo sbattuto e nel pangrattato e fateli cuocere in abbondante
olio d'oliva non extravergine e burro per 6' a fuoco medio,
rigirandoli spesso. Spolverizzateli con poco sale e serviteli.

Trippa istantanea
   Per questa trippa occorrono due tagli particolari: una (piccola) parte del rumine o chiappa che si chiama cordone, che

è una specie di escrescenza che assomiglia al cordone di un filetto; e la cuffia o reticolo o beretta (la fantasia di noi italiani per la terminologia non ha limiti). Sono tagli che accettano una cottura di 2'. Gli altri richiedono da 4 ore in su.

Per 4. Tagliate sottile 800 g di cordone e cuffia di trippa. Fatela saltare in una padella unta con poco burro per 1', stando bene attenti che non attacchi, unite 6 cucchiai di soffritto all'italiana con pancetta ☞ e cuocete per 2'. Regolate di sale e pepe e servite spolverizzando con prezzemolo tritato.

Trippa con i porri
Per 4. Mettete in una pentola di ghisa 800 g di trippa di manzo e vitello tagliata a striscioline e sciacquata. Unite 6 porri tagliati a cilindretti, 4 cucchiaiate di soffritto all'italiana con pancetta ☞, 1 bicchiere di vino bianco secco senz'alcol ☞, 1 bicchiere di brodo universale ☞, 2 foglie di alloro, 1 punta di concentrato di pomodoro e cuocete, a fuoco dolcissimo, coperto, per 4 ore, ma se sono 6 è meglio, unendo poca acqua se asciugasse troppo. Alla fine eliminate l'alloro e regolate di sale e pepe. Va da sé che il giorno dopo è anche meglio e 2 giorni dopo meglio ancora.

Trippa alla sciabecca
Per 4. Tagliate a striscioline 600 g di trippa mista, manzo e vitello, già cotta. Rosolatele in poco burro per 2', unite 1 bicchiere di vino bianco secco senz'alcol ☞, 1 bicchiere di brodo universale ☞, 4 cucchiaiate di soffritto all'italiana ☞, 200 g di carne di vitellone a pezzetti e 2 foglie di alloro. Cuocete per 1 ora, coperto, unendo poco brodo se asciugasse troppo. Eliminate l'alloro, regolate di sale e pepe e servite spolverizzato con grana.

Mania dell'autore 21:
la guancia detta anche ganascino

Una grande passione. Non ho mai capito se sia una frattaglia, cioè una parte commestibile che non fa parte della carcassa, o un taglio, cioè una parte della carcassa. In tutti gli schemi che ho visto sui libri non c'è mai indicato nulla davanti al collo, altro taglio veramente saporito. Sia chiaro, è un dubbio puramente filosofico, l'importante è la bontà. Lo dicevano i romani, *primum vivere deinde philosophari*.
È il muscolo più muscolo che ci sia. I ruminanti, si sa, masticano due volte il cibo, che viene rigettato in bocca dopo un primo passaggio nel rumine, il primo compartimento gastrico. Questo fa sì che la loro mascella non sta mai ferma. La carne risulta quindi soda e ricca di lamine connettivali e tessuti collosi, quelle striature bianche e traslucide che tutti chiamano impropriamente grasso. Però alla fine, sciolte le lamine che sono saporitissime e cuocendo prima o poi si sciolgono, resta gustosissima e tenerissima. È fin più buono della coda, che un po' ci assomiglia ed è ironico che le due parti più saporite siano alle opposte estremità dell'animale.
È quasi impossibile da trovare se non in poche selezionate macellerie. Mi sono sempre chiesto dove finisca, dato che ogni bovino ha sempre due belle guanciotte e da qualche parte devono pur andare.

Ganascino bollito
Per 4. In una pentola piena d'acqua mettete 1 cipolla picchettata con 2 chiodi di garofano, 1 carota, 1 gambo di seda-

no, 1 manciatina di gambi di prezzemolo legati, 2 foglie d'alloro e pepe in grani. Portate a bollore, unite 1 kg di ganascino e cuocete per 2 ore, schiumando ☞ e sgrassando ☞. Servitelo guarnito con sale grosso e nient'altro.

Ragù di ganascino
Per 4. Tagliate a dadini più piccini che potete con un pesante coltello 500 g di ganascino. Fateli saltare per 2' in 1 noce di burro, unite 250 g di soffritto all'italiana con pancetta ☞, 1 punta di concentrato di pomodoro e 1 bicchierino di vino bianco secco senz'alcol ☞. Cuocete a fuoco dolce per 20', unendo poca acqua se asciugasse troppo. Spolverizzate con 1 manciata di prezzemolo tritato e regolate di sale e pepe. Se volete, potete aggiungere a inizio cottura 100 g di funghi secchi messi a mollo ☞ per 20' in acqua, strizzati e tritati.

Ganascino brasato al Barbera
Per 4. Rosolate 1 kg di ganascini interi in olio e burro per 10'. Unite 2 dl di Barbera senz'alcol ☞, 2 dl di brodo universale ☞, 4 cucchiaiate di soffritto di scalogni ☞, 1 cucchiaio di concentrato di pomodoro e 1 di zucchero, 1 mazzetto guarnito ☞ e cuocete coperto per 1 ora e mezzo (se il ganascino è di vitello) o 2 (se è di bue o manzo) unendo poco brodo se asciugasse troppo. Alla fine eliminate il mazzetto, regolate di sale e pepe e servite la carne tagliata a fette nappata ☞ con il sugo emulsionato ☞.

Ganascino brasato al porro e uvetta
Per 4. Rosolate 1 kg di ganascini interi in olio e burro per 10'. Unite 2 dl di vino bianco senz'alcol ☞, 2 dl di brodo universale ☞, 4 cucchiai di soffritto all'italiana ☞, 4 porri tagliati a rondelle e cuocete lentamente coperto per 1 ora e mezzo (se il ganascino è di vitello) o 2 (se è di bue o manzo) unendo poca acqua se asciugasse troppo. Regolate di sale e pepe. Togliete la carne e servitela col fondo frullato ed emulsionato ☞ con poco burro e arricchito con 1 manciata di uvetta messa a mollo ☞ in acqua tiepida per 30' e rosolata per 5'.

Mania dell'autore 22:
l'inimitabile ossobuco

Una mania che condivido con buona parte degli italiani. Perché questa preparazione sia strepitosa, il vitello deve assolutamente essere da latte e di 4-5 mesi di età, lo stesso della cotoletta alla milanese ☞. Il macellaio deve assolutamente garantirvi l'età della bestia. Altrimenti cambiate piatto. Un ossobuco di vitellone è una delle peggiori disgrazie che possano capitare.

Ossobuco alla milanese
Per 4. Incidete i bordi di 4 ossibuchi tratti dal muscolo posteriore del vitello e alti 4 cm con 3 piccoli taglietti ciascuno per evitare che si arriccino durante la cottura. Infarinateli e scrollateli bene per eliminare l'eccesso di farina. In un largo tegame rosolateli in abbondante burro 5' per lato. Toglieteli dal tegame, unite 6 cucchiaiate di soffritto di cipolle ☞, 1 spicchio d'aglio e 1 bicchiere di vino bianco secco senz'alcol ☞. Con un cucchiaio di legno grattate il fondo del tegame, per staccare la crosticina, aggiungete 2 pomodori sbollentati ☞, pelati, privati dei semi e tritati grossolanamente e lasciate insaporire per 5'. Rimettete gli ossibuchi nel tegame e cuoceteli a fuoco basso e a recipiente coperto, bagnandoli di tanto in tanto con qualche cucchiaiata di brodo di vitello ☞ bollente, per 1 ora e 20'. Voltate ogni tanto la carne, alla fine regolate di sale e pepe. Intanto preparate la gremolata. Tritate 1 spicchio d'aglio e il giallo di mezzo limone e mescolate con abbondante prezzemolo tritato. Frullate il fondo, emulsionate-

lo ☞ con poco burro e profumatelo con la gremolata. Disponete gli ossibuchi sui piatti, irrorateli col fondo e serviteli accompagnati da un buon risotto alla milanese ☞.

Spezzatino di ossibuchi e porcini
Se non siete sicurissimi del fatto che il vitello sia da latte, meglio cuocerlo a spezzatino piuttosto che intero.

Per 4. Prendete 4 ossibuchi tratti dal muscolo posteriore del vitello e alti 3 cm. Separate la carne dagli ossi dividendo la carne in 4 parti. Spolverizzate leggermente di farina e rosolateli, ossi compresi, in 1 noce di burro con 2 spicchi d'aglio per 5'. Coprite a filo di brodo di vitello ☞ e unite 4 cucchiaiate di soffritto all'italiana con pancetta ☞ e 2 foglie di salvia. Mettete il coperchio e cuocete per 1 ora a fuoco dolcissimo unendo poco brodo se asciugasse troppo. Alla fine unite 16 cipolline glassate ☞ e 200 g di funghi tagliati sottili e cuocete per 5'. Regolate di sale e pepe, spolverizzate con abbondante prezzemolo tritato e servite. Non dimenticate di gustare anche il midollo.

Il maiale, detto anche il porco

Compiango chi per vincoli religiosi non può gustare il maiale né riesco a credere che un simile vincolo c'entri con la grazia della fede.

Sono sterminate le ricette fatte con gli infiniti tagli: si sa, del maiale non si butta niente. Nell'immane abbondanza, ecco una piccola proposta di piatti molto amati.

Arista in agrodolce

Arista è un termine dialettale che identifica il carré di maiale. Ma è talmente bello che lo ha quasi soppiantato.

Per 8. In una casseruola rosolate 1 carré da 2 kg con burro, olio o strutto (meglio quest'ultimo) per 10', unite 2 spicchi d'aglio, rosmarino a piacere e qualche foglia di menta e cuocete coperto in forno a 180° per 40', rigirandolo di tanto in tanto. Lasciate riposare scoperto nel forno spento per 20'. Al momento di servire tagliatelo a fette sottilissime e conditelo col suo fondo filtrato e regolato di sale emulsionato ☞ con 200 g di salsa agrodolce ☞. Accompagnate con fagioli neri o rossi lessati.

Costolette di maiale alle mele

Per 4. Sbucciate, eliminate i torsoli e tagliate a fette 4 mele renette. Fatele saltare in una padella antiaderente con 1 noce di burro per 3': dovranno essere cotte "al dente". Spegnete e tenete in caldo. In un'altra padella sciogliete abbondante burro e fate dorare a fuoco vivo per 3' per lato 4 costolette di maiale da 150 g l'una, leggermente battute. Scolate le costolette, spolverizzatele con poco sale e tenetele al caldo. Sempre a fuoco vivo aggiungete al fondo 1 bicchierino di grappa e flambate ☞ e deglassate ☞ con poca acqua. A fuoco dolce aggiungete le mele e mescolate per 2'. Disponete le costolette su un piatto di portata caldo, coprite con le mele, pepate a piacere e servite con patate arrosto o bollite.

Cotechino guarnito
Questa ricetta prevede un cotechino non precotto. Non so se quando il libro andrà in stampa esisteranno ancora.

Per 4. Mettete a bagno 1 cotechino da 1 kg per 2 ore, scolatelo, bucatelo con uno spillone, una ventina di buchi equidistanti, e cuocetelo a vapore per 4 ore – state attenti che l'acqua non evapori del tutto. 1 ora prima che sia pronto unite a 300 g di lenticchie sciacquate 4 cucchiaiate di soffritto all'italiana con pancetta ☞, 1 punta di concentrato di pomodoro e 4 foglie di salvia, coprite a filo d'acqua e lessate per 1 ora – ma dipende dalla dimensione delle lenticchie e da quanto sono vecchie, quindi può essere 40' come 1 ora e 20'. Condite le lenticchie con qualche cucchiaiata del brodo di cotechino, quello che sarà rimasto sul fondo della pentola a vapore, regolate eventualmente di sale e servitele accompagnate col cotechino a fette.
✓ Se avete trovato solo un cotechino precotto, cuocetelo secondo istruzioni ma non utilizzate il suo fondo per condire le lenticchie.

Maiale in salsa piccante
Un classico piatto cinese, adattato.

Per 4. Tagliate a cubetti di 1 cm di lato 1 kg di carne di maiale. Montate a neve 1 albume e incorporatevi 1 cucchiaio di fecola di patate e 1 cucchiaio di vino dolce senz'alcol ☞. Immergetevi i cubetti di maiale e lasciateli riposare per 30'.

Prendete una capace padella, possibilmente un wok, la tipica padella cinese, ungetela con pochissimo olio di semi e mettetela sul fuoco più forte che avete, alla massima potenza. Aggiungete 1 cucchiaio di olio di semi e, quando l'olio e la pentola sono caldissimi, gettate i cubetti di carne. Cuocete per 5' rimestando con un cucchiaio di legno. Scolate la carne e tenetela al caldo; eliminate l'olio di cottura. Rimettete 2 cucchiai di olio di semi e unite 40 g di zenzero pelato e tagliato a fette sottili, 1 fetta di ananas in scatola tagliato a dadi e 4 cipollotti tagliati ad anelli, cuocete per 2', continuando a rimestare. Aggiungete 2 cucchiai di salsa di soia, 2 peperoncini (o anche più, dipende dai vostri gusti e dalla forza del peperoncino), 1 cucchiaio di liquido di conserva dell'ananas, 1 di aceto e 1 di fecola di patate e il maiale. Continuate a rimestare fino a quando il liquido di cottura sarà denso e servite. Ovviamente potete guarnire il maiale così cucinato con infiniti ingredienti.

✓ Non c'è niente da fare: perché questo piatto venga bene bisogna utilizzare il wok, tradizionalmente di ferro ma ora anche di altri materiali, più facili da lavare. La forma concava, unita al continuo rimestare con un cucchiaio di legno, fa sì che gli alimenti si ungano nel poco olio alla base e cuociano col solo grasso che è rimasto attaccato loro: in questa maniera si riesce a usare realmente pochissimo olio. Per chi ama la cucina leggera un investimento non procrastinabile.

✓ I maiali cinesi sono più piccoli dei nostri e più magri; per questo vengono sempre marinati prima di essere cotti. E dato che purtroppo anche i nostri maiali sono sempre più magri, marinare i bocconcini in una marinata ☞ non fa mai male.

Messicani
Per 4. Tagliate 500 g di lonza di maiale a fettine, battetele col batticarne, e mettete sopra ogni fettina una di pancetta. Fate un ripieno tritando al tritatutto 300 g in tutto di: avanzi e ritagli di carne di maiale o vitello, anche cotti, prosciutto crudo o cotto, salame, mortadella, cotechino, fegatini di pol-

lo saltati e via avanzando. Legate con 1 uovo, 2 cucchiai di grana grattugiato, 2 fette di pancarré private del bordo messe a mollo ☞ nel latte e strizzate, una ricca dose di prezzemolo tritato e noce moscata. Pepate a piacere. Spalmate il trito sulle fettine, arrotolatele, chiudetele con uno stuzzicadenti e infarinatele. Sciogliete in una casseruola poco burro e poco olio, aggiungete 2 spicchi d'aglio e qualche foglia di salvia, unite i messicani e fateli rosolare per 5'. Versate 1 bicchierino di vino bianco secco senz'alcol ☞, fatelo evaporare, coprite a filo di brodo e fate cuocere, a fuoco dolcissimo, coperto, per 30'. Regolate alla fine di sale e pepe. Serviteli ben caldi accompagnati con purè di patate ☞. Non dimenticate di togliere gli stuzzicadenti prima di servirli. Varianti. Aggiungete fagioli di Spagna, lessati a parte al dente, nel brodo di cottura: così diventa un piatto più saporito e completo.

New England baked pork and beans

Un grande piatto della tradizione americana, che affonda nella notte dei tempi dei primi colonizzatori. Secondo alcuni è di derivazione francese ed è una versione semplificata del celeberrimo *cassoulet* della Linguadoca. La cottura dura 6 ore, ma potete cuocerlo anche di più, per tutto il tempo che volete: molti pii pellegrini lo mettevano in forno il giorno prima e lo lasciavano cuocere a oltranza.

Per 8. Mettete 2 kg di fagioli rossi secchi a mollo ☞ in acqua tiepida per 1 notte. Il giorno dopo scolateli, sciacquateli e metteteli in una pentola piena di acqua fredda, portate a bollore e cuocete a fuoco vivo per 20'. Scolate i fagioli e tenete il loro brodo. Trinciate 2 kg di bacon (pancetta affumicata) a dadini. In una capace casseruola di ghisa o di coccio fate rosolare il bacon per 10' a fuoco dolcissimo; aggiungete i fagioli e 8 cucchiaiate di soffritto di cipolle ☞ e cuocete per 5'. Unite 2 bicchieri di melassa (sciroppo di zucchero di canna) mescolata con 2 cucchiai di aceto di mele e senape a piacere. Aggiungete anche 3 foglie di alloro e coprite a filo col brodo dei fagioli. Mettete il coperchio e cuocete in forno a

200° per 6 ore, unendo poco brodo di fagioli se asciugasse troppo. Regolate di sale. Servite, come vuole la tradizione, con pane di segale. Naturalmente potete riscaldare questo piatto quante volte volete. Se non trovate la melassa utilizzate 1 bicchiere di miele liquido.

Puntine alla milanese

Per 4. Prendete 16 puntine (dette anche costine) e sobbollitele in acqua aromatizzata con 1 cipolla picchettata con 2 chiodi di garofano, 1 carota e 1 costa di sedano per 1 ora. Lasciatele raffreddare. Passatele nella farina, in uovo leggermente sbattuto e nel pangrattato. Cuocetele in burro chiarificato ☞ per 5', spolverizzatele con poco sale e servitele.

Rosticciata

Per 4. Stufate a fuoco dolcissimo 600 g di cipolle bianche tagliate non troppo fini con abbondante burro per 30'. Togliete e tenete in caldo. Tagliate 400 g di lonza di maiale a fettine, battetele e infarinatele leggermente. Fatele saltate nella padella per 1' con poco burro, unite 400 g di salsiccia tagliata a bocconcini e 1 punta abbondante di concentrato di pomodoro stemperato ☞ in poca acqua. Cuocete per 5', rimestando, unite le cipolle, regolate se necessario di sale, unite abbondante pepe e cuocete ancora per 2'. Servite con polenta ☞.

Stinco alla birra

Per 4. In una casseruola rosolate 4 stinchi di maiale con olio o burro per 10', unite 1 bottiglietta da 33 cl di birra scura, 4 cucchiaiate di soffritto di cipolle ☞, 2 spicchi d'aglio, aghi di 1 rametto di rosmarino e qualche foglia di salvia. Cuocete coperto a fuoco dolcissimo per 1 ora e mezzo, unendo poca acqua se asciugasse troppo. Alla fine regolate di sale e pepe e servite con patate bollite.

Mania dell'autore 23:
casoeûla e *choucroute*

Casoeûla

Ci sono dei piatti che non conoscono mezze misure, o si amano d'amore assoluto o si fuggono come il demonio. Fra i tanti con queste caratteristiche primeggia la casoeûla. Va da sé che io lo amo perdutamente. Cosa è la casoeûla? È un *ragoût* di parti di "seconda scelta" di maiale fresco più verze. "Seconda scelta" è fra virgolette perché le preferisco senza dubbio alcuno alla "prima scelta", che poi sarebbe solo il carré (detto anche arista o lonza se disossato). È un piatto preparato in quasi tutta la Lombardia e parte del Piemonte. In Francia e Germania esistono due grandi cugini, *choucroute* e *Sauerkraut*, che hanno una piccola grande differenza: sono a base di ingredienti conservati e non freschi. Molti la cucinano il giorno prima e la riscaldano il giorno dopo, e questo è molto tradizionale e giusto. Alcuni la sgrassano ☞ a fondo. Permettetemi di dissentire. È un piatto che nasce povero e grasso, che si mangia raramente, quelle poche volte che lo gustiamo sia almeno ricco e pesante come vuole la tradizione. Basta evitare di prendere appuntamenti importanti per la mattina successiva o di voler sedurre qualcuno nel dopo cena.

Per 8. 2 piedini di maiale puliti e spaccati in due, 2 orecchie di maiale pulite, cotenne g 200, puntine kg 1, luganega g 400, salamini verzini g 400, verza kg 2, soffritto all'italiana ☞, 1 bicchiere di vino bianco, olio, sale e pepe

Cuocete i piedini in acqua bollente leggermente salata per 1 ora e scolateli. Tagliate la luganega a pezzi da 8 cm. Bucherellate luganega e verzini. Pulite la verza separando bene le foglie una dall'altra. Lavatele in abbondante acqua, sbollentatele ☞ per 2' e scolatele in una casseruola antiaderente senza asciugarle. Cuocetele a fuoco dolcissimo senza aggiungere altra acqua finché non saranno appassite. In una capiente casseruola rosolate le puntine, le costine, la luganega e i verzini, unite il vino (con tutti i grassi animali l'alcol ci sta benissimo...), 6 cucchiaiate di soffritto, le verze stufate, i piedini, le orecchie e le cotenne sbollentate per 5' e 1 manciata di bacche di ginepro. Portate a cottura in 2 ore, coperto, aggiungendo poca acqua se asciugasse troppo. Regolate di sale e pepe. Accompagnate con polenta gialla ☞.

Choucroute
Per 8. Carré di maiale affumicato g 800, crauti kg 2, pancetta affumicata g 800, 8 würstel, vino bianco aromatico, soffritto all'italiana ☞, *alloro, 1 mela, bacche di ginepro, brodo universale* ☞, *burro o strutto, zucchero, sale e pepe*

In una capiente casseruola rosolate i crauti ben scolati per 10' in poco burro o strutto, aggiungete 2 bicchieri di vino, 8 cucchiaiate di soffritto, la mela tagliata a cubetti, 1 manciata di bacche di ginepro, 4 foglie di alloro e 2 cucchiaiate di zucchero. Coprite a filo con brodo, mettete il coperchio e cuocete in forno a 200° per 3 ore, aggiungendo poco brodo se asciugasse troppo. 1 ora prima che sia pronto, unite la pancetta tagliata a fettine e poco prima che sia pronto i würstel, rosolati per 5', e il carré, lessato per 1 ora e tagliato a fette sottili. Alla fine togliete l'alloro, regolate eventualmente di sale e pepe e servite. Gustatela con patate bollite, che possono anche essere aggiunte, pelate, 30' prima che sia pronto. Variante. Si possono anche unire delle braciole di maiale affumicate, da far cuocere 1 ora e mezzo coi crauti, o uno stinco di maiale sempre affumicato, da unire fin dall'inizio, ma bisogna invitare più amici.

L'agnello anche non a Pasqua

Un agnello non deve superare mai i 12 o poco più kg e può essere da latte, se si è nutrito esclusivamente con latte materno o comunque con latte o agnello tout court se si è nutrito anche con mangimi. In Italia lo consumiamo solo a Pasqua, per il rispetto della tradizione, poi si dimentica per un anno. Ma è sempre disponibile sul mercato. I più preziosi sono quelli *prés-salés* francesi, agnelli cresciuti in riva al mare in Bretagna e Normandia, dalla carne particolarmente profumata. Ottima anche l'offerta neozelandese. La carne è tenera, saporita, delicata, leggera, nutriente e oltremodo consigliabile. Esiste anche il fratello grande dell'agnello, il montone, dalla carne forte e saporita – ma in Italia è un illustre sconosciuto.

In funzione dell'età dell'agnello i tempi di cottura possono accorciarsi o allungarsi. Perciò utilizzo il termine circa.

Agnello a vapore
Forse, il piatto più semplice del mondo. Di certo è buonissimo e delicato.

Per 4. Tagliate 1 cosciotto di agnello disossato da 1 kg a dadi di 2 cm di lato. Strofinateli con pepe pestato e cuoceteli a vapore per 2 ore circa. Spolverizzate di sale e servite con cuscus, accompagnato con una salsa al pomodoro ☞ o una qualsiasi altra salsa che vi aggrada.

Agnello in salsa di limone
Per 4. Tagliate 1 kg di spalla di agnello disossata a dadi di 3 cm di lato. Scaldate in una casseruola 2 cucchiai di olio di semi e 1 noce di burro. Quando sono ben caldi unite la carne e fatela rosolare per 2', rimestando con un cucchiaio di legno. Aggiungete 4 cucchiaiate di soffritto all'italiana ☞, 1 cucchiaino di pepe in grani e cuocete per 6', continuando a rimestare. Coprite a filo d'acqua bollente e continuate la cottura per 1 ora circa, a pentola coperta, unendo poca acqua bollente se asciugasse troppo. Alla fine regolate di sale. Unite 30 g di roux ☞ e 4 fette di limone, private della buccia e dei semi. Cuocete ancora per 5' o poco più, fino a quando la salsa risulterà morbida e vellutata. Servite con purè di patate ☞.

Agnello alle albicocche
Versione italianizzata di un celebre piatto afghano. Però le albicocche secche, per le quali nel mondo arabo-islamico nutrono una grande venerazione, devono essere buonissime.

Per 4. Mettete a mollo ☞ in tè tiepido 12 albicocche secche per 1 ora, strizzatele e tagliatele a pezzi. Rosolate 1 kg di cosciotto di agnello disossato e tagliato a dadi di 3 cm di lato in 1 noce di burro per 5', spolverizzate con poca farina setacciata, unite le albicocche, 2 bicchieri di brodo di verdure ☞, 4 cucchiaiate di soffritto all'italiana ☞, curcuma, zenzero, coriandolo, cannella e i chiodi di garofano pestati – in questa ricetta ognuno mette le spezie che più ama nei quantitativi che predilige. Cuocete per 1 ora circa, a pentola coperta, unendo poco brodo se asciugasse troppo. Alla fine regolate di sale. Servite con riso pilaf ☞.

Agnello alla paprika
Per 4. Tagliate 1 kg di petto di agnello a dadi di 3 cm di lato, rosolateli in olio per 5'. Spolverizzate con poca farina setacciata, unite 1 bicchiere di vino bianco secco senz'alcol ☞, 4 cucchiaiate di soffritto all'italiana con pancetta ☞, 1 peperone verde, 1 peperone rosso, 1 peperone giallo tagliati a ju-

lienne, 4 cucchiaiate di salsa di pomodoro ☞, paprika a piacere (ma deve essere tanta) e cuocete per 1 ora circa, unendo poca acqua se asciugasse troppo. Alla fine regolate di sale e condite con panna acida ☞.

Agnello allo yogurt

Per 4. Fate marinare 1 kg di cosciotto di agnello disossato e tagliato a dadi di 2 cm di lato in 500 g di yogurt greco per almeno 4 ore. Scolateli e asciugateli tamponandoli con carta assorbente. Emulsionate ☞ lo yogurt e salatelo leggermente. Tostate 4 fette di pancarré e tagliatele a dadi. Saltate in poco olio la carne per 7'-10', mescolatela con lo yogurt e la dadolata di pane. Regolate di sale e condite con salsa di pomodoro calda ☞ aromatizzata con paprika.

Shish kebab

Per questa preparazione serve il succo di cipolle. Per estrarlo sarebbe ottimale centrifugarle, altrimenti tagliatele fini e pestatele.

Per 4. Fate una marinata ☞ con 2 bicchieri di olio di semi, il succo filtrato di 1 limone, il succo di 2 cipolle, origano e pepe pestato. Tagliate 1 cosciotto di agnello da 1 kg a cubetti di 2 cm di lato e passateli nella marinata per 4 ore o più. Scolateli e asciugateli bene. Infilzateli su spiedini alternandoli a spicchi di pomodori, fette di cipolla, falde di peperone e foglie di alloro. Cuoceteli su una griglia ben calda per 5'-7', spennellandoli con la marinata. Spolverizzateli di sale e servite. Fare un *kebab* o qualunque spiedino senza una marinatura iniziale è insulso.

Il buon pollo

Va da sé che per tutte queste preparazioni ci vuole un buon pollo, bello ruspante. E qui casca l'asino, perché trovare un buon pollo è come vincere un terno al lotto. Se non siete troppo sicuri della qualità, evitate di cuocerlo arrosto o alla panna, cotture che non perdonano una qualità media, ma cuocetelo con vino, peperoni, spezie e altri elementi aromatici che, forse, riusciranno a far dimenticare la media qualità. Però è sempre meglio inseguire un buon pollo.

Pollo arrosto
Come si fa un buon pollo arrosto? Fermo restando che deve essere veramente buono, pulitelo bene, evisceratelo, lavatelo, asciugatelo e schiacciatelo leggermente. Strofinatelo con sale e pepe, fuori e dentro. In una casseruola fate sciogliere metà burro, meglio se chiarificato ☞, e metà olio di oliva ma non extravergine e quando sono ben caldi unite il pollo. Rosolate per 4' e aggiungete 2 spicchi di aglio, 1 rametto di rosmarino, 2 foglie di salvia e 1 carcassa di pollo, pestata finemente – è utile perché il problema del pollo arrosto è che alla fine il sughetto che resta dopo la cottura è troppo poco per condirlo, soprattutto adesso che le belle pelli grasse sono un ricordo del passato. L'aggiunta della carcassa permette che alla fine resti un fondo un po' più abbondante.

Trasferite in forno a 200° e portate a cottura, ci vorrà circa 1 ora, ma dipende da quanto il pollo è ruspante, girandolo e bagnandolo di tanto in tanto col fondo di cottura. Alla fine togliete il pollo e tenetelo in caldo. Passate il fondo al setaccio, rimettetelo nella casseruola, deglassate ☞ con 1 bicchiere di vino bianco, cercando di recuperare al meglio la crosticina, ed emulsionate ☞ il fondo. Dividete il pollo in due parti, conditelo con il fondo e se volete con 1 filo di ottimo olio e servite. 1 pollo da 1 kg va bene per 2 persone. Mangiatelo con le mani, utilizzare le posate per un pollo arrostito è da disgraziati. Mangiate tutto, anche la pelle che è la parte più gustosa. Succhiate bene anche gli ossi, che sono saporitissimi.

Pollo brasato
Si sa che la brasatura mi fa impazzire, anche col pollo.

Procedura base. Eviscerate e fate a pezzi il pollo, lasciando, mi raccomando, la pelle. Infarinate i pezzi e scrollateli per eliminare l'eccesso di farina. Sciogliete in una casseruola metà burro e metà olio d'oliva non extravergine, abbondando abbastanza se la pelle è magra e non abbondando se è grassa, rosolate i pezzi a fuoco vivo per 3', unite 1 bicchiere di vino bianco secco senz'alcol ☞, mettete il coperchio e cuocete a fuoco dolcissimo per circa 45', aggiungendo poco brodo di pollo ☞ se asciugasse troppo. Scolateli e teneteli in caldo. Unite nella casseruola una guarnizione a scelta, ancora poco brodo se necessario, cuocete a fuoco dolce e quando la consistenza è cremosetta rimettete nella casseruola i pezzi di pollo e lasciate insaporire per 2' circa. In alternativa si può unire al pollo una guarnizione già cotta. Salate, pepate e servite.

Pollo brasato ai carciofi
Per 4. Pulite ed eviscerate 1 pollo da 1,2 kg e cuocetelo come da procedura base ☞. Pulite 4 carciofi e tagliateli a spicchietti, mettendoli man mano in una ciotola piena d'acqua acidulata con il succo del limone; sgocciolateli bene, passateli in un velo di farina e fateli rosolare in una padella con 4 cucchiai d'olio per 3'. Aggiungete 4 cucchiaiate di soffritto all'i-

taliana ☞, 2 spicchi d'aglio, 1 bicchierino di brodo di pollo ☞ e cuocete per 15'. Unite nella casseruola dei carciofi il pollo (o viceversa), se necessario ancora poco brodo, cuocete per 2', regolate di sale e pepe e servite.

Fricassea di pollo
Per 4. Pulite ed eviscerate 1 pollo da 1,2 kg e cuocetelo come da procedura base ☞. Dopo aver scolato il pollo, unite 16 cipolline glassate ☞, 100 g di funghi secchi messi a mollo ☞ in acqua tiepida per 20' e rosolati in padella per 10', 100 g di fave sbollentate per 1', 1 manciatina di menta tritata, il succo filtrato di mezzo limone e 1 bicchiere di panna e cuocete per 2'. Unite il pollo e completate la cottura per 2' unendo poco brodo di pollo ☞ se necessario; regolate di sale e pepe. Spegnete, legate con 2 tuorli e servite.

Fricassea alla berlinese
Per 4. Pulite ed eviscerate 1 pollo da 1,2 kg e cuocetelo come da procedura base ☞. Quando il pollo è pronto unite 8 code di gamberi private del budellino nero, 100 g di lingua di vitello cotta tagliata a julienne, 4 filetti di acciuga a pezzi, 100 g di animelle di vitello sbollentate ☞ per 30", private della pellicina e rosolate per 10', 100 g di champignon divisi a metà e saltati in padella per 10', 8 cipolline glassate ☞, il succo filtrato di mezzo limone e 1 manciata di capperi e cuocete per 2', unendo poco brodo di pollo ☞ se necessario. Regolate di sale e pepe. Spegnete, legate con 2 tuorli e servite.

Pollo al curry
Per 4. Preparate 500 g di verdure al curry ☞. Pulite ed eviscerate 1 pollo da 1,2 kg e cuocetelo come da procedura base ☞. Quando il pollo è pronto unite le verdure e cuocete per 2' unendo poco brodo di pollo ☞ se necessario. Regolate di sale e pepe e servite condito con 2 cucchiaiate di yogurt o di panna acida ☞.

Pollo saltato
Procedura base. Eviscerate e fate a pezzi il pollo, lascian-

do, mi raccomando, la pelle. Sciogliete in una casseruola metà burro e metà olio d'oliva non extravergine, abbondando abbastanza se la pelle è magra e non abbondando se è grassa, rosolate i pezzi a fuoco vivo per 3'. Mettete il coperchio e cuocete in forno a 180° per circa 45', mescolando di tanto in tanto. Scolateli e teneteli in caldo. Deglassate ☞ con 1 bicchiere di vino bianco. Unite gli ingredienti prescelti, crudi o già cotti, e portateli, se crudi, a cottura. Rimettete il pollo, regolate di sale e pepe e servite. Non è poi così diverso dal pollo brasato ☞ anche se i piatti saranno di certo più asciutti.

Pollo saltato con la caponata di carciofi
Per 4. Pulite ed eviscerate 1 pollo da 1,2 kg e cuocetelo come da procedura base ☞. Dopo aver deglassato ☞ il fondo con 1 bicchiere di vino bianco, unite 400 g di caponata ☞ di carciofi e cuocete 2'. Rimettete il pollo, cuocete ancora 2', regolate di sale e pepe e servite.

Per chiudere, tre preparazioni superclassiche e superbuone.

Pollo al vino
Per 4. Dividete 1 pollo pulito ed eviscerato da 1,2 kg in 8 parti e rosolatele in una casseruola a fuoco vivo in 1 noce di burro per 3'. Flambate ☞ con 1 bicchiere di brandy o Cognac e aggiungete 3 dl di vino rosso pinot nero senz'alcol ☞, 2 dl di brodo di pollo ☞, 1 cucchiaio di zucchero di canna, 16 cipolline, 100 g di pancetta tagliata a dadi, 2 spicchi di aglio, 1 mazzetto guarnito ☞ e 20 funghi champignon divisi a metà. Mettete il coperchio e cuocete a fuoco dolcissimo per 1 ora, più o meno, dipende da quanto è ruspante il pollo. Alla fine togliete il mazzetto, unite g 30 di roux ☞ e cuocete per 3'. Regolate di sale e pepe.
✓ I pezzi del pollo possono essere leggermente infarinati prima della rosolatura iniziale. In questo caso dovete mettere oltre al vino anche 1 bicchiere di brodo di pollo ☞ e l'aggiunta finale del roux non è più necessaria.

Pollo alla panna
   Per 4. In una pentola colma di acqua bollente lessate ☞
1 pollo pulito ed eviscerato da 1,2 kg per 1 ora e 20' con 1 cipolla picchettata con 2 chiodi di garofano, 1 carota, 1 gambo
di sedano, 2 foglie di alloro e 1 manciatina di pepe in grani.
Fate 3 dl di vellutata ☞ o besciamella ☞ densa col brodo di
pollo ☞, legatela con 2 dl di panna e regolate di sale, pepe e
noce moscata. Servite il pollo a pezzi, ben nappato ☞ con la
vellutata e accompagnato da un risotto alla piemontese ☞.
Per questa preparazione il pollo deve essere super.

Gallina bollita con salsa d'ostriche
   Per 4. Lessate ☞ 1 gallina pulita ed eviscerata da 1,5 kg
in acqua bollente aromatizzata con 1 cipolla picchettata con
2 chiodi di garofano, 1 carota, 1 gambo di sedano e 2 foglie
di alloro per 2 ore, più o meno, dipende da quanto è soda.
Scolatela e tenetela in caldo. Aprite 16 ostriche a crudo e tenete la loro acqua, filtrata. Scaldate 2 dl di brodo con l'acqua
delle ostriche, unite 1 bicchiere di panna e 30 g di roux ☞ e
cuocete per 6', mescolando sino ad avere una salsa densa. Unite le ostriche spezzettate e cuocete per 1'. Regolate eventualmente di sale e di pepe. Servite la gallina a pezzi nappata ☞
con la salsa. Si può fare anche con il cappone o con la pol-
lanca, che sarebbe una gallina nutrita come vengono nutriti i
capponi – qualcuno l'ha mai incontrata?

Anatra e oca, le illustri scomparse

Due palmipedi molto ma molto buoni. Ma quasi estinti nella cultura gastronomica italiana. Salvo un taglio, il petto d'anatra, che oggi è di gran moda, tutti i ristoranti lo vogliono. Per il resto, buio assoluto. Che peccato.

Anatra all'arancia

L'anatra all'arancia è la più celebre delle più classiche ricette della grande cucina francese. E la più scopiazzata e rifatta male. Tutti ne parlano ma pochi sanno come si fa. Questa è la mia versione. Non è "la ricetta" ma "una ricetta". In cucina, grazie al cielo, le ricette "perfette" non esistono, ci sono infinite elaborazioni. Anche questa è una mia elaborazione personale. Un po' lunga ma neanche tanto complessa.

Per 6. Prendete 1 anatra da 2 kg senza frattaglie, testa, collo, zampe e piume, ben pulita all'interno da tutto il grasso. Salatela e pepatela, dentro e fuori. Scaldate 100 g di burro in una capace pentola ovale, aggiungetela e fatela colorire a fuoco vivo da tutte le parti per 6'. Unite 1 bicchiere di Grand Marnier e flambate ☞. Mettete il coperchio, portate il fuoco al minimo e cuocetela per 1 ora, girandola di tanto in tanto. Scolatela, dividetela a pezzi e tenete al caldo. Pelate 2 arance amare e tagliatele a fette, mettetele in una padella antiaderente insieme a poco fondo di carne ☞ e cuocetele per 5'. Tagliate le bucce a julienne, dopo aver eliminato le parti bianche che sono amare, e sbollentatele ☞ per 3'. Per la salsa, unite nel fondo di cottura il succo filtrato di 3 arance amare, 2 cucchiai di aceto, 2 di zucchero, 1 bicchiere di fondo di carne ☞ e 30 g di roux ☞ e sobbollite per 10'. Regolate di sale, filtrate e unite la julienne sbollentata ☞. Sistemate l'anatra su un piatto di portata ben caldo, contornatela con le fette di arancia brasate ☞ e nappatela ☞ con la salsa.

Cosce d'anatra all'arancia
Semplice e perfetta che di più non si può. Abbiamo già detto che i petti d'anatra sono di gran moda. Solo che, purtroppo, a ogni petto sono indissolubilmente legate due cosce, che tutti ignorano ma che sono anche più buone. Quindi i petti costano tanto mentre le cosce sono relativamente a buon mercato – ma difficili da trovare, dovrete ordinarle dal macellaio. Misteri delle mode culinarie.

Per 4. Rosolate in 1 noce di burro 8 cosce d'anatra per 6'. Toglietele dal fuoco e con una siringa iniettate del Grand Marnier, dosi a volontà ma non eccedete. Rimettetele sul fuoco e portate a cottura, a fuoco basso, coperto, aggiungendo poco brodo universale ☞ se asciugasse troppo: ci vorranno dai 30' ai 40'. Alla fine regolate di sale. Tutto qui ma è un piatto buonissimo.

Ragoût d'anatra al vino rosso
Per 6. Prendete 1 anatra da 2 kg senza frattaglie, testa, collo, zampe e piume, ben pulita all'interno da tutto il grasso, tagliatela a pezzi e fateli rosolare con burro o olio per 6'. Aggiungete 1 bicchiere di vino rosso secco senz'alcol ☞, 6 cucchiaiate di soffritto di scalogni ☞, 300 g di champignon tagliati a metà e 24 cipolline. Coprite e cuocete per 30' a fuoco dolcissimo, unendo poco brodo universale ☞ se asciugasse troppo. Unite 2 dl di panna, mescolate, cuocete per 3', regolate di sale e pepe e profumate con prezzemolo tritato. Servite con riso pilaf ☞.
✓ Lo so, la guarnizione di cipolline e di champignon compare in tante ricette. Ma è così buona!

Oca alle mele

Per 8. Prendete 1 oca da 3 kg e pulitela bene. Tagliate a fettine 1 kg di mele, farcite l'oca e legatela bene con filo da cucina. Fatela dorare con poco olio a fuoco vivace per 8', scolate il grasso, unite 2 bicchieri di vino bianco aromatico senz'alcol ☞, abbassate la fiamma e cuocete a fuoco dolcissimo, coperto, per 1 ora e mezzo, unendo poco brodo universale ☞ se asciugasse troppo. Regolate di sale e pepe ed eliminate il filo. Servite l'oca con salsa di mele ☞.

Oca con fagioli

Per 8. Trinciate a pezzi 1 oca da 3 kg. Fateli rosolare in olio e burro per 8', scolate il grasso, unite 1 bicchiere di vino bianco aromatico senz'alcol ☞ e cuocete coperto a fuoco dolce per 40', unendo poco brodo universale ☞ se asciugasse troppo. Scolate i pezzi e nella casseruola unite 800 g di fagioli cannellini lessati al dente, 1 bicchiere di brodo, 4 cucchiaiate di soffritto di cipolle ☞, 1 punta abbondante di concentrato di pomodoro, peperoncino, cannella e noce moscata a piacere. Cuocete per 10', aggiungete l'oca, regolate di sale e servite.

Mania dell'autore 24:
il fegato grasso

Il fegato grasso è il fegato ingrossato delle oche (e delle anatre) superalimentate con mais, anche se qualcuno usa ancora i fichi secchi. È vietato e non esiste più il cruento ingozzamento forzato che si chiamava *gavage*. Ottimo fresco, tagliato a fette e saltato in padella per 2' o poco più, si consuma soprattutto in terrina, è un prodotto semindustriale o artigianale, accompagnato da un vino liquoroso dolce.

Terrina di fegato grasso
Per 2. Tagliate 2 tranci di terrina di fegato grasso e metteli su piatti individuali. Gustatevelo, spalmato su buon pane tostato, in santa pace e complice piacere, accompagnato da 1 bicchiere a testa di passito o *Sauternes*.

Scaloppe di fegato grasso fresco
Per 2. Tagliate 200 g di fegato grasso fresco a fette. Scaldate una padella antiaderente e cuocete le fette 3' per lato. Scolatele e tenetele in caldo. Deglassate ☞ con 1 bicchierino di Porto, aggiungete 1 dl di brodo universale ☞, 20 g di roux ☞ e 40 g di tartufo nero tagliato a julienne e cuocete per 5'. Regolate di sale e pepe. Servite il fegato grasso guarnito con questa salsa e accompagnato da 1 bicchiere a testa di passito o *Sauternes*. Se volete, potete mettere il fegato sopra un crostone di pane saltato al burro o tostato. Potete sostituire al Porto tutti i vini dolci e liquorosi.

Le tecniche di cottura delle uova

Uno degli ingredienti più trasformisti. Si dice che la grande cucina classica francese, che molto le amava, comprendesse più di mille ricette: e infatti la terminologia gronda di termini francesi, una cosa incredibile se si pensa che le uova si mangiano da sempre. Oggi sono poco di moda, perché "pesanti". Non è vero naturalmente, sono nutrienti e leggere, buone e accattivanti. Mai pesanti, anche a sbagliare cottura. Misteri delle mode.

✓ È fondamentale che le uova siano state tenute a temperatura ambiente almeno per 2 ore. Mai toglierle dal frigorifero e cuocerle subito!

COTTURE CON IL GUSCIO

À *la coque* o al guscio
La cottura è molto breve. L'albume sarà morbido e il tuorlo liquido e appena tiepido.

Scaldate a fuoco medio abbondante acqua in una casseruola e, prima che raggiunga l'ebollizione – deve appena fremere – immergetevi delicatamente le uova. Abbassate la fiamma al minimo e cuocete per 3'. Scolatele e sistematele negli appositi portauovo. Togliete subito la calotta, rompendo il guscio sulla sommità, altrimenti continueranno a cuocere. Unite un pizzico di sale e gustatele con un cucchiaino o intingetevi crostini o verdure cotte.

Mollets o bazzotte

Una via di mezzo tra le uova *à la coque* e quelle sode. Devono avere l'albume rassodato, ma ancora un po' morbido e il tuorlo cremoso, che fa la "goccia". Mettete le uova in una piccola casseruola e copritele d'acqua fredda. Fate prendere lentamente l'ebollizione, abbassate la fiamma e cuocetele a bollore appena accennato per 5'. Immerse invece direttamente in acqua bollente saranno pronte in 6'. Raffreddatele velocemente sotto l'acqua corrente, sgusciatele delicatamente per non romperle e immergetele per qualche istante, prima di servirle, in acqua calda salata.

Sode

La preparazione più classica. Tuorlo e l'albume dovranno essere completamente rappresi.

Portate a bollore un pentolino pieno d'acqua, unite un cucchiaio d'aceto per evitare incrinature del guscio, immergete le uova e cuocetele a fuoco basso per 8', se volete il tuorlo ancora un po' morbido e di un colore brillante e 10' se volete che tuorlo e albume siano completamente sodi e il tuorlo giallo pallido. Raffreddatele sotto l'acqua corrente e sgusciatele levando anche la membrana sottostante. Potete cuocerle anche mettendole in un pentolino coperte d'acqua fredda, il livello dovrà superarle di 3 cm, e portato a ebollizione a fuoco medio: calcolate 8' di cottura dall'ebollizione.

Se superate i 10' di cottura il tuorlo si copre di una patina verdognola indigesta e antiestetica. Succede anche se non le raffreddate subito e lasciate tempo ai composti solforati dell'albume di legarsi al ferro del tuorlo con il risultato di mutarne il colore.

COTTURE SENZA IL GUSCIO

Brouillés o strapazzate

Una cottura molto delicata. Non dovranno risultare troppo liquide né troppo rapprese, ma morbide, omogenee e cremose. Più facile a dirsi che a farsi.

Sgusciate 2 uova a testa in una ciotola, conditele con sale e pepe e sbattetele brevemente con la forchetta. Fate sciogliere una noce di burro in padella a fuoco dolce, meglio se con uno spargifiamma, versate le uova sbattute e, tenendo la fiamma molto bassa, mescolate continuamente con la forchetta o con un cucchiaio di legno: il composto deve rapprendersi in modo omogeneo, senza asciugare troppo, raggiungendo la consistenza di una crema densa. Togliete dal fuoco e unite, continuando a mescolare, un po' di burro freddo a fiocchetti oppure un cucchiaio di panna o di latte, che servirà ad arrestare la cottura e mantenere morbide le uova. Potete anche cuocerle a bagnomaria, è più prudente, cominciando prima che l'acqua inizi a bollire e unendo il burro o la panna o il latte alla fine, sempre fuori dal fuoco.

Frittata
La frittata deve essere dorata fuori e morbida all'interno.

Sbattete in una ciotola 2 uova a testa con la forchetta, non con la frusta altrimenti si riempiono d'aria, unendo 1 pizzico di sale, quanto basta ad amalgamare i tuorli con gli albumi. Non è vero che sbattendo molto le uova la frittata riesca più gonfia e leggera, anzi, la schiuma che si forma appesantisce le uova, l'amalgama si sfibra e la frittata tarderà a rapprendersi in cottura e non sarà soffice.

Scaldate in una padella, naturalmente più la padella è larga più la frittata verrà sottile, poco olio, o metà olio e metà burro, a fuoco vivo, versate le uova sbattute e muovete la padella in modo che si distribuiscano in modo uniforme sul fondo. Dopo qualche istante mescolatele velocemente con la forchetta, portando verso il centro i bordi che si rapprendono quasi subito: basteranno pochi secondi per far addensare le uova in una massa morbida, che però all'interno deve risultare ancora molle. Abbassate la fiamma a fuoco medio e lasciate che la frittata cuocia completamente sul fondo formando una leggera crosticina, mentre la superficie rimane cremosa. Per girarla, appoggiate sulla padella un coperchio o un piatto piano più grande della padella, meglio se bagnati d'acqua calda, e rigirate d'un solo colpo la padella. Rimettete la padella sul fuoco vivo, versatevi ancora un filo d'olio e, quando è caldo, fatevi scivolare delicatamente la frittata dal piatto o dal coperchio. Abbassate il fuoco e cuocete per 2', in modo che si asciughi ma rimanga morbida internamente. Potete anche evitare di girarla. Mettete il coperchio sulla padella, abbassate la fiamma al minimo e lasciate rapprendere la frittata anche in superficie. Se volete cuocerla in forno, versate il composto in una teglia antiaderente unta leggermente d'olio e mettete in forno caldo a 170° per 15' o finché sarà rappresa.

Omelette

È simile alla frittata, che in Francia si chiama *omelette plate*. È più sottile, cuoce nel burro solo sul lato a contatto con la padella, finché si sarà formata una leggera crosticina bionda, e viene ripiegata su se stessa usando una paletta. Alle uova sbattute si possono aggiungere poco latte o qualche fiocchetto di burro. La parte all'interno deve essere, il termine è bellissimo, *baveuse*, cioè ancora un po' morbida e non rappresa. Il ripieno va messo al centro prima di piegarla e, al momento di servirla ben calda, si spalma la superficie con un fiocchetto di burro fresco.

Fritte

L'albume deve essere morbido, ma rappreso, e il tuorlo liquido, praticamente crudo, ma caldo: non è la quadratura del cerchio ma quasi. È importante che, come per le uova cotte col guscio, prima di cuocerle le uova siano state tenute a temperatura ambiente per almeno 2 ore, altrimenti il tuorlo freddo di frigo non farebbe in tempo a riscaldarsi.

Scaldate in una padella antiaderente a fuoco basso una noce di burro con 1 pizzico di sale finché sarà di colore nocciola chiaro. Qui non si può usare olio!

Sgusciate le uova in un piattino e fatele scivolare delicatamente in padella, aumentate il fuoco e ruotate leggermente la padella in modo che l'albume si distribuisca sul fondo e cominci a rapprendersi. Per farlo cuocere prima e in modo uniforme, con i rebbi di una forchetta scostatelo dal fianco del tuorlo e smuovetelo leggermente. Quando l'albume è appena rappreso, salate e pepate solo l'albume e servite. Il tuorlo non deve assolutamente rapprendersi.

Per mantenere il tuorlo bello fluido c'è un'altra procedura: cuocere prima l'albume. In questo caso sgusciate le uova separando il tuorlo dall'albume. Versate l'albume nella padella con il burro fuso e lasciatelo rapprendere quasi completamente: in superficie deve essere ancora lattiginoso. Create uno spazio al centro dell'albume, senza romperlo, con la leggera pressione del dorso di un cucchiaio e fateci scivolare il tuorlo. Cuocete per 1' a fuoco vivo, salate e pepate solo l'albume. Potete insaporire il tuorlo con poco burro preso dalla padella.

Al piatto

Una variante delle uova fritte. Sgusciate le uova, una per volta e facendo attenzione a non rompere il tuorlo, in tegamini da forno, ben unti di burro o d'olio. Salate leggermente solo l'albume, versate su ogni uovo un cucchiaio di burro fuso e passate in forno caldo a 200° per 5'.

Pochés o in camicia o affogate

Quelle che non vengono mai, sono un vero incubo per miriadi di cuochi. Anche per me. L'albume deve cuocere e rapprendersi nell'acqua e il tuorlo deve rimanere ancora liquido! Queste è una versione poco ortodossa ma funziona. Ogni tanto...

Il punto chiave è di evitare sia la troppa acqua sia il troppo caldo. Quindi prendete una casseruola dal bordo alto e del diametro di 25 cm, con il suo coperchio. Mettete 6 cm di acqua e portare a bollore, a fuoco vivo. Intanto sgusciate con delicatezza le uova in tazze da caffè, 1 uovo per tazza, avendole categoricamente tirate fuori dal frigorifero 2 ore prima. Quando l'acqua bolle mettete al minimo il gas e aggiungete poco sale e 2 cucchiai di aceto. Immergete le tazzine nell'acqua tenendole per il manico e, immergendo di 1 cm il bordo inferiore, fate scivolare nell'acqua calda le uova, sempre con delicatezza estrema. Quando le avrete trasferite tutte nell'acqua, coprite la casseruola col coperchio e spegnete il gas. Lasciatele cuocere per 3', pochi secondi più o meno, raccoglietele con una schiumarola ed eliminate le sfrangiture dell'albume. Possono essere anche preparate in anticipo, cosa molto, molto prudente. Dopo averle estratte dall'acqua, diciamo così leggermente "al dente", fermate la cottura immergendole in acqua fredda e conservatele in frigo, anche per 3 giorni. Quando volete mangiarle, scaldate 1 dito d'acqua a bagnomaria e cuocetele per 1'.

In cocotte
In questa preparazione a bagnomaria l'albume deve risultare rappreso e il tuorlo ancora liquido.

Imburrate delle tazzine resistenti al fuoco o le apposite cocottine in porcellana, versate in ciascuna 1 cucchiaio di panna calda e sgusciatevi 1 uovo. Condite con sale, pepe e fiocchetti di burro, immergete le cocottine fino a metà altezza in un recipiente con acqua bollente e cuocete in forno a 200° o sul fornello per circa 5'. Potete, se volete, omettere la panna.

Le buone uova

Poche, gustose e amate preparazioni a base di uova.

Uova strapazzate con i gamberetti

Per 2. Scaldate 30 g di burro in una padella e quando sarà spumeggiante unite 100 g di gamberetti, 1 dl di latte, sale e pepe e lasciate insaporire per 2'. Sbattete 4 uova in una ciotola con sale e pepe, versatele nella padella e fatele rapprendere a fuoco basso, strapazzandole ☞ finché saranno soffici e cremose. Togliete dal fuoco, incorporate 10 g di burro, continuando a mescolare e profumate con un po' di aneto o prezzemolo tritato.

Uova strapazzate ai funghi

Per 2. Pulite 150 g di champignon e tagliateli a dadini. Fate dorare 2 spicchi d'aglio in una padella con 2 cucchiai d'olio e 20 g di burro. Eliminate l'aglio, unite i funghi, salate, pepate e cuocete a fuoco vivo per 15', o finché l'acqua di vegetazione sarà evaporata. Profumate con 1 cucchiaio di prezzemolo tritato. Sbattete 4 uova in una ciotola con poco succo di limone, sale e pepe, versatele sui funghi e fatele rapprendere a fuoco basso, strapazzandole ☞ finché saranno soffici e cremose. Togliete dal fuoco e incorporate 10 g di burro, continuando a mescolare.

Frittata con i carciofi

Per 4. Pulite 4 carciofi, eliminate le foglie esterne più dure e parte del gambo, tagliateli a spicchi sottili e tuffateli in acqua acidulata con il succo del limone. Scaldate in una padella 4 cucchiai d'olio con 1 noce di burro e 1 spicchio d'aglio tritato. Unite i carciofi sgocciolati, asciugati e leggermente infarinati, coprite e lasciate cuocere a fuoco basso mescolando di tanto in tanto e unendo poca acqua bollente se dovessero arrostire, finché saranno teneri ma ancora al dente, ci vorranno circa 15'. Salate, pepate e lasciate evaporare tutta l'acqua di vegetazione a fuoco vivo. Sbattete 6 uova con 4 cucchiai di pecorino o grana grattugiato, sale, pepe e 1 cucchiaio abbondante di origano o maggiorana tritati. Aggiungete i carciofi intiepiditi, lasciate insaporire per 5' e preparate la frittata ☞.

Frittata di tartufi neri
   Per 4. Pulite 80 g di tartufi neri con un panno inumidito e spazzolateli bene. Sbattete 6 uova con 4 cucchiai di latte o di panna, 3 cucchiai di parmigiano, 1 pizzico di sale e 1 abbondante macinata di pepe. Mescolatevi i tartufi grattugiati o tagliati a lamelle sottili con l'affettatartufi e lasciate insaporire per 5'. Versate il composto in una grande padella con 4 cucchiai d'olio caldo e preparate la frittata ☞.

Frittata di rane
   Per 4. Lavate 400 g di cosce di rana pulite, asciugatele ed eliminate gli ossicini. Rosolatele nel burro con 1 spicchio d'aglio, che poi eliminerete, e 3 cucchiai d'olio; bagnate con 1 bicchiere di vino bianco senz'alcol ☞ e lasciate evaporare. Versate 1 mestolino di brodo universale ☞ bollente in cui avrete sciolto 1 bustina di zafferano e cuocete per 10'; salate, pepate e profumate con il prezzemolo tritato. Sbattete 6 uova con 3 cucchiai di latte, 3 di grana, sale e pepe. Unite le rane intiepidite e sgocciolate e lasciate insaporire per 5'. Scaldate 4 cucchiai d'olio in una padella e preparate la frittata ☞.

***Tortilla* alla spagnola**
   Per 4. Pelate 600 g di patate, lavatele, asciugatele e tagliatele a fettine sottili. Sbucciate 2 cipolle dorate e tritatele.

Rosolate patate e cipolle in una padella con abbondante olio e 1 bel pizzico di sale a fuoco basso finché saranno tenere ma non dorate, mescolando con un cucchiaio di legno di tanto in tanto. Sgocciolatele dall'olio mettendole in uno scolapasta e lasciatele intiepidire. Sbattete 6 uova con 1 pizzico di sale e amalgamatevi patate e cipolle. Scaldate 4 cucchiai d'olio in padella, versate il composto e preparate la frittata ☞. È buona calda o fredda. Si cuoce anche in forno a 160° per 40' in uno stampo imburrato.

Omelette al pomodoro
Per 2. Sbollentate ☞ e spellate 4 pomodori, eliminate i semi e tagliate la polpa a dadini. Cuoceteli in poco burro con 3 cucchiai di soffritto di cipolle ☞, 1 punta di fecola di patate, sale e pepe fino ad avere una salsa densa e cremosa unendo pochissima acqua se necessario. Sbattete 5 uova con 6 cucchiai di latte, 1 cucchiaio di prezzemolo tritato, sale e pepe e preparate 2 *omelettes* ☞ farcendole con la salsa.

Omelette al formaggio
Per 2. Tagliate 50 g di groviera e 50 g di mozzarella o gorgonzola a pezzettini, metteteli in una casseruola e insaporite con sale, pepe e noce moscata e aggiungete 1 cucchiaio di panna e 1 noce di burro. Cuocete a fuoco basso mescolando finché il burro sarà sciolto e la crema amalgamata, ma con ancora pezzettini di formaggio. Sbattete 5 uova in una ciotola con 1 pizzico di sale e preparate 2 *omelettes* ☞ farcendole con la crema di formaggi.

Uova fritte al bacon
Per 2. Rosolate 8 fette di bacon in una padella antiaderente leggermente imburrata, spostatele di lato e, nel grasso rimasto in padella, sgusciate 4 uova. Salate e pepate leggermente solo gli albumi e cuocetele finché l'albume sarà rappreso. A piacere profumate con maggiorana tritata. Per una versione più leggera, tostate il bacon a parte e affiancatelo alle uova fritte nel burro.

Uova al piatto con tartufo

Per 2. Ungete il fondo di due tegamini con 30 g di burro al tartufo, ottenuto mescolando un po' di tartufo grattugiato con il burro ammorbidito, sgusciatevi 2 uova a tegamino e cuocete in forno a 200° per 5'. Togliete dal forno, salate, pepate con pepe macinato al momento e coprite con 10 o più g di tartufo a testa tagliato a lamelle. Servite subito.

Uova affogate al curry

Per 2. Preparate 2 uova affogate ☞ a testa. Disponetele nei piatti su fette di pane tostate, versate su ciascuna porzione 3 cucchiai di salsa al curry ☞ ben calda e cospargete con prezzemolo tritato. Potete sostituire la salsa al curry con tutte le salse del mondo.

Uova affogate ai carciofi

Per 2. Svuotate 4 fondi di carciofo dell'eventuale fieno interno e metteteli a mollo ☞ in acqua acidulata con succo di limone. Lessateli in abbondante acqua bollente salata con un po' di succo di limone per 30'. Scolateli, disponeteli in una pirofila imburrata, adagiate su ciascun fondo 1 uovo in camicia ☞, ricoprite con un velo di besciamella ☞ e gratinate ☞ in forno per 2'. Variante. Disponete i fondi di carciofo sui piatti, adagiatevi sopra le uova in camicia e servite con maionese verde ☞, salsa tartara ☞ o salsa cocktail ☞.

Mania dell'autore 25:
œufs en meurette

In vita mia ho incontrato un solo piatto a base di uova che è entrato di prepotenza e per sempre nella mia personale *hall of fame* dei prediletti. Eccolo. È una gloria della tradizione borgognona.

Œufs en meurette

Per 1. Mettete in una casseruola 1 bicchiere di vino rosso con 20 g di funghi champignon e 2 scalogni tagliati a pezzi. Cuocete per 30', passate al passaverdura e tenete in caldo. Mettete sul fuoco 2 bicchieri di vino rosso, aggiungete 1 rametto di timo, 1 foglia di alloro e 2 gambi di prezzemolo, cuocete a bollore per 5' e filtrate. Rimettetelo sul fuoco, col gas al minimo, e cuocete in camicia ☞ 3 uova freschissime. Raccoglietele con una schiumarola, tagliate le sfrangiture dell'albume e tenetele in caldo. Filtrate il vino di cottura, rimettetelo nella casseruola, unite la salsa di funghi e scalogno e 20 g di roux ☞ e lavorate a fuoco dolce con la frusta fino a ottenere un impasto omogeneo. Togliete dal fuoco, aggiungete ancora 2 cucchiai di burro ed emulsionate ☞, sempre con la frusta, regolando di sale e pepe. Nel frattempo avrete saltato al burro 1 grossa fetta di pane casereccio e rosolato 50 g di pancetta tagliata a julienne. Mettete il pane su un piatto caldo, coprite con le uova e la pancetta e nappate ☞ con la salsa. Se volete rendere questo piatto più leggero potete tostare il pane al grill. Però, se avete voglia di un piatto leggero, evitate le *œufs en meurette*.

Il piacere delle verdure

Qualche proposta senza dubbio mitica e qualcun'altra comunque interessante a base di verdure. Unico consiglio generico: non cuocetele troppo: spappolate perdono non solo di consistenza ma anche di sapore.

QUATTRO SUPERCLASSICI

Bagna càôda

Questa "salsa" piemontese in cui intingere verdure crude e cotte è un robusto piatto conviviale da condividere nei mesi autunnali e invernali con fidati amici amanti dell'aglio. Diventa un pasto quasi completo se accompagnato da una tazza di brodo di manzo ☞.

Per 6. Spellate gli spicchi di 4 teste di aglio, privateli dell'anima verde e metteteli in un tegame di coccio con 1 noce di burro. Copriteli a filo di latte e cuocete a fuoco dolcissimo, scremando spesso, finché l'aglio si sarà spappolato. Aggiungete 300 g di filetti dissalati di acciuga e mescolate per farli sciogliere. Frullate, rimettete sul fuoco e unite 3 dl di olio extravergine d'oliva, ligure o del Garda, e 50 g burro; riscaldate a fiamma molto bassa finché la salsa sarà fluida e caldissima. Se volete, potete aggiungervi qualche gheriglio di noce pestato. Portate il tegame in tavola su un fornelletto (o su fornelletti individuali) e servite con verdure crude e cotte disposte su piatti da portata, che ogni commensale immergerà nel fornelletto.

Verdure crude consigliate: cardi puliti, messi a mollo ☞ in acqua acidulata con succo di limone e poi sgocciolati e tagliati a pezzi, foglie di cavolo, peperoni a fette, topinambur sbucciati e ravanelli. Verdure cotte consigliate: cavolfiore lessato e diviso in cimette, peperoni arrostiti in forno, spellati e divisi in falde, patate e rape lessate, sbucciate e tagliate a spicchi, cipolle cotte al forno.

Caponata

Di questa specialità siciliana esistono numerose versioni che vedono l'aggiunta di peperoni o di mandorle tostate e mollica di pane abbrustolita. Quelle più sontuose vengono arricchite con polipetti, pesce spada, aragosta, gamberi, bottarga di tonno, prezzemolo, uova sode, caciocavallo o, addirittura, cioccolato fondente.

Per 6. Pulite 800 g di melanzane, tagliatele a dadini e metteteli a strati in uno scolapasta cosparsi di sale per almeno 30'. Intanto affettate 2 cipolle sottili e rosolatele in una padella antiaderente con 2 cucchiai d'olio e 1 pizzico di sale finché saranno morbidissime. A fuoco spento lasciate insaporire per 5' le cipolle con 150 g di capperi, 200 g di olive denocciolate divise a metà, 2 cucchiai di pinoli e 2 di uvetta; trasferite il tutto in un'insalatiera. Pulite 400 g di gambi di sedano, tagliateli a pezzetti, sbollentateli ☞ per 3' in abbondante acqua bollente salata, saltateli in padella per 3' con 1 filo d'olio e uniteli nell'insalatiera. Sciacquate velocemente le melanzane sotto l'acqua fredda, per eliminare il sale, asciugatele tamponandole con carta assorbente e rosolatele nella padella con 4 cucchiai d'olio per 4'. Salatele e mettetele nell'insalatiera. Scottate 250 g di pomodori in acqua bollente, spellateli, privateli dei semi, tagliateli a dadini e metteteli in uno scolapasta. Salateli leggermente e lasciate che perdano parte dell'acqua di vegetazione per 20': poi uniteli alle altre verdure. Riunite in un pentolino 1 dl di aceto di vino bianco e 1 dl di vino bianco con 40 g di zucchero, fate parzialmente evaporare a fuoco vivo e versate il liquido agrodolce sulle verdure. Profumate con 1 manciata di foglie di basilico, mescolate e lasciate riposare per qualche ora prima di servire. Se la si conserva in frigorifero per 2 o 3 giorni, diventa ancora più buona.

Parmigiana di melanzane

Per 6. Lavate 2 kg di melanzane, eliminate il picciolo e tagliatele per il lungo a fette di mezzo cm di spessore, cospargetele di sale e mettetele in uno scolapasta a perdere l'acqua amarognola di vegetazione per 1 ora. Tagliate 400 g di mozzarella a fettine e fatele sgocciolare in uno scolapasta per 1 ora. In una casseruola cuocete per 15' in 1 filo d'olio 1 litro di passata di pomodoro ☞ possibilmente fatta in casa, 6 cucchiai di soffritto di cipolle ☞, 1 spicchio d'aglio, 1 pizzico di sale e 1 di zucchero. Sciacquate le fette di melanzana, asciugatele, infarinatele leggermente e friggetele in abbondante olio d'oliva ben caldo finché saranno dorate, sgocciolatele su carta assorbente e salatele pochissimo. Grattugiate 150 g di parmigiano. Versate sul fondo di una teglia un po' di salsa di pomodoro ☞, fate un primo strato di melanzane, accavallandole leggermente, spolverizzate di parmigiano grattugiato, cospargete con qualche foglia di basilico spezzettata, condite con altra salsa di pomodoro e coprite con fettine di mozzarella; proseguite così gli strati, terminando con uno strato di melanzane, la salsa e il parmigiano. Cuocete in forno a 180° per 45' e servite la parmigiana tiepida o fredda.

Curry di verdure miste

Per 4. Cuocete 4 cucchiai di soffritto di cipolle ☞ con 2 pizzichi di zenzero in polvere e 2 cucchiaini di curry in polvere per 2'. Aggiungete 800 g di verdure miste di stagione come carote, patate, sedano, cavolfiore, cavolini di Bruxelles, zucchine, melanzane, fagiolini ecc., pulite e tagliate a pezzetti e lasciate insaporire per 10'. Versate 1 mestolino d'acqua calda in cui avrete stemperato ☞ 1 cucchiaino di concentrato di pomodoro e cuocete a fuoco medio per 15' o finché le verdure saranno morbide ma non disfatte. A fine cottura regolate di sale e aggiungete un vasetto di yogurt.

Asparagi con salsa olandese

Per 4. Pulite 1 kg di asparagi bianchi o verdi, raschiate e pareggiate i gambi e lavateli. Cuoceteli al vapore per 20' o finché risulteranno teneri. Disponeteli su un piatto da portata e serviteli nappati ☞ con salsa olandese ☞. Variante: nappateli con salsa *chantilly* ☞.

Cardi gratinati

Per 4. Pulite 800 g di cardi, strofinateli con spicchi di limone e tagliateli a pezzi lunghi 10 cm. Lessateli in abbondante acqua bollente salata con il succo di 1 limone mescolato con 1 cucchiaio di farina e scolateli al dente, ci vorranno circa 2 ore, dipende dallo spessore dei cardi. Fate un trito con 2 spicchi di aglio, 2 cucchiai di prezzemolo, 3 cucchiai di capperi e 4 filetti d'acciuga, 1 macinata di pepe, 1 filo di olio, 80 g di pecorino grattugiato e 200 g di mollica di pane casereccio sbriciolata. Disponete i cardi a strati in una teglia unta d'olio cospargendo ogni strato con parte del trito. Irrorate con poco olio e gratinate in forno a 190° per 20'.

Purè di castagne

Per 4. Incidete con un coltellino la buccia di 500 g di castagne e passatele in forno a 150° per 10'. Sbucciatele e spellatele finché sono ancora calde. Lessatele in 8 dl di latte bollente con 1 cucchiaino di sale e 1 foglia di alloro. Sgocciolatele, passatele al passaverdura facendo cadere il passato in una casseruola e incorporate 1 dl di panna, mescolando a fuoco basso senza far bollire. Amalgamate 40 g di burro a pezzetti e regolate di sale e pepe.

Cetrioli alla crema

Per 4. Pelate 800 g di cetrioli, eliminate i semi e fateli a pezzi regolari. Fateli spurgare in uno scolapasta per 1 ora, spolverizzati con sale, poi sciacquateli e asciugateli. In una casseruola fate sciogliere 1 noce di burro, aggiungete i cetrioli, salate e pepate. Lasciate cuocere per 10' e aggiungete 3 dl di panna. Legate per 3' e servite.

Cipolline glassate

Come si evince dalla lettura di questo libro, una mia passione incontrollabile, le metterei dovunque, come il prezzemolo. Entro in crisi quando finisce la stagione delle cipolline.

Per 4. Sbucciate 500 g di cipolline borettane. In una padella unite le cipolline con 4 cucchiai di olio o 4 noci di burro e 2 cucchiai di zucchero, coprite a filo di acqua e cuocete a fuoco vivo finché tutta l'acqua non sarà evaporata.

Cipolline glassate ricche

Per 4. Sbucciate 500 g di cipolline borettane e sbollentatele ☞ per 3'. Scaldate in una padella 50 g di burro, quando è spumeggiante rosolate le cipolline a fuoco medio per 5' con 1 cucchiaio di zucchero, 5 grani di pepe, 1 foglia di alloro e 4 chiodi di garofano. Bagnatele con 1 dl di brodo universale ☞, mettete il coperchio e cuocete a fuoco molto basso, mescolandole di tanto in tanto, per 20'. Togliete il coperchio, eliminate l'alloro e le spezie, spolverizzate con un po' di zucchero, salatele e cuocete per altri 3' a fuoco vivo, scuotendo la padella in modo che le cipolline si ricoprano uniformemente con il denso fondo di cottura.

Purè di patate

Per 4. Lessate 600 g di patate a pasta bianca, sbucciatele e passatele ancora calde allo schiacciapatate facendo cadere il passato in una casseruola con 40 g di burro a pezzetti. Cuocete a fuoco basso mescolando con un cucchiaio di legno finché il burro si sarà sciolto. Versate a filo 3 dl di latte caldo, continuando a mescolare finché il purè risulterà liscio e omogeneo. Salate e incorporate 2 cucchiai di grana grattugiato. Appena bolle, spegnete il fuoco e sbattete il purè con una forchetta o con una piccola frusta per 5' in modo da renderlo soffice e spumoso. A piacere, aromatizzate con pepe e noce moscata.

Patate fritte
Senza doppia cottura le patate fritte non sono loro.
Per 4. Sbucciate 800 g di patate a pasta gialla e tagliatele
prima a fette spesse 1 cm e poi a bastoncini lunghi 6 cm. Metteteli in uno scolapasta e lavateli sotto l'acqua corrente per
eliminare l'amido che li farebbe attaccare in cottura. Scolateli e asciugateli su un telo, tamponandoli con cura. Scaldate
abbondante olio di semi di arachide o olio per friggere in una
padella senza farlo fumare (non dovrà superare la temperatura di 150°). Immergetevi le patate per circa 10', mescolandole: devono cuocere ammorbidendosi senza prendere colore. Scolatele con un mestolo forato. Portate l'olio a una temperatura più alta, cioè a 180°, finché è bollente ma non fumante – non deve raggiungere il punto di fumo. Immergetevi di nuovo le patate, alzate la fiamma e friggetele per 2'-3' o
finché saranno dorate e croccanti. Scolatele definitivamente
su carta assorbente, salatele e servitele caldissime. Potete fare la seconda frittura a distanza anche di 4 ore dalla prima,
tenendo da parte le patate coperte con carta assorbente.
   ✓ Il punto di fumo è la temperatura oltre la quale l'olio
comincia a bruciare e che non deve mai essere superata durante la frittura: per l'olio di arachide e per le miscele di oli
vari è a 190°. Per controllare la temperatura dell'olio, se non
avete l'apposito termometro, al momento della prima frittura immergete 1 bastoncino di patata: dovrà risalire in superficie in più o meno 20". Poi tuffate nell'olio tutte le altre patatine. Così pure alla seconda frittura: 1 patatina immersa nell'olio dovrà diventare dorata in 5"-6".

Peperoni con la mollica
Per 4. Lavate 1 kg di peperoni gialli, verdi e rossi, eliminate il picciolo e i semi e tagliateli a falde piccole. Rosolatele
in una grande padella con 6 cucchiai d'olio per 25', mescolando di tanto in tanto e unendo pochissima acqua se asciugassero troppo. Salateli, pepateli, cospargeteli con 200 g di
mollica di pane casereccio leggermente raffermo sbriciolata,
2 cucchiai di capperi e 1 cucchiaino di origano e proseguite
la cottura per altri 5', finché la mollica risulterà dorata.

Peperonata
Per 4. Pulite 700 g di peperoni gialli e rossi e tagliateli a pezzetti. Fateli insaporire a fuoco vivo mescolando per 10' con 1 filo di olio, 4 cucchiaiate di soffritto di cipolle ☞ e 1 spicchio d'aglio. Aggiungete 300 g di pomodori sbollentati ☞, spellati e spezzettati, salate, pepate mettete il coperchio e cuocete a fuoco basso per circa 30' o finché i peperoni saranno teneri, unendo poca acqua se asciugasse troppo. Profumate con prezzemolo tritato e basilico spezzettato.

Pomodori verdi fritti
Per 4. Lavate 4 pomodori verdi, asciugateli e tagliateli a fette spesse 1 cm. Mettetele in una ciotola, conditele con poco olio, 1 spicchio d'aglio tritato e 1 cucchiaio di prezzemolo tritato e lasciatele insaporire per 40'. Sgocciolatele dalla marinata ☞, immergetele in 2 uova sbattute con 1 pizzico di sale, passatele in farina di mais e friggetele in abbondante olio di semi di arachide a fuoco vivo per 4'. Sgocciolatele su carta assorbente, salatele, pepatele e servitele ben calde.

Pomodorini caramellati
Per 4. Scaldate in una larga padella antiaderente 40 g di burro o 5 cucchiai di olio, unite 500 g di pomodorini lavati, cospargeteli con 2 cucchiai di zucchero, sale e pepe e cuocete a fuoco vivo per 5'. Profumate con 1 ciuffo di prezzemolo, 1 rametto di maggiorana e 1 rametto di timo tritati.

Purè di sedano di Verona
Per 4. Sbucciate 500 g di sedano di Verona, tagliatelo a dadi e lessateli in acqua bollente salata per 10'. Sgocciolateli e cuoceteli in una casseruola con 3 dl di brodo universale ☞ per 30'. Passateli al passaverdure facendo cadere il passato nella casseruola, unite 100 g di purè di patate ☞ e mescolate a fuoco basso per 10', aggiungendo 40 g di burro a pezzetti e 1 dl di panna. Regolate di sale e pepe.

Le salse che accompagnano i formaggi

I formaggi sono buoni. Punto e basta. Accompagnamoli al meglio.

Confettura di cipolle

Pelate 600 g di cipolle rosse di Tropea o ramate di Milano, affettatele e cuocetele a fuoco dolcissimo con 100 g di zucchero di canna, 1 cucchiaino di sale, 1 foglia di alloro e il succo filtrato di 1 limone per circa 1 ora. Eliminate l'alloro, quando è tiepida mettetela in un barattolo, chiudete e conservate in frigo.

Confettura senapata di fichi

Pelate 700 g di fichi sodi, tagliateli a pezzi e cuoceteli a fuoco dolcissimo con 100 di zucchero di canna, 1 cucchiaino di sale e il succo filtrato di 1 limone per circa 1 ora. Alla fine aromatizzate a piacere con senape in polvere stemperata ☞ in poca acqua. Quando è tiepida mettetela in un barattolo, chiudete e conservate in frigo.

Cognà

Prendete 400 g di mosto d'uva, aggiungete 100 g di zucchero, 1 cucchiaino di sale, 1 pera pelata e tagliata a piccoli pezzi, 2 mele cotogne, sempre pelate e tagliate a piccoli pezzi, 2 gherigli di noce pestati, 2 chiodi di garofano pestati, 1 cucchiaino di cannella in polvere e il succo filtrato di 1 limone e cuocete scoperto a fuoco dolcissimo per circa 1 ora, più o meno, dipende da quanto è liquido il mosto. Quando è tiepida mettetela in un barattolo, chiudete e conservate in frigo.

Per chiudere in bellezza: i dolci

In linea di massima i piatti fatti in casa con un po' di competenza, amore e buone materie prime sono meglio di quelli comprati dal rosticciere. In linea di massima i dolci fatti in casa con un po' di competenza, amore e buone materie prime sono meno buoni di quelli fatti da un buon pasticcere. Perché lui ha tanta esperienza, che nei dolci conta più che nella cucina. Perché lui ha delle macchine professionali, soprattutto impastatrici, sfogliatrici e formatrici che un privato se le sogna. È dura ma è così. Per questo motivo, meglio comprarli dal buon pasticcere.

Già, ma cosa comprare? I dolci sono ricchi di zuccheri. In Italia dove mangiamo antipasto, un primo in genere ricco di zuccheri e un saporito secondo con contorno, gustare un ricco dolce fatto con la farina è troppo. È troppo dovunque, anche nel mondo germanico, che per i dolci ricchi e saporiti ha una vera venerazione ma li consuma in genere da soli a pranzo o a merenda, molto raramente alla fine del pasto. Ed è giusto che sia così.

Pertanto in questo capitolo vi propongo poche preparazioni di base, che non possono mancare, e qualche dolce (abbastanza) leggero e (sempre) amato, adatto al nostro modo di mangiare. Seguono dei capitoli sulle salse che possono arricchire al meglio i gelati, siano essi comprati o fatti in casa, e gli onnipresenti panettoni e affini, sempre artigianali o industriali: bisogna volersi proprio male per provare a fare un panettone a casa.

Ultimo trucco consigliato, subdolo ma vincente. Se fate

un dolce a casa, non fatelo troppo bello e leccato. Se vi siete
sbattuti a prepararlo che sia con *nuances* di imperfezioni che
gridino forte al mondo: questo l'ho fatto io!

Crema pasticcera

Per 4. Portate a ebollizione mezzo litro di latte con la scorza di mezzo limone. Montate in una casseruola 4 tuorli con
100 g di zucchero finché saranno chiari e spumosi, incorporate 40 g di amido di mais o di fecola di patate e diluite con
il latte caldo, filtrato versandolo a filo. Fate addensare la crema a fuoco basso mescolando con una frusta o con un cucchiaio di legno. Trasferitela in una ciotola e spolverizzatela di
zucchero a velo per evitare che si formi la pellicola in superficie. Lasciatela raffreddare.

Crema inglese

Per 4. È delicatissima, facilmente impazzisce, cioè l'uovo
si divide dal latte formando una specie di stracciatella. Per
evitarlo cuocetela a bagnomaria, facendo attenzione che non
solo non bolla la crema ma neppure l'acqua del bagnomaria.
Portate a ebollizione mezzo litro di latte in un pentolino con
1 baccello di vaniglia. Montate in una casseruolina 4 tuorli
con 80 g di zucchero, versate a filo il latte caldo filtrato continuando a mescolare energicamente. Immergete la casseruola
in un bagnomaria e, mescolando con un cucchiaio di legno,
fate addensare la crema finché velerà il cucchiaio. Trasferitela in una ciotola e lasciatela raffreddare, mescolando di tanto in tanto.

La composta è una conserva di frutta cotta in uno sciroppo. La procedura qui descritta con i frutti di bosco vale per

271

tutta la frutta, aumentando o diminuendo la quantità di zucchero rispetto all'acqua in funzione di quanto è dolce la frutta e dell'uso della composta. Se poco zuccherina, è fantastica per condire un arrosto.

Composta di frutti di bosco
Per 600 g. Fate bollire 400 g di acqua con 300 g di zucchero e la scorza di mezza arancia (o di 1 limone) per 5', mescolando. Unite 500 g di frutti di bosco e 1 mela a dadini e fate sobbollire per 2'. Spegnete e lasciate intiepidire. Scolate la frutta e mettetela in un vaso. Filtrate e portate a bollore il fondo, riducetelo a metà, lasciatelo intiepidire e unitelo alla frutta.

QUALCHE CONFETTURA E MARMELLATA

La marmellate, per legge, si possono chiamare così se fatte con agrumi. Quelle fatte con altra frutta sono confetture. L'aggiunta di zucchero può variare a piacere, si va da metà del peso della frutta a pari peso. Dipende dai gusti e da quanto è dolce la frutta. Ma se mettete poco zucchero, come è di moda oggi, la frutta deve essere veramente matura, non ci deve essere traccia di acerbo.

Confettura di albicocche
Per 2 vasetti da 500 g circa. Lavate 1 kg di albicocche mature, dividetele a metà ed eliminate i noccioli. Mettetele in una casseruola d'acciaio a fondo spesso con il succo e la scorza grattugiata di 1 limone e cuocete per 15' mescolando. Scolatele, passatele al passaverdura e pesate il passato. Rimettetelo nella casseruola con 3 quarti del peso di zucchero e 1 cucchiaio di cannella in polvere e cuocete a fuoco basso senza coperchio, mescolando spesso ed eliminando la schiumetta che si forma, per circa 1 ora. La confettura sarà pronta quando una goccia fatta cadere su un piattino inclinato si rapprende subito senza scivolare. Lavate i vasetti con acqua bol-

lente, asciugateli bene e teneteli in forno a 150° per 4'. Riempiteli fino a 1 cm dal bordo con la confettura caldissima, chiudeteli subito ermeticamente, capovolgeteli e lasciateli raffreddare prima di riporli in dispensa. Questa ricetta vale per tutta la frutta. Siate parchi di zucchero solo se la frutta è dolce ma anche ben matura.

Marmellata di arance
Per 2 vasetti da 500 g circa. Asportate la sola parte arancione della scorza di 1 kg di arance con un pelapatate, tagliatela a filetti e sbollentateli ☞ per 10'. Sbucciate al vivo le arance, raccogliendo in una ciotola il succo che cola. Pesate la polpa delle arance, tagliatela a pezzi, eliminate con grande attenzione i semini (una noia mortale, ma va fatto...) e mettetela con 3 quarti del peso di zucchero, il succo e le scorzette sgocciolate in una casseruola d'acciaio a fondo spesso. Cuocete a fuoco basso mescolando spesso con un cucchiaio di legno per 2 o più ore, finché la marmellata sarà densa, traslucida e aderirà al cucchiaio. Lavate i vasetti con acqua bollente, asciugateli bene e teneteli in forno a 150° per 4'. Riempiteli fino a 1 cm dal bordo con la marmellata caldissima, chiudeteli subito ermeticamente, capovolgeteli e lasciateli raffreddare prima di riporli in dispensa. Questa ricetta vale per tutti gli agrumi.

QUALCHE DOLCE AL CUCCHIAIO

Bavarese allo yogurt
Per 4. Fate ammorbidire 10 g di gelatina in fogli in acqua fredda per 10'. Scaldate 4 cucchiai di latte in un pentolino, unite la gelatina sgocciolata e strizzata e mescolate per qualche istante senza far bollire per farla sciogliere. Filtrate il composto e amalgamatelo a 300 g di yogurt intero. Montate 1,5 dl di panna con 80 g di zucchero e 1 bustina di vaniglina e incorporatela allo yogurt. Versate il tutto in uno stampo con il foro centrale della capacità di circa 8 dl e fate rassodare in fri-

go per almeno 4 ore. Prima di servire, immergete il fondo dello stampo in acqua calda per qualche istante e sformate il dolce su un piatto da portata. Servitelo con un *coulis* di lamponi o fragole ottenuto frullando 1 cestino di frutti con poco zucchero.

Clafoutis di ciliegie nere

Questa specialità del Limousin si prepara con ciliegie nere non denocciolate perché, come sostengono i montanari della zona, i noccioli sono indispensabili per dare un aroma particolare al dolce. Fidatevi dei montanari.

Per 6. Lavate 500 g di ciliegie nere, togliete il gambo e fatele asciugare su un telo. Mescolate 100 g di farina con 80 g di zucchero e 1 pizzico di sale. Incorporate 3 uova, uno alla volta, e aggiungete 3 dl di latte, 1 dl di panna, 1 bustina di vaniglina, mezzo cucchiaino di scorza di limone grattugiata e 1 bicchierino di kirsch. Sbattete con la frusta fino ad avere una pastella morbida e cremosa. Imburrate uno stampo da crostata di 26 cm di diametro, disponete le ciliegie nere sul fondo in un solo strato, versatevi sopra la pastella e cuocete in forno a 180° per 40'. Lasciate intiepidire e spolverizzate con zucchero a velo.

Clafoutis di albicocche

Per 6. Sbollentate ☞ 400 g di albicocche, spellatele, eliminate i noccioli e tagliate la polpa a pezzetti. Sbattete 1 uovo con 3 tuorli, 40 g di zucchero, 1 pizzico di sale e 1 bustina di vaniglina. Amalgamatevi 100 g di farina mescolata con 40 g mandorle pelate e tritate, diluite con 3 dl di latte e aromatizzate con 2 cl di liquore all'albicocca. Incorporate 3 albumi montati a neve semiferma con 60 g di zucchero e versate la metà del composto in uno stampo imburrato e infarinato: distribuitevi sopra le albicocche e ricoprite con il composto rimasto. Cuocete in forno a 180° per 40'. Lasciate intiepidire e spolverizzate di zucchero a velo.

Crema di ricotta con sfoglie e amarene
Per 6. Mescolate in una ciotola 500 g di ricotta di pecora
con 300 g di zucchero, la scorza di 1 limone e di 1 arancia a
julienne e 1 cucchiaino di cannella, coprite con pellicola e
mettete in frigo per 8 ore. Ricavate da 200 g di pasta sfoglia
stesa dei dischi di circa 5 cm di diametro con un tagliapasta.
Adagiateli su una placca ricoperta di carta da forno, spolverizzateli di zucchero a velo e passateli in forno a 180° per 20'.
Montate 3 dl di panna e incorporatela al composto di ricotta
passato al setaccio. Disponete nei piattini da dessert 1 disco
di sfoglia, sovrapponete il tagliapasta con cui avete tagliato la
pasta, riempitelo con il composto di ricotta, toglicte l'anello
e ricoprite con un altro disco di sfoglia. Decorate con amarene sciroppate e foglioline di menta.

Crème brulée
Per 4. Sbattete 5 tuorli con una frusta in una ciotola insieme a 75 g di zucchero e unite 4 dl di panna. Suddividete il
composto in 4 piccole pirofile individuali imburrate e cuocete in forno a 160° per 30'. Lasciate raffreddare e mettete in
frigo per 2 ore. Prima di servire, spolverizzate con zucchero
di canna e gratinate sotto il grill per 2'.

Kaiserschmarren
Per 4. Mettete a mollo ☞ 60 g di uvetta nel rum per 20'.
Montate 4 tuorli con 2 cucchiai di zucchero, aggiungete mescolando 3 cucchiai di farina, 1 pizzico di sale e tanto latte
quanto basta a ottenere una pastella fluida. Incorporate 4 albumi montati a neve ben ferma, metà uvetta sgocciolata e
strizzata e la scorza grattugiata di 1 limone. Scaldate 30 g di
burro con 2 cucchiai d'olio in una padella, versate il composto, mettete il coperchio e lasciatelo rapprendere dal lato a
contatto con la padella. Cospargete con l'uvetta rimasta, girate la frittata e proseguite la cottura sminuzzandola con un
cucchiaio di legno in pezzetti irregolari. Unite 1 noce di burro e fate dorare senza far seccare. Spolverizzate con zucchero a velo e servite, accompagnando, a piacere, con una composta di frutta ☞.

Mousse al cioccolato
Per 4. Fate sciogliere 250 g di cioccolato fondente a bagnomaria con 30 g di burro e 2 cucchiai di caffè, lasciate intiepidire e incorporate 5 tuorli, uno alla volta. Unite 3 cucchiai di zucchero continuando a mescolare finché il composto sarà liscio e lucido. Montate 5 albumi a neve con 1 pizzico di sale e incorporateli delicatamente al composto. Distribuite la *mousse* in 4 coppe da dessert, coprite con pellicola trasparente e tenete in frigo per almeno 3 ore prima di servire. Potete incorporare 2 dl di panna montata al posto degli albumi.

Panna cotta
Per 4. Lasciate ammorbidire 15 g di gelatina in fogli in acqua fredda per 10'. Scaldate 5 dl di panna in una casseruola con 80 g di zucchero e 1 bustina di vaniglina a fuoco dolcissimo finché accenna a bollire. Togliete dal fuoco e unite la gelatina strizzata sbattendo con una frusta finché sarà sciolta completamente. A piacere, aromatizzate con poco liquore. Filtrate il composto e versatelo in 4 stampini, fate raffreddare e mettete in frigo a rapprendere per almeno 3 ore. Servitela spolverizzata di cacao.

QUALCHE CROSTATA NON PUÒ MANCARE

Crostata di frutta secca
Per 6. Procuratevi 400 g di frutta secca mista come mandorle pelate, gherigli di noce, nocciole, anacardi, pinoli, pistacchi e frutta disidratata. Scaldate 150 g zucchero in una piccola casseruola con 3 cucchiai d'acqua fino a ottenere uno sciroppo denso. Togliete dal fuoco e incorporate 50 g di burro fuso, 1,5 dl di panna, 1 bustina di vaniglina e metà frutta secca spezzettata. Rivestite con 200 g di pasta frolla ☞ uno stampo imburrato e infarinato di 26 cm di diametro, bucherellate il fondo con una forchetta e cospargetelo con amaretti sbriciolati. Versatevi il ripieno e cuocete in forno a 180° per 20'. Distribuite sul dolce la frutta secca rimasta, spennellate con poco burro fuso e cuocete in forno per altri 20'.

Crostata di pere al cioccolato
Per 6. Preparate una crema al cioccolato mescolando in una casseruola 40 g di fecola con 70 g di zucchero. Unite, senza smettere di mescolare, 3,5 dl di latte caldo e 1 bicchierino di rum, portate a ebollizione e aggiungete 150 g di cioccolato fondente tagliuzzato e 1 bustina di vaniglina. Fate addensare la crema a fuoco medio, versatela in una ciotola e lasciatela raffreddare mescolando di tanto in tanto. Portate a ebollizione 3 dl d'acqua con 40 g di zucchero di canna e 1 stecca di cannella, unite 4 pere sbucciate e tagliate a fettine e cuocetele per 10'; lasciatele raffreddare nello sciroppo. Foderate con 200 g di pasta frolla ☞ una teglia imburrata e infarinata di 26 cm di diametro, bucherellatela sul fondo con una forchetta e cuocete in forno a 180° per 30'. Sfornatela, lasciate raffreddare il guscio di pasta, versatevi la crema al cioccolato e sistematevi sopra le pere ben sgocciolate.

QUALCHE TORTA CHE PIÙ GHIOTTA NON SI PUÒ

Castagnaccio
Per 6. Setacciate 400 g di farina di castagne in una ciotola, unite 1 pizzico di sale e 1 cucchiaio di zucchero e diluitela versando a filo 6 dl di acqua e 2 cucchiai d'olio, mescolando bene fino a ottenere una pastella fluida e senza grumi. Amalgamate 20 g di pinoli e 20 g di uvetta ammorbidita in acqua tiepida, strizzata e infarinata in farina di castagne. Versate il composto in uno stampo unto d'olio e cosparso di pangrattato, dovrà avere uno spessore di circa 2 cm. Spolverizzate la superficie con pinoli, uvetta e aghi di rosmarino, irrorate con 1 filo d'olio e cuocete in forno a 190° per 30' o finché la superficie risulterà screpolata. Servitelo tiepido o freddo accompagnandolo con ricotta fresca.

Cheese cake
Per 6. Sbriciolate 200 g di biscotti integrali e amalgamateli con 100 g di burro ammorbidito, 2 cucchiai di zucchero

di canna e la scorza di mezzo limone grattugiata. Stendete il composto allo spessore di circa 1 cm sul fondo di uno stampo a cerniera di 24 cm di diametro e mettete in frigo per 1 ora. Ammorbidite 10 g di gelatina in fogli in acqua fredda, scaldate 4 cucchiai di rum e scioglietevi la gelatina strizzata. Lavorate 500 g di formaggio fresco e cremoso (ricotta, Philadelphia o robiola) con 100 g di zucchero a velo, la scorza di mezzo limone grattugiata e il succo filtrato di 1 limone e amalgamate la gelatina. Incorporate al composto 2,5 dl di panna montata e 2 albumi montati. Versate il composto nello stampo, livellatelo e mettete il dolce in frigo per almeno 4 ore. Decoratelo con frutti di bosco misti.

Torta di mele
Per 6. Pulite 4 mele, tagliatele a fettine e lasciatele macerare nel succo di 1 limone cosparse con poco zucchero per 30'. Sbattete 3 uova con 300 g di zucchero, 100 g di burro ammorbidito, 2 dl di latte, 300 g di farina e 1 bustina di lievito per dolci. Imburrate uno stampo di 26 cm di diametro, versate il composto e aggiungete le mele facendole penetrare nella pasta. Spolverizzate di zucchero e cuocete in forno a 170° per 40' o finché la torta risulterà gonfia e dorata.

LA FRUTTA

Fragoloni marinati al Porto
Per 4. Pulite 4 cestini di fragoloni. In una casseruola portate a ebollizione mezzo litro di Porto con la scorza di 1 limone, 1 stecca di cannella, 2 chiodi di garofano e 3 cucchiai di miele, filtratelo e lasciatelo raffreddare a temperatura ambiente. Mettete i fragoloni in una ciotola, irrorateli con poco succo di limone, cospargeteli leggermente con zucchero di canna, bagnateli con il Porto e lasciate marinare in frigo per almeno 3 ore.

Mania dell'autore 26:
le salse per i gelati

Chiudere un ricco pasto con un sorbetto o un gelato è la soluzione migliore, puliscono la bocca senza prevaricare e appesantire. Decidete voi se farveli, in questo caso seguite pedissequamente le indicazioni sul libretto di istruzioni della gelatiera, o comprarli da un bravo gelataio. Vale comunque la pena di arricchire i gelati con salse fatte in casa. Ecco alcune idee.

Al cioccolato bianco
Per 4. Sciogliete a bagnomaria 100 g di cioccolato bianco spezzettato e incorporate 4 cucchiai di latte o panna e 1 noce di burro.

Al caramello
Per 4. Fate caramellare 80 g di zucchero in una piccola casseruola a fuoco medio con 2 cucchiai d'acqua finché diventa dorato. Togliete dal fuoco, amalgamate gradualmente 2 dl di panna e cuocete per altri 3' senza far bollire.

Al caramello e arancio
Per 4. Fate fondere 1 noce di burro in una padella antiaderente a fuoco basso, aggiungete il succo filtrato di 2 arance e 50 g di zucchero di canna. Lasciate sciogliere lo zucchero e incorporate 1 cucchiaino di fecola di patate stemperato ☞ in poca acqua fredda. Mescolate per qualche istante finché la salsa sarà leggermente addensata e servitela calda.

Ai frutti di bosco e kirsch
Per 4. Riunite in un pentolino 1 stecca di cannella con 50 g di zucchero e 1,5 dl d'acqua, cuocete per qualche minuto finché lo zucchero si sarà sciolto, aggiungete 300 g di frutti di bosco misti, qui lo dico e qui lo nego anche surgelati, e proseguite la cottura a fuoco vivo per 5'. Lasciate intiepidire, eliminate la cannella e frullate con 1 bicchierino di kirsch.

Alle albicocche
Per 4. Scaldate 200 g di confettura di albicocche ☞ in un pentolino con 1 dl d'acqua, mescolate bene. Alla fine aromatizzate con 2 cucchiai di succo di limone o di brandy.

All'arancia
Per 4. Tagliate la parte arancione di 2 arance e riducetela a julienne. Spremete le arance, filtrate il succo e mescolatelo con 2 cucchiai di miele e 1 cucchiaino di fecola di patate. Portate a ebollizione, unite la julienne e cuocete ancora per 1'.

All'arancia e Cointreau
Per 4. Scaldate 200 g di marmellata d'arance ☞ in un pentolino con 1 dl d'acqua e 1 cucchiaino di cannella in polvere e profumate con 2 cucchiai di Cointreau (o Grand Marnier).

All'ananas
Per 4. Montate 2 tuorli con 2 cucchiai di zucchero, unite 2 dl di succo d'ananas e cuocete a fuoco basso mescolando finché la salsa velerà il cucchiaio. Aromatizzate con 2 cucchiai di rum e lasciate intiepidire.

Allo zenzero
Per 4. Lasciate in infusione 2 dl di latte con 30 g di zenzero sbucciato e tagliato a fettine per 10'. Scaldatelo, filtratelo e mescolatelo a 1 tuorlo sbattuto con 2 cucchiai di zucchero. Cuocete a bagnomaria finché la salsa velerà il cucchiaio e spolverizzatela con zenzero in polvere o pezzettini di zenzero candito.

Mania dell'autore 27:
le salse per panettoni e affini

Gustare una fetta di panettone o di pandoro non guarniti, così come escono dalla confezione, mi fa sempre una gran tristezza. Meglio arricchire le fette con qualche salsa. Eccole.

Zabaione
Per 4. In una casseruola montate con una frusta 5 tuorli con 80 g di zucchero fino a quando saranno chiari e spumosi. Cuocete il composto a bagnomaria a fuoco bassissimo, senza mai far bollire e senza smettere di montarlo, per circa 10': deve aumentare molto di volume e diventare gonfio e vellutato. Per non farlo impazzire aggiungete 1 pizzico di farina. Scaldate 1,5 dl di Marsala secco, unitelo allo zabaione e date un'ultima frullatina. Se vi piace, completate con 1 grattatina di noce moscata o 1 pizzico di cannella. Servitelo caldo, tiepido o freddo.
  ✓ Potete sostituire il Marsala con molti vini e liquori. Come Barolo, Barolo Chinato, brandy, Cognac, kirsch, Madera, maraschino, moscato, Porto, rum, Sherry, vin santo e tanti altri.

Zabaione alla panna
Per 4. Preparate uno zabaione ☞, lasciatelo intiepidire e incorporate 1,5 dl di panna montata e 2 cucchiai di rum al posto del Marsala.

Ai frutti di bosco
Per 4. Preparate una crema inglese ☞ con 4 tuorli e arricchitela con frutti di bosco misti.

Al cioccolato e Porto

Per 4. Spezzettate 150 g di cioccolato fondente e scioglietelo a bagnomaria in una casseruola con 2 cucchiai di zucchero, 1 pizzico di vaniglina e 2 dl di panna liquida, sbattendo con una frusta fino ad avere un composto spumoso. Aromatizzate con 2 cucchiai di Porto.

Al vino rosso

Per 4. Sobbollite 8 dl di vino rosso con 150 g di zucchero e 2 stecche di cannella. Riducetelo a 1 quarto. Spegnete il gas, unite la scorza di mezza arancia tagliata a julienne e sbollentata ☞ per 1' e lasciatelo raffreddare.

Ringraziamenti

Ho sempre irriso i lunghi ringraziamenti che compaiono all'inizio o alla fine dei saggi. Ora che un (piccolo, quasi) saggio l'ho scritto io... ecco il mio elenco. Nell'autunno del 1997 Enrico Deaglio mi propose una rubrica di cucina su "diario della settimana". Da allora ho cercato di interessare i lettori di questo bellissimo settimanale con ricette, spunti e quant'altro, in completa libertà – sarò per sempre grato a Enrico di questo. *Cuochi si diventa* è figlio primogenito di questa mia rubrica. Il primo ringraziamento è per lui e per Andrea Jacchia, Carla Chelo e Pietro Cheli.

Dal 1995 curo una rubrica di ristoranti milanesi su "viviMilano", il supplemento del "Corriere della Sera". Una grande scuola, un'occasione per confrontarmi, professionalmente, con le tante cucine che prosperano nella mia città. Grazie ai responsabili di "viviMilano" di questi anni, Maurizio Donelli, Paolo Mereghetti e Silvia Vedani.

Dal 2002 Vitalba Paesano, direttore di "Viaggi e Sapori", mi ha affidato due rubriche, su personaggi del mondo della cucina e su cuochi creativi – una grande occasione per cercare su e giù per lo Stivale il meglio. Grazie a Vitalba.

Amo la cucina da sempre. Prima da appassionato e ora da giornalista di settore. Ho sempre tampinato, dopo aver gustato piatti appaganti, cosa che per fortuna capita più spesso di quanto si potrebbe pensare, tanti bravi patron e cuochi per rubare loro ricette, spunti e idee. Sono tantissimi, a loro devo tutto, purtroppo ringraziarli tutti è impossibile.

Grazie in particolar modo a Cristina e Cinzia Cantatore, Alberto Citterio, Fulvio Dato, Massimo Meloni, Mirella Nemtan, Francesco Passalacqua e Matteo Vigotti.

Qualche amico mi ha dato una mano per costruire questo libro, anche più di quanto lui pensi. Grazie a Carla e Carlo Latini, Gianna Liberato e Marco Mignani.

Grazie soprattutto ai bravissimi cuochi e amici Carlo Cracco, Edo Ferrera, Ezio Gritti e Nadia e Aimo Moroni.

Grazie a mia sorella Cristina Bay e a Barbara Kittel.

Grazie in particolar modo a Silvia Giacomoni e Giorgio Bocca. Loro sanno perché.

Grazie a Fabiano Guatteri, grande amico e grande esperto di cucina, dalla illimitata disponibilità. *Last but non least*, grazie ad Antonella Mangini, senza la sua intelligente competenza *Cuochi si diventa* sarebbe un'altra cosa.

Grazie a Carlo Feltrinelli, che ha creduto in questo libro, e ad Alberto Rollo, impareggiabile editor.

Grazie a Maddalena Ceretti, che con tanta pazienza e attenzione lo ha redatto, e a Paola Adorni, Donatella Berasi e Chiara Cardelli, che l'hanno riletto con cura estrema. Tutte insieme mi hanno suggerito poco più di 100 interventi, grandi e piccini. Dopo un duro braccio di ferro, ne ho accettati solo 96.

Va da sé, come si dice sempre, che sono il solo responsabile di quanto ho scritto.

Scrivi una e-mail ad Allan Bay con i tuoi commenti, critiche e suggerimenti sui contenuti del libro all'indirizzo cuochisidiventa@feltrinelli.it.

L'autore risponderà ai messaggi più interessanti sul "weblog" a lui dedicato sul sito www.feltrinelli.it.

Indice alfabetico delle ricette

Indice alfabetico delle tecniche
e delle procedure

Un motorino di ricerca in più

Accanto ai classici e insostituibili indici alfabetico e generale, ho pensato di mettervi a disposizione un motorino di ricerca meno usuale – accanto, non li sostituisce! Qui di seguito troverete 70 ingredienti ghiotti. Per ognuno ho indicato tutti i piatti, siano essi salse, antipasti, primi e quant'altro, dove quell'ingrediente è dominante.

I piatti dove nessun ingrediente domina non compaiono. Anche i dolci sono assenti – lì domina sempre lo zucchero...

Per evitare doppioni, ho omesso gli ingredienti che hanno uno spazio tutto per sé. Per fare un esempio, non troverete la voce *ganascino*, quattro ricette ma concentrate in un unico capitolo – le trovate senza problema nell'indice alfabetico. Mentre troverete sotto *vino* il ganascino brasato al Barbera. Alla voce frattaglie non trovate quelle a loro dedicato, ma solo quelle che compaiono in altri capitoli. Non troverete la voce *merluzzo*, ma sotto *sedano di Verona* il merluzzo con sedano di Verona e sotto *spinaci* il merluzzo con spinaci e formaggio.

Questo motorino di ricerca in più vuole essere utile soprattutto per permettetevi di trovare tutti e proprio tutti i piatti dove un ingrediente amato è dominante, al di là del nome e della collocazione nel libro. Buona ricerca.

Indice generale

Stampa Grafica Sipiel
Milano, giugno 2008